CB024341

Seu projeto sangrento

editado e apresentado por
Graeme Macrae Burnet

Seu projeto sangrento

Documentos relativos ao caso de Roderick Macrae

tradução
Paulo Geiger

todavia

O moinho funciona melhor quando
a pedra de moer foi deixada áspera.

Provérbio das Terras Altas da Escócia

Prefácio

Estou escrevendo a mando de meu advogado, o sr. Andrew Sinclair, que desde minha prisão aqui em Inverness tratou-me com um grau de civilidade que de forma alguma eu mereço. Minha vida foi curta e de pouca relevância, e não tenho vontade de absolver a mim mesmo da responsabilidade pelos atos que cometi ultimamente. Assim, não é por outro motivo senão o de retribuir a bondade de meu advogado comigo que registro estas palavras no papel.

Assim começam as memórias de Roderick Macrae, pequeno agricultor arrendatário de dezessete anos de idade, indiciado sob a acusação de ter cometido três assassinatos brutais em seu vilarejo nativo de Culduie, Ross-shire, na manhã de 10 de agosto de 1869.

Não é minha intenção reter indevidamente o leitor, mas algumas observações preliminares podem fornecer um contexto para o material reunido aqui. Os leitores que preferirem ir direto aos documentos propriamente ditos estão, é claro, livres para fazê-lo.

Na primavera de 2014, embarquei no projeto de descobrir alguma coisa sobre meu avô, Donald "Tramp" Macrae, que nasceu em 1890 em Applecross, menos de cinco quilômetros ao norte de Culduie. Foi durante minha pesquisa no Centro de Arquivos das Terras Altas, em Inverness, que deparei com alguns recortes de jornal que descreviam o julgamento de Roderick

Macrae, e com a ajuda de Anne O'Hanlon, a bibliotecária, descobri o manuscrito que constitui a maior parte deste tomo.

Consideradas sob qualquer parâmetro, as memórias de Roderick Macrae são um documento notável. Foram escritas no cárcere do Castelo de Inverness, aproximadamente entre 17 de agosto e 5 de setembro de 1869, enquanto Roderick aguardava seu julgamento. Foi a existência dessas memórias, e não os assassinatos em si, que tornou este caso uma espécie de *cause célèbre*. As memórias — ou pelo menos suas partes mais sensacionais — foram mais tarde reimpressas em incontáveis livrinhos populares, folhetos baratos do tipo "literatura macabra", e provocaram grande controvérsia.

Muitos, especialmente entre os letrados de Edimburgo, duvidaram de sua autenticidade. O relato de Roderick fez ecoarem lembranças do escândalo de *Ossian*, ocorrido quando o século XVIII chegava ao fim, no qual James Macpherson alegou ter descoberto e traduzido a grande epopeia da poesia gaélica. Rapidamente, *Ossian* assumiu o status de um clássico da literatura europeia, mas descobriu-se mais tarde que era uma fraude. Para Campbell Balfour, escrevendo na *Edinburgh Review*, era "absolutamente inconcebível que um semianalfabeto camponês fosse capaz de produzir uma escrita tão consistente e eloquente [...] A obra é uma farsa e os que exaltam este assassino impiedoso como uma espécie de nobre selvagem ficarão com o tempo corados de vergonha".* Para outros, tanto os assassinatos quanto as memórias eram um atestado da "terrível barbárie que continua a prosperar nas regiões setentrionais de nosso país [e que] todos os esforços de nosso dedicado presbitério e as grandes melhorias** das décadas passadas não conseguiram erradicar".***

* Campbell Balfour, "O *Ossian* de nosso século", *Edinburgh Review*, out. 1869, n. CCLXVI. ** Uma referência aos relatórios administrativos das Terras Altas. *** Editorial, *The Scotsman*, 17 set. 1869.

No entanto, para outros ainda, os eventos descritos nas memórias tornavam patente a injustiça das condições feudais nas quais o pequeno agricultor arrendatário das Terras Altas continuava a labutar. Tomando o cuidado de não ser leniente em relação às ações cometidas por ele, John Murdoch, que mais tarde estabeleceria o jornal radical *The Highlander*, viu em Roderick Macrae "uma figura levada ao limite de sua razão — ou além — pelo sistema cruel que torna escravos homens que desejam apenas tirar seu sustento honestamente de um pedaço de terra emprestado".*

Quanto à autenticidade do documento, não é possível, um século e meio depois, dar uma resposta definitiva. É sem dúvida notável que alguém tão jovem conseguisse produzir um relato tão eloquente. Contudo, a ideia de que Roderick Macrae era um "camponês semianalfabeto" é fruto de um preconceito contra o norte, que continuou existindo nas cidades afluentes do Cinturão Central. O currículo da escola primária de Lochcarron, nas proximidades, na década de 1860, registra que crianças eram instruídas em latim, grego e ciências. Roderick provavelmente teve uma educação semelhante em sua escola em Camusterrach, e suas memórias atestam isso, e também o fato de que ele era aluno de talento incomum. O fato de que Roderick *poderia* ter escrito as memórias não prova, é claro, que o tenha feito. Para isso temos a evidência apresentada pelo psiquiatra James Bruce Thomson, cujas próprias memórias atestam que ele viu o documento na cela de Roderick. Os céticos poderiam afirmar (e afirmaram) que Thomson na verdade nunca viu Roderick escrever qualquer coisa, e é preciso admitir que, se a autoria das memórias fosse submetida a um julgamento moderno, a cadeia de evidências não poderia ser totalmente verificada.

* John Murdoch, "O que podemos aprender com esse caso", *Inverness Courier*, 14 set. 1869.

A ideia de que as memórias foram na verdade escritas por outra mão (sendo o principal suspeito o advogado de Roderick, Andrew Sinclair) não pode ser totalmente descartada, mas exige o elaborado modo de pensar do mais radical teórico da conspiração para se acreditar ter sido esse o caso. E ainda há o conteúdo do próprio documento, o qual contém tal riqueza de detalhes que é muito pouco plausível não ter sido escrito por um nativo de Culduie. Além do mais, o relato que Roderick faz dos eventos que levaram aos assassinatos era, com algumas exceções de pouca importância, muito coerente com a evidência apresentada no julgamento por outras testemunhas. Por essas razões, e tendo examinado o manuscrito pessoalmente, não tenho dúvidas quanto a sua autenticidade.

Em acréscimo ao relato de Roderick Macrae, este livro inclui também as declarações feitas à polícia por vários residentes em Culduie; os relatórios post mortem sobre as vítimas; e, talvez o mais fascinante de tudo, um excerto das memórias de J. Bruce Thomson, *Viagens nas regiões limítrofes da loucura*, nas quais ele relata como foi o exame a que submeteu Roderick Macrae e uma visita que fez a Culduie na companhia de Andrew Sinclair. Thomson era o cirurgião-residente lotado na Penitenciária Central da Escócia, em Perth, onde ficavam aqueles que, devido à insanidade, não se habilitavam a passar por um julgamento. O sr. Thomson fez bom uso da oportunidade que essa posição lhe auferia, publicando dois influentes artigos — "A natureza hereditária do crime" e "A psicologia de criminosos" — no *Journal of Mental Science*. Era bem versado na nova teoria da evolução e na ainda nascente disciplina da Antropologia Criminal, e embora algumas das ideias expressas possam não ser palatáveis para o leitor moderno, vale a pena ter em mente o contexto no qual foram escritas, e que representam um esforço autêntico para ir além de uma visão teológica da criminalidade, alcançando melhor compreensão do motivo pelo qual certos indivíduos chegam a cometer crimes violentos.

Por fim, incluí um relato do julgamento, extraído da cobertura feita por um jornal da época e do livro *Relato completo do julgamento de Roderick John Macrae*, publicado por William Kay, de Edimburgo, em outubro de 1869.

Não é possível, quase um século e meio depois, saber a verdade por trás dos acontecimentos descritos neste livro. Os relatos aqui apresentados contêm várias discrepâncias, contradições e omissões, mas considerados em conjunto formam um mosaico de um dos casos mais fascinantes na história legal da Escócia. Naturalmente, cheguei a uma opinião própria quanto ao caso, mas deixarei o leitor ou a leitora chegar à sua própria conclusão.

Uma nota sobre o texto

Até onde sou capaz de afirmar, esta é a primeira vez que as memórias de Roderick Macrae são publicadas na íntegra. Apesar da passagem do tempo e do fato de que por alguns anos elas não foram armazenadas com cuidado, o manuscrito está em condições excepcionalmente boas. Elas foram escritas em folhas soltas e, em algum momento posterior, reunidas e costuradas com tiras de couro, o que se torna evidente pois o texto, na margem interna das páginas, está algumas vezes oculto por essa encadernação. A caligrafia é admiravelmente clara, com apenas muito ocasionais trechos riscados e inícios abortados. Ao preparar o documento para publicação, procurei o tempo todo ser fiel ao sentido do manuscrito. Em nenhum momento tentei "melhorar" o texto ou corrigir formas de expressão ou sintaxe. Tais intervenções, creio, serviriam apenas para lançar dúvida quanto à autenticidade da obra. O que se apresenta é, tanto quanto possível, a obra de Roderick Macrae. Parte do vocabulário empregado pode não ser familiar a alguns leitores, mas, em vez de sobrecarregar o texto com notas de rodapé, optei por incluir um pequeno glossário no fim desta seção.* Vale a pena também salientar que, ao longo das memórias, os nomes reais e os apelidos das pessoas são usados alternadamente — Lachlan Mackenzie, por exemplo, é geralmente referido como Lachlan "Broad". O uso de apelidos continua a ser comum nas Terras Altas escocesas — ao menos entre a geração mais velha —, provavelmente para distinguir os diferentes ramos dos nomes de família mais comuns. Os apelidos são comumente baseados em profissões ou peculiaridades, mas também podem ser passados entre gerações, a ponto de a origem do nome se tornar um mistério até mesmo para quem o recebe.

Restringi a maior parte de minhas intervenções editoriais a questões de pontuação e à divisão em parágrafos. O manuscrito apresenta um fluxo sem interrupções, salvo, talvez, em momentos nos quais Roderick largou sua pena entre um dia e outro. Tomei a decisão de dividi-lo em parágrafos para melhorar sua legibilidade. Da mesma forma, o texto é em grande parte sem pontuação, ou pontuado excentricamente. Assim, a maior parte da pontuação é minha, porém, reitero, o princípio que me orientou foi o de ser fiel ao original. Se meus julgamentos quanto a isso parecerem questionáveis, posso apenas indicar ao leitor que consulte o manuscrito, que continua no arquivo de Inverness.

GMB, julho de 2015

* Para deixar claro ao leitor brasileiro quais são os termos a que o autor se refere (quase todos em inglês da Escócia, ou gaélico), a grande maioria deles não foi traduzida, e está como no original, grifada e explicada no glossário (pp. 185-6). Algumas observações de contexto aparecem em notas de rodapé. [N.T.]

Depoimentos

reunidos de vários residentes de Culduie e de suas cercanias pelo oficial William MacLeod, da força policial de Wester Ross, Dingwall, nos dias 12 e 13 de agosto de 1869

Depoimento da sra. Carmina Murchison [Carmina "Smoke"], residente em Culduie, em 12 de agosto de 1869

Conheci Roderick Macrae desde que ele era uma criança. Sempre o achei um menino agradável, e depois um jovem cortês e obsequioso. Acredito que foi muito afetado pela morte da mãe, que era uma mulher encantadora e sociável. Apesar de eu não querer falar mal de seu pai, John Macrae é uma pessoa desagradável, que tratava Roddy com um grau de severidade que não creio qualquer criança mereça.

Na manhã do terrível incidente, falei com Roddy quando ele passou por nossa casa. Não consigo lembrar o conteúdo exato de nossa conversa, mas creio que ele me disse estar a caminho de fazer algum serviço num terreno pertencente a Lachlan Mackenzie. Levava algumas ferramentas, que pensei serem para essa finalidade. Além disso, trocamos algumas observações sobre o clima, que estava bom e ensolarado naquela manhã. Roderick parecia senhor de si e não demonstrava qualquer alteração de comportamento. Algum tempo depois, vi Roddy atravessando a cidade, no caminho de volta. Estava coberto de sangue da cabeça aos pés, e eu saí correndo de minha casa, pensando que ele sofrera algum acidente. Quando me aproximei, ele parou e a ferramenta que carregava caiu de sua mão. Perguntei o que tinha acontecido e ele respondeu sem hesitar que tinha matado Lachlan Broad. Parecia estar bem lúcido e não tentou continuar pela estrada. Pedi a minha filha mais velha que fosse buscar o pai dela, que estava trabalhando num anexo atrás de nossa casa. Ela gritou ao ver Roddy coberto de sangue, e isso fez com que outros moradores do vilarejo abrissem suas portas e os que trabalhavam em suas lavouras tirassem os olhos do que estavam fazendo. Rapidamente a comoção foi geral. Confesso que nesses momentos meu primeiro instinto foi proteger Roddy dos familiares de Lachlan Mackenzie. Por isso, quando meu marido chegou pedi a ele que levasse Roddy para dentro de nossa casa, e não lhe contei o que tinha ocorrido. Roddy ficou sentado a nossa mesa e calmamente repetiu o que tinha feito. Meu marido mandou nossa filha ir buscar nosso vizinho, Duncan Gregor, para que ele ficasse de guarda, e correu até a casa de Lachlan Mackenzie, onde deparou com a trágica cena.

Depoimento do sr. Kenneth Murchison [Kenny "Smoke"], pedreiro, residente em Culduie, 12 de agosto de 1869

Na manhã em questão eu estava trabalhando no anexo que fica atrás de minha casa, quando ouvi o rumor de comoção geral em todo o vilarejo. Saí de minha oficina e fui saudado por minha filha mais velha, que estava muito angustiada e incapaz de me informar direito o que tinha acontecido. Corri para o agrupamento de pessoas do lado de fora de nossa casa. Em meio à confusão, minha mulher e eu levamos Roderick Macrae para dentro de nossa casa, acreditando que ele tinha se ferido em algum acidente. Uma vez lá dentro, minha mulher me informou o que tinha ocorrido, e quando perguntei a Roderick se era verdade ele repetiu bem calmamente que era. Eu corri então para a casa de Lachlan Mackenzie e deparei com uma cena terrível demais para ser descrita. Fechei a porta atrás de mim e examinei os corpos procurando algum sinal de vida, mas não havia nenhum. Temendo uma explosão geral de violência caso algum dos parentes de Lachlan Broad botasse os olhos naquela cena, fui para fora e encarreguei o sr. Gregor de ficar de guarda na propriedade. Corri de volta à minha própria casa e levei Roddy de lá para o anexo de trás, onde o confinei, para protegê-lo. Ele não resistiu. O sr. Gregor não conseguiu impedir que os parentes de Lachlan Broad entrassem na propriedade e vissem os corpos lá. No momento em que eu confinava Roddy eles já tinham formado uma turba sedenta de vingança, e levou algum tempo e alguma persuasão para que ela fosse subjugada.

Quanto ao caráter de Roderick Macrae em geral, não há dúvida de que ele era um rapaz esquisito, mas, se era assim por natureza ou por causa das atribulações que sua família tinha sofrido, não sou qualificado para afirmar. O que ficou evidente de suas ações, no entanto, não fala de uma mente sadia.

Depoimento do reverendo James Galbraith, ministro na Igreja da Escócia, Camusterrach, 13 de agosto de 1869

Temo que os atos vis cometidos recentemente nesta paróquia representam apenas uma bolha na superfície do estado natural de selvageria dos habitantes deste lugar, uma selvageria que só nos últimos tempos a Igreja vem conseguindo conter. A história destas paragens, dizem, está manchada de negros e sangrentos crimes, e sua gente exibe uma certa rusticidade e indulgência. Não se extirpam traços assim nem em questão de gerações, e apesar de os ensinamentos do Presbitério serem uma influência civilizatória, é inevitável que, de quando em quando, os antigos instintos venham à tona.

Não obstante, é inevitável ficar chocado ao ouvir falar de ações como as que foram cometidas em Culduie. E de todos os indivíduos nesta paróquia, Roderick Macrae é o que menos surpreende como sendo seu perpetrador. Embora esse indivíduo tenha frequentado minha igreja desde criança, sempre senti que meus sermões caíam em suas orelhas como sementes em uma rocha maciça. Tenho de reconhecer que seus crimes representam, em alguma medida, um fracasso de minha parte, mas às vezes é preciso sacrificar um cordeiro pelo bem geral do rebanho. Sempre houve uma malignidade, facilmente discernível, neste rapaz, a qual, lamento dizer, estava além de meu alcance.

A mãe do rapaz, Una Macrae, era uma mulher frívola e dissimulada. Ela frequentava a igreja regularmente, mas temo que confundia a Casa do Senhor com um lugar de encontro social. Eu frequentemente a ouvia cantar em seu caminho de ida e volta para a igreja, e após a missa ela se reunia no adro com outras mulheres e se entregava a conversas e risadas intempestivas. Em mais de uma ocasião fui obrigado a repreendê-la.

Devo, no entanto, dizer uma palavra em favor do pai de Roderick Macrae. John Macrae está entre as pessoas mais devotadas às Escrituras nesta paróquia. Seu conhecimento da Bíblia é extenso e ele é sincero em sua observância religiosa. Contudo, assim como a maioria das pessoas nestas paragens, mesmo quando ele repete como um papagaio as palavras do Evangelho, temo que sua compreensão delas seja fraca. Depois da morte da esposa do sr. Macrae, eu visitava a casa frequentemente para oferecer apoio e oração. Lá, na época, observei que havia muitos sinais de adesão a superstições que não cabem na casa de um crente. Assim mesmo, como nenhum de nós é perfeito, creio que John Macrae é um homem bom e devoto, que não merece ter a carga de uma tão nociva descendência.

Depoimento do sr. William Gillies, professor na escola de Camusterrach, 13 de agosto de 1869

Roderick Macrae é um dos alunos mais talentosos a quem ensinei desde minha chegada a esta paróquia. Ele superava facilmente seus colegas em sua capacidade de assimilar conceitos em ciências, matemática e linguagem, que adquiria sem qualquer demonstração de esforço ou, na verdade, de especial interesse. Quanto a seu caráter, só posso oferecer observações muito limitadas. Certamente não era de natureza muito sociável e não gostava de se misturar com os colegas, os quais, por sua vez, o olhavam com certa suspeição. De sua parte, Roderick comportava-se com desdém em relação aos colegas de turma, às vezes beirando o desprezo. Se for para especular, eu diria que essa atitude provinha de sua superioridade acadêmica. Dito isso, sempre o tive como um aluno cortês e respeitoso, nada propenso a um comportamento indisciplinado. Como marca dessa minha alta consideração por seus talentos acadêmicos, quando ele tinha dezesseis anos visitei seu pai para sugerir que Roderick continuasse os estudos, e que ele poderia, com o tempo, chegar a algo mais adequado a suas aptidões do que trabalhar a terra. Lamento dizer que minha proposta recebeu pouca atenção por parte de seu pai, que achei ser uma pessoa reticente e pouco inteligente.

Não vi Roderick desde aquela época. Ouvi alguns boatos perturbadores sobre os maltratos a um carneiro que estava a seu encargo, mas não posso me pronunciar quanto à sua veracidade, apenas declaro que, a meu ver, Roderick é um rapaz gentil, não dado ao comportamento cruel que às vezes se vê em outros da sua idade. Por esse motivo acho difícil acreditar que possa ter sido capaz de realizar os crimes dos quais foi acusado recentemente.

Depoimento de Peter Mackenzie, primo em primeiro grau de Lachlan Mackenzie [Lachlan Broad], residente em Culduie, 12 de agosto de 1869

Roderick Macrae é a pessoa mais perversa que alguém pode ter o infortúnio de conhecer. Mesmo quando era pequeno havia nele um espírito ruim, do tipo que ninguém acreditaria ser possível numa criança. Durante muitos anos todos pensavam que era mudo, capaz de manter uma estranha ligação só com a irmã, outra muito esquisita e parceira dele em questão de maldade. Geralmente era tido na paróquia como um imbecil, mas eu mesmo o considerava uma criatura totalmente maldosa, e suas recentes ações dão sustentação a essa ideia. Desde cedo ele era dado a maltratar cruelmente animais e aves, e a atos arbitrários de destruição no entorno do vilarejo. Ele era astucioso como o Diabo. Numa ocasião, quando tinha talvez doze anos, irrompeu um incêndio num anexo à casa de meu primo Aeneas Mackenzie, destruindo um número de valiosas ferramentas e certa quantidade de grãos. O menino tinha sido visto na vizinhança da construção, mas negou ter sido o responsável, e o Black Macrae [seu pai, John Macrae] jurou que não perdera o filho de vista na hora em questão. Com isso ele escapou do castigo, mas, como em muitos outros incidentes, não havia dúvida de que era o culpado. Seu pai também é um débil mental, que esconde sua idiotia com uma zelosa devoção às Escrituras e uma subserviente deferência ao pastor.

Eu não estava presente em Culduie no dia dos assassinatos e só soube deles quando voltei, naquela noite.

Mapa de Culduie e áreas adjacentes

segundo mapa da Agência de Cartografia, de 1875, pelo capt. MacPherson, gravado em 1878

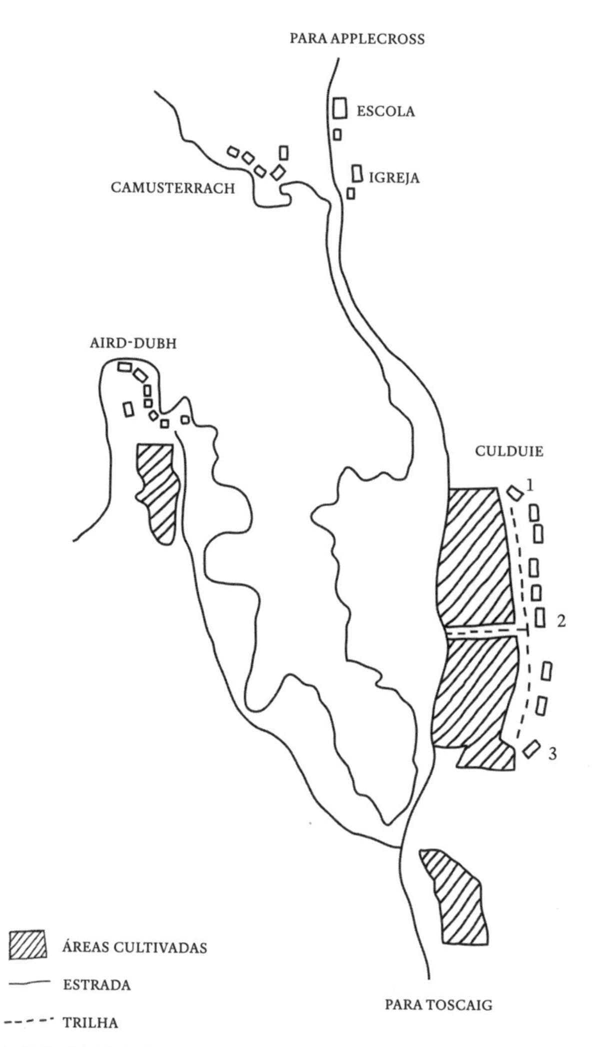

O relato de Roderick Macrae

Estou escrevendo a mando de meu advogado, o sr. Andrew Sinclair, que desde minha prisão aqui em Inverness tratou-me com um grau de civilidade que de forma alguma eu mereço. Minha vida foi curta e de pouca relevância, e não tenho vontade de absolver a mim mesmo da responsabilidade pelos atos que cometi ultimamente. Assim, não é por outro motivo senão o de retribuir a bondade de meu advogado comigo que registro estas palavras no papel.

O sr. Sinclair instruiu-me a relatar, com a maior clareza possível, as circunstâncias que cercam o assassinato de Lachlan Mackenzie e dos outros, e farei isso com o melhor de minha capacidade, desculpando-me antecipadamente pela pobreza de meu vocabulário e a rudeza de meu estilo.

Começarei dizendo que realizei esses atos com o único propósito de livrar meu pai das atribulações que estava sofrendo ultimamente. A causa dessas atribulações era o nosso vizinho, Lachlan Mackenzie, e foi para melhorar a situação de minha família que eu o removi deste mundo. Devo declarar em seguida que desde minha própria entrada neste mundo não fui senão uma praga na vida do meu pai, e minha partida de sua casa só pode ser uma bênção para ele.

Meu nome é Roderick John Macrae. Nasci em 1852 e sempre vivi no povoado de Culduie, em Ross-shire. Meu pai, John Macrae, é um agricultor arrendatário de boa posição na paróquia, que não merece ser manchado pela ignomínia das ações pelas quais sou o único responsável. Minha mãe, Una, nasceu em 1832 no município de Toscaig, cerca de três quilômetros ao sul de Culduie. Ela morreu no parto de meu irmão, Iain, em 1868, e é este acontecimento que, no meu entender, marca o início de nossos problemas.

Culduie é uma jurisdição com nove casas, situada na paróquia de Applecross. Fica cerca de oitocentos metros ao sul de Camusterrach, onde se localizam a igreja e a escola nas quais recebi minha educação. Como há uma hospedaria e um empório na vila de Applecross, poucos viajantes se aventuram a ir até Culduie. Na entrada da baía de Applecross está a Casa Grande, onde reside lorde Middleton, e lá ele entretém seus hóspedes durante a temporada de caça. Não há espetáculos ou entretenimentos que atraiam visitantes em Culduie. A estrada que passa por nossa jurisdição leva a Toscaig e para lugar nenhum mais além, e em consequência temos pouco contato com o mundo exterior.

Culduie fica a cerca de trezentos metros do mar, aninhada no sopé do *Càrn nan Uaighean*. Entre a aldeia e a estrada há uma faixa de terra fértil, que é cultivada pelos aldeões. Mais alto, nas montanhas, ficam as pastagens de verão e os charcos de turfa que nos suprem de combustível. Culduie está um tanto protegida de um clima mais severo pelo promontório de Aird-Dubh, que se projeta mar adentro, formando um porto natural. A aldeia de Aird-Dubh é pobremente servida de terra arável, e as pessoas lá em sua maior parte se dedicam à pesca como meio de subsistência. Entre essas duas comunidades ocorre, em certa medida, uma permuta de trabalho e de mercadorias, porém, apesar desse contato necessário, mantemos distância uns dos outros. Segundo meu pai, o povo de Aird-Dubh é desmazelado em seus hábitos e de baixo nível moral, e só com muita relutância ele faz negócio com eles. Assim como todos que se dedicam ao comércio da pesca, os homens lá se entregam a um desenfreado consumo de uísque, e suas mulheres são notoriamente devassas. Tendo estudado com crianças dessa aldeia, posso atestar que, embora pouca coisa os diferencie de nossa própria gente, eles são desonestos e não se pode confiar neles.

Na junção da trilha que liga Culduie à estrada fica a casa de Kenny Smoke, a qual, sendo a única a ostentar um telhado de ardósia, é a mais bonita da aldeia. As outras oito casas são construções de pedra reforçadas com turfa e possuem telhados de sapé. Toda casa tem uma ou duas janelas envidraçadas. A de minha família é a que fica mais ao norte na aldeia, e num certo ângulo, de modo que enquanto as outras casas olham na direção da baía, a nossa está de frente para a aldeia. A casa de Lachlan Broad está situada na extremidade oposta da rua de terra que atravessa a cidade e, depois da de Kenny Smoke, é a segunda maior na aldeia. Além dessas já mencionadas, as outras casas são ocupadas por mais duas famílias do clã Mackenzie; pela família MacBeath; pelo sr. e pela sra. Gillanders, cujos filhos foram todos embora; por nosso vizinho, o sr. Gregor e sua família; e pela sra. Finlayson, uma viúva. Além das nove casas, há várias construções anexas, muitas delas rudimentares, usadas como abrigo de animais, depósito de ferramentas e coisas do gênero. Nossa comunidade não vai além disso.

A casa da minha família tem dois recintos. A maior parte consiste num *byre*, e, à direita da porta, nas dependências em que vivemos. O assoalho é um pouco inclinado para baixo, em direção ao mar, o que impede que excrementos de animais penetrem em nossos recintos. O *byre* é dividido por uma balaustrada feita de pedaços de madeira apanhados na costa. No meio da área de estar fica o fogo e, mais além, a mesa onde fazemos nossas refeições. Além da mesa, nosso mobiliário consiste em dois sólidos bancos, a poltrona de meu pai e uma grande cômoda de madeira, que pertenceu à família de minha mãe antes de ela se casar. Eu durmo num beliche no canto mais afastado da sala, com meu irmão e minha irmã mais jovens. O segundo cômodo, na parte de trás, é onde dormem meu pai e minha irmã mais velha; ela, Jetta, numa cama em forma de caixa que meu pai construiu para essa finalidade. Eu invejo a cama de minha irmã e frequentemente sonho em deitar lá com ela, mas no cômodo principal é mais quente, e nos meses negros de inverno, quando os animais ficam dentro de casa, gosto de ouvir os sons delicados que eles fazem. Nós temos duas vacas leiteiras e seis ovelhas, que é o que nos é permitido pela divisão das pastagens comunitárias.

Devo declarar logo no início que havia alguma animosidade entre meu pai e Lachlan Mackenzie muito antes de eu nascer. Não posso atestar quanto à origem dessa animosidade, pois meu pai nunca falou sobre isso. Tampouco sei a quem cabe a culpa; nem se essa inimizade surgiu durante a vida deles ou é produto de um rancor mais antigo. Nestas paragens não é incomum que se acalentem ressentimentos muito tempo depois que sua causa original foi esquecida. Fica meu pai com o crédito de nunca ter se empenhado em perpetuar essa rixa fazendo proselitismo junto a mim ou outros membros de nossa família. Por esse motivo, qualquer que fosse o ressentimento existente entre as duas famílias, acredito que ele preferisse deixar para lá.

Quando pequeno eu tinha um medo terrível de Lachlan Broad e evitava me aventurar além da junção em direção à extremidade da aldeia, onde se concentravam os membros do clã dos Mackenzie. Além da família de Lachlan havia a de seu irmão, Aeneas, e a de seu primo, Peter, e esses três são notórios por suas farras e frequente envolvimento em brigas na hospedaria de Applecross. Os três eram sujeitos muito poderosos, que se compraziam em saber que as pessoas se afastavam para deixá-los passar. Em certa ocasião, quando eu tinha cinco ou seis anos, estava soltando uma pipa que meu pai tinha feito para mim de alguns retalhos de aniagem. A pipa caiu no meio de uma plantação e, sem pensar no que estava fazendo, corri para resgatá-la. Eu estava ajoelhado, tentando desembaraçar a linha dos pés de milho quando me senti agarrado no ombro por uma mão muito grande, e arrastado com truculência para o caminho no meio da plantação. Eu ainda estava agarrando minha pipa e Lachlan Broad a arrancou de mim e a jogou no chão. Depois me bateu no lado da cabeça com a palma da mão, me derrubando. Eu senti tanto medo que perdi o controle de minha bexiga, o que deixou nosso vizinho muito contente. Ele então me pegou e arrastou por toda a aldeia, e repreendeu meu pai pelo dano que eu tinha causado a sua plantação. Essa comoção toda fez minha mãe vir até a porta, e àquela altura Broad me soltou de suas mãos e eu saí correndo para dentro de casa como um cão assustado e fiquei todo encolhido no *byre*. Mais tarde, naquela noite, Lachlan Broad voltou a nossa casa e exigiu cinco shillings como indenização pelo pedaço do milharal que eu tinha destruído. Eu estava escondido no quarto dos fundos com a orelha colada na porta. Minha mãe recusou, alegando que se houve algum dano na plantação era porque ele tinha me arrastado por seu *rig*. Broad então levou sua reclamação ao policial, que a desconsiderou. Certa manhã, alguns dias depois, meu pai descobriu que uma grande porção de nossa plantação tinha sido pisoteada durante a noite. Não se soube quem tinha feito aquela destruição, mas ninguém tinha dúvida de que foram Lachlan Broad e seus parentes.

Quando fiquei mais velho, nunca mais entrei na extremidade inferior da aldeia sem que me acompanhasse um mau pressentimento, e essa sensação nunca me abandonou.

Meu pai nasceu em Culduie e quando menino viveu na casa em que moramos hoje. Pouco sei sobre sua infância, apenas que raramente ia à escola, e que então havia dificuldades que minha geração não conheceu. Nunca vi meu pai fazer mais do que assinar seu nome e, embora ele insistisse que sabia escrever, a pena ficava desajeitada em sua mão. De qualquer maneira, ele quase nunca precisa escrever. Não há nada que ele precise botar no papel. Meu pai tem o costume de nos lembrar da sorte que é ter nascido nos tempos atuais, com os luxos do chá, do açúcar e de outras mercadorias que se compram em lojas.

O pai de minha mãe era um carpinteiro que construía móveis para comerciantes em Kyle of Lochalsh e Skye, e navegava com suas mercadorias ao longo da costa. Durante alguns anos meu pai teve uma participação como terceiro sócio num barco pesqueiro que ficava ancorado em Toscaig. Os outros sócios nesse negócio eram seu próprio irmão, Iain, e o irmão de minha mãe, que também se chamava Iain. O barco chamava-se *O Atobá*, mas era sempre referido como "Os Dois Iains", o que irritava meu pai, que era o mais velho dos três e, em virtude disso, se achava o líder do empreendimento. Quando moça, minha mãe gostava de ir até o píer para receber *Os Dois Iains*. Presumia-se que ia dar boas-vindas ao irmão, mas seu verdadeiro propósito era observar meu pai quando ele saía do barco, um pé à frente pairando acima da água enquanto esperava a ondulação que impulsionaria o barco até o atracadouro. Ele então amarrava a corda no mourão e puxava o barco até o paredão, tudo isso realizado como se não soubesse que estava sendo observado. Meu pai não era um homem bonito, mas a maneira descansada e sem pressa com que desempenhava a tarefa de amarrar o barco ganhou a admiração de minha mãe. Havia alguma coisa em seus cintilantes olhos escuros, ela gostava de nos contar, que a deixava com um espasmo na garganta. Quando meu pai estava presente, ele dizia a minha mãe que parasse com aquela tagarelice, mas o fazia num tom que revelava o prazer que sentia ao ouvir aquilo.

Nossa mãe era a grande beldade da paróquia, e poderia ter escolhido qualquer um dos rapazes. Em consequência, meu pai era tímido demais para ao menos dirigir-lhe a palavra. Num final de tarde, já perto do fim da temporada de pesca do arenque, em 1850, uma tempestade atingiu o pequeno barco, que se chocou com rochas alguns quilômetros ao sul do porto. Meu pai conseguiu nadar e se salvar, mas os dois Iains não sobreviveram. O pai nunca falou sobre o incidente, porém nunca mais pôs o pé num barco, nem permitia que seus filhos o fizessem. Aos que ignoravam esse episódio de seu passado, deve ter parecido que ele tinha um medo irracional do mar. Foi devido a esse incidente que, em nossa região, passou a ser considerado nefasto empreender qualquer negócio com alguém do mesmo nome. Até mesmo meu pai, que despreza superstição, evita fazer negócio com quem tenha o seu nome.

Na reunião que se seguiu ao funeral de meu tio, meu pai aproximou-se de minha mãe para expressar suas condolências. Ela parecia tão desamparada que ele lhe disse que de bom grado tomaria o lugar do irmão dela no caixão. Estas foram as primeiras palavras que ele dirigiu a ela. Minha mãe respondeu que estava contente que tivesse sido ele a sobreviver, e que tinha orado pedindo perdão por seus perversos pensamentos. Eles se casaram três meses mais tarde.

Minha irmã Jetta nasceu menos de um ano depois do casamento de meus pais e eu a segui sem demora, saindo do útero de minha mãe tão rápido quanto a natureza permite. Essa pequena diferença de idade alimentou uma forte ligação entre mim e minha irmã, que dificilmente seria maior se fôssemos gêmeos autênticos. Na aparência exterior, contudo, dificilmente poderíamos ser mais diferentes. Jetta tinha o rosto longo, esguio, e a boca larga de minha mãe. Seus olhos, como os de minha mãe, eram azuis e ovais, e seu cabelo amarelo como areia. Quando minha irmã chegou à idade adulta, as pessoas costumavam comentar que quando minha mãe olhava para Jetta devia pensar estar olhando para sua *fetch*. Eu, de minha parte, herdei as sobrancelhas grossas de meu pai, o cabelo muito preto e os olhos pequenos e escuros. Quanto ao resto, temos estruturas semelhantes, nossa estatura é mais baixa do que a média, e temos um torso amplo e ombros largos.

Da mesma forma, nossos temperamentos espelham-se nos de nossos pais, sendo Jetta bem alegre e sociável, e eu tido como um rapaz taciturno e sombrio. Além de sua semelhança com minha mãe em aparência e caráter, Jetta compartilha com ela uma grande sensibilidade para o Outro Mundo. Não posso dizer se nasceu com esse dom ou se o aprendeu de alguns ensinamentos secretos de minha mãe, mas ambas tinham propensão para visões e interessavam-se por presságios e encantamentos. Na manhã da morte de seu irmão, minha mãe viu um lugar vazio no banco em que ele se sentava para o desjejum. Temendo que seu mingau esfriasse, ela saiu e chamou por ele. Como não respondeu, tornou a entrar e o viu sentado em seu lugar à mesa, envolto num lençol cinza-claro. Quando ela perguntou onde tinha estado, ele respondeu que em lugar nenhum, a não ser no banco em que estava sentado. Ela implorou-lhe que não saísse para o mar naquele dia, mas ele riu da sugestão, e ela, sabendo que não se pode negociar com a providência, não disse mais nada. Minha mãe frequentemente contava essa história, mas apenas quando meu pai não estava ouvindo, pois ele não acreditava nesses acontecimentos misteriosos e não aprovava que ela falasse sobre essas coisas.

A vida cotidiana de minha mãe era governada por rituais e encantamentos destinados a repelir a má sorte e coisas malfadadas e perigosas. As portas e janelas de nossa casa eram ornadas com raminhos de sorveira-brava e zimbro, e escondido em seu cabelo, para que meu pai não visse, usava um trançado de fios coloridos.

Durante os meses negros de inverno, mais ou menos a partir dos oito anos de idade, eu frequentei a escola em Camusterrach. Ia andando até lá toda manhã, de mãos dadas com Jetta. Nossa primeira professora foi a srta. Galbraith, que era filha do ministro. Era jovem, esguia e usava saia longa e blusa branca, com um babado no pescoço, preso na garganta por um broche em que havia a figura de um perfil de mulher. Tinha um avental preso em torno da cintura, que usava para limpar as mãos depois de escrever no quadro-negro. Seu pescoço era muito comprido e quando ela estava pensando erguia os olhos e inclinava a cabeça para um lado, de modo que ele fazia uma curva, como o cabo de um *cas chrom*. Usava o cabelo preso com grampos no topo da cabeça. Quando estávamos fazendo a lição, ela deixava o cabelo cair e segurava os grampos na boca enquanto o prendia de volta. Fazia isso três ou quatro vezes por dia, e eu tinha prazer em observá-la secretamente. A srta. Galbraith era gentil e falava com uma voz suave. Quando os meninos mais velhos não se comportavam bem, ela tinha grande dificuldade em fazê-los parar, e só conseguia isso ameaçando ir buscar o pai dela.

Jetta e eu éramos praticamente inseparáveis. A srta. Galbraith comentava frequentemente que eu, se pudesse, entraria no bolso do avental de minha irmã. Nos primeiros anos eu falava muito raramente. Se a srta. Galbraith ou algum de meus colegas de classe me dirigia a palavra, Jetta respondia por mim. Era notável a exatidão com que ela expressava meus pensamentos. A srta. Galbraith era indulgente com esse hábito e muitas vezes perguntava a Jetta, "Será que Roddy sabe a resposta?". Tal proximidade entre nós isolava-nos de nossos colegas. Não posso falar por Jetta, mas eu não tinha vontade de fazer amizade com outras crianças, e elas não demonstravam querer fazer amizade comigo.

Às vezes nossos colegas de classe nos rodeavam no pátio e cantavam:

Aqui estão os Black Macraes, os sujos Black Macraes.
Aqui estão os Black Macraes, os imundos Black Macraes.

"Black Macraes" era o apelido dado à família de meu pai, por causa, alegava ele, de sua pele morena. Meu pai detestava essa designação e jamais respondia caso alguém se dirigisse a ele dessa maneira. Não obstante, todos o conheciam como Black Macrae, e outro motivo para divertimento na aldeia foi que, devido ao cabelo louro de minha mãe, ela ficou conhecida como Una Black.

Eu também não gostava desse nome e achava que era particularmente uma injustiça ele ter sido atribuído a minha irmã. Se os cantos de nossos colegas não paravam até o fim do recreio, eu partia para cima de quem estivesse na minha frente, ação que só servia para aumentar o regozijo de nossos atormentadores. Eu então era empurrado e jogado ao solo e recebia os chutes e as pancadas dos outros garotos, feliz por ter desviado a atenção de Jetta.

Roddy Black, Roddy Black, é imbecil esse moleque!

Estranhamente, me agradava ser o centro da atenção daquela maneira. Eu compreendia que era diferente de meus colegas e cultivava exatamente as características que me diferenciavam deles. Durante o recreio, para livrar Jetta das caçoadas, eu me separava dela e ficava de pé ou agachado num canto do pátio. Observava os outros garotos, zumbindo feito moscas, indo atrás de bolas ou lutando uns com os outros. As garotas também se ocupavam com jogos, mas esses pareciam menos violentos e estúpidos que os dos garotos. Tampouco tinham a mania de começar a jogar assim que chegavam no pátio, ou de continuar jogando depois de a srta. Galbraith ter tocado a campainha para terminar o recreio. Algumas vezes, as garotas ficavam bem tranquilas e se juntavam para não fazer nada além de conversar aos sussurros. Acontecia de eu buscar a companhia delas, mas era invariavelmente expulso. Na classe, eu zombava interiormente de meus colegas quando eles espetavam as mãos no ar para responder às mais óbvias perguntas da professora, ou se esforçavam para ler as frases mais simples. À medida que fomos crescendo, meu conhecimento começou a superar o de minha irmã. Um dia, durante uma aula de geografia, a srta. Galbraith perguntou se alguém era capaz de lhe dizer qual era o nome que se dava às duas metades da Terra. Quando ninguém respondeu, ela voltou-se para Jetta: "Quem sabe Roddy tem a resposta". Jetta olhou para mim e depois respondeu: "Sinto muito. Roddy não sabe, nem eu". A srta. Galbraith parecia estar desapontada e se virou para escrever a palavra no quadro-negro. Sem pensar, eu me levantei e gritei, "Hemisfério!", provocando risos nos meus colegas. A srta. Galbraith virou-se e eu repeti a palavra enquanto tornava a sentar. A professora anuiu e cumprimentou-me pela resposta. A partir daquele dia Jetta parou de falar por mim, e, relutante em fazer isso por contra própria, fiquei um tanto alienado.

A srta. Galbraith casou com um homem que tinha vindo para as caçadas na propriedade de lorde Middleton, e deixou Camusterrach para viver em Edimburgo. Eu gostava muito da srta. Galbraith e fiquei triste por ela ir embora. Depois veio o sr. Gillies. Era jovem, alto e magro, com cabelos finos e bonitos. Não se parecia em nada com os homens destas paragens, que na maioria são baixos e atarracados, com cabelo espesso e preto. Estava sempre bem barbeado e usava óculos ovais. O sr.

Gillies era um homem muito instruído, que tinha estudado na cidade de Glasgow. Além das aulas de leitura, escrita e cálculo, ele nos ensinava ciências e história, e às vezes, à tarde, nos contava histórias sobre monstros e deuses da mitologia grega. Cada deus tinha um nome e alguns eram casados e tinham filhos que também eram deuses. Um dia perguntei ao sr. Gillies como poderia haver mais de um deus, e ele disse que os deuses gregos não eram como o nosso Deus. Eram apenas seres imortais. Mitologia era uma palavra que significava que aquilo não era realmente verdadeiro; eram só histórias para a gente se distrair.

Meu pai não gostava do sr. Gillies. Ele, para seu próprio bem, deveria ser menos inteligente, e ensinar crianças não era trabalho apropriado para um homem. Verdade que não consigo imaginar o sr. Gillies cortando turfa ou empunhando um *flaughter*, mas o professor e eu nos entendíamos de modo especial. Ele só me chamava quando nenhum de meus colegas era capaz de lhe dar uma resposta, e sabia muito bem que se eu preferia não erguer a mão não era porque não soubesse a resposta, mas porque não queria parecer mais sabido que meus colegas. Frequentemente o sr. Gillies me passava tarefas diferentes das de outros alunos, e eu respondia me esforçando muito para agradá-lo. Uma tarde, depois das aulas, ele pediu que eu ficasse. Permaneci em meu lugar no fundo da classe enquanto os outros saíam ruidosamente. Ele então me chamou a sua mesa. Eu não conseguia imaginar o que tinha feito de errado, mas não poderia haver outro motivo para ser tratado daquela maneira. Talvez eu fosse ser culpado por algo que não tinha feito. Resolvi que não ia negar nada e aceitar qualquer castigo que me fosse aplicado.

O sr. Gillies baixou sua pena e perguntou-me quais eram meus planos. Não era uma pergunta que alguém de nossas paragens faria. Fazer planos seria um insulto à providência. Eu não disse nada, e o sr. Gillies tirou seus pequenos óculos.

"Estou me referindo", disse ele, "ao que você pretende fazer quando terminar a escola."

"Somente aquilo que me for destinado", eu disse.

O sr. Gillies franziu a testa. "E o que você acha que lhe está destinado?"

"Não saberia dizer", respondi.

"Roddy, apesar de todos os seus esforços para ocultá-los, Deus lhe concedeu alguns dons incomuns. Seria um pecado não fazer uso de todos eles."

Fiquei surpreso ao ouvir o sr. Gillies fundamentar seus argumentos naqueles termos, já que geralmente ele não era dado a conversas sobre religião. Como não fiz menção de responder, ele adotou uma abordagem mais direta.

"Você pensou em continuar sua educação? Não tenho dúvida de que tem a aptidão necessária para vir a ser um professor, ou um pastor, ou qualquer coisa que escolha."

Claro que eu nunca tinha considerado nada disso, e disse a ele.

"Talvez você devesse conversar sobre isso com seus pais", disse ele. "Pode dizer a eles que eu acredito que você tem o potencial necessário."

"Mas eu sou necessário no sítio", eu disse.

O sr. Gillies soltou um longo suspiro. Parecia estar prestes a dizer mais alguma coisa, mas reconsiderou, e eu senti que o tinha desapontado. Quando caminhava para casa, repassei o que ele havia dito. Não posso negar que me sentia gratificado pelo professor ter falado comigo daquela maneira, e enquanto durou o percurso entre Camusterrach e Culduie eu me imaginei numa bela sala de estar em Edimburgo ou Glasgow, vestido com as roupas de cavalheiro, conversando sobre assuntos da maior importância. Não obstante, o sr. Gillies estava enganado ao supor que algo assim fosse possível para alguém nascido em Culduie.

O sr. Sinclair pediu-me que eu estabelecesse a "cadeia de acontecimentos" que levou ao assassinato de Lachlan Broad. Pensei cuidadosamente em qual poderia ser o primeiro elo dessa cadeia. Pode-se dizer que começou com meu próprio nascimento, ou ainda antes, quando meus pais se conheceram e se casaram, ou com o naufrágio de *Os Dois Iains*, que acabou por uni-los. No entanto, embora seja verdade que, se qualquer um desses eventos não tivesse ocorrido, Lachlan Broad hoje estaria vivo — ou pelo menos não teria sido morto por mim —, ainda é possível conceber que as coisas poderiam ter seguido um rumo diferente. Se eu tivesse seguido o conselho do sr. Gillies, por exemplo, poderia ter ido embora de Culduie antes que ocorressem os eventos que serão aqui relatados. Tentei, portanto, identificar o momento no qual a morte de Lachlan Broad tornou-se inevitável; isto é, o momento em que eu não pude conceber qualquer outro resultado. Esse momento chegou, creio eu, com a morte de minha mãe há cerca de dezoito meses. Este foi o manancial do qual tudo o mais se seguiu. Não é, pois, para provocar a piedade do leitor que eu agora descrevo esse evento. Não desejo e nem me serve de nada a piedade alheia.

Minha mãe era uma pessoa animada e de boa índole, que fazia o melhor que podia para fomentar um ambiente alegre em nossa casa. Desempenhava suas tarefas diárias cantando e, quando um dos filhos ficava doente ou machucado, ela fazia o possível para aliviar a situação e para que não ficássemos só pensando nisso. Pessoas vinham frequentemente à nossa casa e eram sempre recebidas com um *strupach*. Se nossos vizinhos estavam reunidos em torno da mesa, meu pai era hospitaleiro o bastante, mas raramente se juntava a eles, preferindo ficar de pé, antes de anunciar que, mesmo que eles não tivessem, ele tinha trabalho a fazer; observação que invariavelmente tinha o efeito de precipitar a dissolução do grupo. É um mistério o motivo de minha mãe ter se casado com alguém tão desagradável quanto meu pai, já que poderia ter escolhido o homem que quisesse na paróquia. Mesmo assim, graças a seus esforços, devíamos, na época, parecer vagamente uma família feliz.

Meu pai ficou um tanto surpreso quando minha mãe engravidou pela quarta vez. Ela tinha então trinta e cinco anos de idade, e tinham se passado dois anos desde o nascimento dos gêmeos. Lembro muito claramente a noite em que começou seu trabalho de parto. Chovia e ventava muito lá fora e minha mãe estava lavando a louça do jantar quando uma poça de líquido apareceu a seus pés, e ela disse ao meu pai que tinha chegado a hora. A parteira, que morava em Applecross, foi chamada, e eu fui mandado para a casa de Kenny Smoke junto com os gêmeos. Jetta ficou, para ajudar no parto. Antes de eu sair de casa ela me chamou ao quarto dos fundos para beijar minha mãe. Mamãe agarrou minha mão e disse-me que deveria ser um bom menino e cuidar de meus irmãos. O rosto de Jetta tinha uma palidez cinzenta e os olhos estavam anuviados de medo. Em retrospecto, creio que ambas tiveram a premonição de que a morte nos faria uma visita naquela noite, mas eu nunca levantei essa questão com Jetta.

Não dormi um só instante naquela noite, mas fiquei deitado no colchão que tinham preparado para mim, com os olhos fechados. Pela manhã, Carmina Smoke me informou, em meio a muito choro, que minha mãe tinha falecido durante a noite devido a alguma complicação no parto. O bebê sobreviveu e foi enviado para a família de minha mãe em Toscaig, para ser criado pela irmã dela. Nunca conheci esse irmão, nem quero conhecer. Houve uma manifestação geral de pesar em nossa aldeia, pois a presença de minha mãe era como a luz do sol que nutre as colheitas.

Esse acontecimento trouxe um grande número de mudanças em nossa família. A principal delas foi o ambiente geral de tristeza que baixou em nossa casa e pairava no ar como um cheiro ruim. Meu pai foi o que menos mudou entre nós, em grande parte porque nunca fora muito dado à jovialidade. Mesmo quando usufruíamos de alguns momentos de diversão coletiva, o riso dele era sempre o primeiro a se apagar. Ele baixava os olhos, como se esse momento de prazer o envergonhasse. Agora, no entanto, seu rosto tinha adquirido um ar de inalterável desolação, como se tivesse sido fixado por uma mudança no vento. Não quero retratar meu pai como uma pessoa dura e insensível, nem tenho dúvida de que a morte de sua mulher o afetou profundamente. O caso é que ele estava mais adaptado à infelicidade, e o fato de não mais sentir-se obrigado a fingir ter prazer neste mundo foi um alívio para ele.

Nas semanas e meses após o funeral, o reverendo Galbraith era um visitante frequente em nossa casa. O pastor é uma figura impressionante, invariavelmente vestido numa sobrecasaca preta, camisa branca com colarinho duro, mas sem gravata. Seu cabelo branco está sempre bem cortado e as suíças crescem densas em suas bochechas, mas da mesma forma bem aparadas. Tem olhos pequenos e escuros, que, como diz o povo, parecem ter o poder de penetrar na mente das pessoas. Eu mesmo evitava seu olhar, mas sem dúvida ele era capaz de discernir os pensamentos malévolos que eu tinha frequentemente. Falava numa voz sonora, ritmada, e embora seus sermões estivessem muitas vezes além de minha compreensão, não eram desagradáveis de ouvir.

No serviço religioso do funeral de minha mãe, ele fez um longo discurso cujo tema era o martírio. O homem, disse ele, não só tinha a culpa do pecado, como era escravo do pecado. Nós nos pusemos a serviço de Satã e carregávamos as correntes do pecado em torno de nosso pescoço. O sr. Galbraith pediu que olhássemos para o mundo a nossa volta, com suas incontáveis misérias. "O que significa", perguntou, "a doença e o descontentamento, a pobreza e a dor da morte que testemunhamos todo dia?" A resposta, ele disse, era que essas inquietudes eram todas fruto de nosso pecado. O homem, sozinho, é impotente para se livrar do jugo do pecado. Por essa razão precisamos de um redentor: um libertador sem o qual pereceremos todos.

Após o sepultamento de minha mãe, formamos uma procissão solene atravessando a charneca. O dia, como se apresenta com frequência nestas paragens, estava totalmente cinzento. O céu, as montanhas de Raasay e as águas da enseada ofereciam não mais que pequenas variações de seus matizes. Meu pai não chorou nem durante o sermão nem depois dele. Seu rosto adotou o molde empedernido do qual, daquele momento em diante, raramente se desviaria. Não tenho dúvida de que as palavras do sr. Galbraith tinham-no emocionado muito. De minha parte, eu estava bem certo de que não fora devido aos pecados de meu pai que nossa mãe fora levada, mas devido aos meus. Fiquei refletindo sobre o sermão do sr. Galbraith e resolvi, naquele lugar e naquele momento, com o solo cinzento sob meus pés, que quando tivesse a oportunidade eu me tornaria o redentor de meu pai e o livraria do estado miserável ao qual meus pecados tinham-no reduzido.

Alguns meses depois, o sr. Galbraith recebeu meu pai como um fiel de destaque na igreja, por ele ter aceitado que seu sofrimento era uma retribuição justa à natureza pecaminosa de sua vida. O sofrimento de meu pai era instrutivo para a congregação, para a qual era benéfico vê-lo exibido de modo proeminente na igreja. Acho que o sr. Galbraith ficou bem contente com a morte de minha mãe, pois era um testemunho da doutrina que ele professava.

Os gêmeos choraram constantemente por sua mãe, e, quando penso naquela época, seu choro incessante acompanha minhas lembranças. Devido à disparidade de nossas idades, eu nunca senti nada a não ser indiferença em relação a meus irmãos mais jovens, mas eles agora decididamente tinham despertado minha inimizade. Se um ficava quieto por um momento, o outro começava a chorar, atiçando o outro. Meu pai não tolerava essas lamentações das crianças e tentava silenciá-las com pancadas que só serviam para renovar seu berreiro. Lembro-me bem deles agarrados um ao outro em seu colchão, com um olhar de terror no rosto quando meu pai atravessava o quarto para bater neles. Eu deixava para Jetta a tarefa de intervir e se ela não estivesse lá para fazer isso bem posso imaginar meu pai levando os dois infelizes à morte. Sugeriu-se que os gêmeos também fossem mandados para Toscaig, mas meu pai não quis ouvir, insistindo que Jetta tinha idade bastante para fazer o papel de mãe deles.

Minha querida irmã Jetta sofreu uma grande transformação, como se uma *fetch* tivesse tomado seu lugar da noite para o dia. A garota alegre e encantadora foi substituída por uma figura taciturna e mal-humorada, encurvada nos ombros e vestida, por insistência de meu pai, de preto, como uma viúva. Jetta foi obrigada a assumir o papel de mãe e esposa, preparando as refeições e servindo meu pai como minha mãe tinha feito antes. Foi nessa época que meu pai decretou que Jetta dormisse no quarto dos fundos com ele, pois era agora uma mulher e merecia um certo grau de privacidade em relação a seus irmãos. E, no entanto, meu pai a desdenhava, como se, por sua semelhança com a esposa falecida, ele sofresse ao olhar para ela.

Por ser a mais jovial entre nós, Jetta deve ter sentido mais profundamente o abatimento geral que tomou conta de nossa casa. Não sei se ela teve um prenúncio da morte de minha mãe, pois nunca falou comigo sobre isso, mas, em vez de abandonar os rituais e toda a parafernália que nada tinham feito para afastar esse infortúnio, ela se agarrou àquilo com mais fervor ainda. Eu não via qualquer eficácia nessas coisas, mas compreendia que Jetta tinha acesso às intimações do Outro Mundo, às quais eu era insensível. De modo semelhante, meu pai voltou-se mais ardorosamente para a leitura das Escrituras, e abandonou os modestos prazeres que antes se permitia ter, como se acreditasse que Deus o estava punindo pelas infrequentes vezes em que tomava um trago de uísque. Até onde eu entendia, a morte de minha mãe não demonstrou nada mais do que o absurdo de suas respectivas crenças.

À medida que as semanas iam passando, nenhum de nós quis ser o primeiro a amenizar o ambiente com alguma travessura ou alguns versos de uma canção, e quanto mais tempo passava, mais fixados ficávamos em nossos ânimos sombrios.

Minha mãe morreu no mês de abril, e algumas semanas depois eu estava sozinho no pasto, encarregado de tomar conta das ovelhas e do gado que pastavam lá. A tarde estava muito quente. O céu estava claro e as montanhas no outro lado da enseada tinham vários matizes de púrpura. O ar estava tão quieto que era possível ouvir o rumor das ondas do mar e o grito ocasional de crianças brincando muito longe, lá embaixo, na aldeia. Os animais que me encarregaram de vigiar tinham ficado indolentes com o calor e não iam para longe de uma hora para outra. Os novilhos preguiçosamente espantavam moscas com o rabo.

Eu estava deitado de costas nas urzes observando a lenta progressão das nuvens no céu. Estava contente por estar longe do sítio e de meu pai, que eu tinha deixado apoiado no cabo de seu *cas chrom*, soprando baforadas de seu cachimbo. Imaginei minha mãe junto dele, curvada para o solo, arrancando ervas daninhas, cantarolando para si mesma, como sempre fazia, os cabelos caindo sobre o rosto. Foi por alguns momentos, antes de eu me dar conta de que ela não estava lá, e sim debaixo da terra no cemitério em Camusterrach. Eu passava frequentemente por carcaças de animais, e me perguntei se o processo de decomposição já tinha se apoderado do corpo dela. Senti então profundamente a realidade de jamais tornar a vê-la e fechei os olhos para não chorar. Tentei concentrar meus pensamentos nos sons do farfalhar do capim e no balido das ovelhas, mas não consegui apagar a imagem do corpo de minha mãe em decomposição. Um inseto pousou em meu rosto e isso teve o efeito de me tirar dos meus pensamentos. Eu o espantei com a mão e me soergui sobre os cotovelos, piscando ante a luz do sol. Então a vespa pousou em meu antebraço. Eu não afastei o braço, e lentamente o ergui ao nível de meus olhos, de modo que a minúscula criatura parecia ser maior que o gado à distância. O sr. Gillies tinha, uma vez, com a ajuda de um diagrama desenhado no quadro-negro, nos ensinado os nomes das partes de insetos, e essas agradáveis palavras eu agora recitava: tórax, espiráculo, funículo, ovipositor, mandíbula. A vespa andava entre os pelos pretos em meu braço, como que incerta quanto ao terreno sobre o qual tinha pousado. Foi com a fleuma de um cientista que observei a criatura parar e baixar seu ventre em direção a minha pele. Instintivamente eu dei com a mão um tapa nele e varri o pequeno corpo de meu braço. A cauda do inseto tinha deixado uma pequena farpa em minha pele e a área em torno dela logo inchou como uma bolha cor-de-rosa.

Decidi escalar até a cachoeira além do Càrn para lavar a minha picada, dando de vez em quando uma olhada por cima do ombro para checar as reses. A cachoeira ficava no meio de um grupo de bétulas, com uma piscina profunda em seu poço. Estava fresco entre as árvores. As rochas tinham ficado lisas após séculos de passagem da água. Mergulhei minhas mãos em concha na piscina para beber, depois joguei água no rosto e na cabeça. Tirei a roupa e entrei na água. Fechei os olhos e fiquei flutuando de costas. A luz cintilava numa cor de laranja através de minhas pálpebras. Eu ouvia o rumor de água caindo em água e senti que, quando emergisse, Culduie, Aird-Dubh e tudo o mais teria desaparecido, eu estaria inteiramente só no mundo. Desejei apenas que quando abrisse os olhos Jetta estivesse sobre uma rocha, despindo as roupas e se juntando a mim na piscina. Abri os olhos e fiquei olhando as gotas d'água voando para cima como fagulhas de uma fogueira. Eu ficaria lá alegremente pelo resto da tarde, mas tinha consciência de meu dever para com o gado. Deixei o sol secar minha pele, antes de me vestir e descer pela encosta.

Quando o barulho da água diminuiu, ouvi a voz de um carneiro. Ovelhas têm o hábito natural de conversar entre elas, mas este era o balido dolorido de um único animal, como o de uma ovelha que perdeu seu cordeiro. Subi numa elevação e olhei toda a encosta, mas não vi o animal em questão. A uns cem metros acima, após um trecho íngreme, a inclinação cedia lugar a um platô pantanoso, invisível de baixo, de onde tiramos nossa turfa. Escalei a encosta até lá, o balido ficando cada vez mais intenso. Quando cheguei à crista, encontrei um carneiro angustiado, deitado de lado, meio submerso no lodo. Mesmo no verão o pântano permanecia pegajoso e traiçoeiro. As pessoas mais velhas da aldeia tinham o costume de advertir as crianças que, se fossem passear no pântano, seriam sugadas para as entranhas da terra, onde seriam devoradas pelos ogros. Quando criança eu aceitava isso como um fato e embora não acreditasse mais em ogros, eu continuava a desconfiar do pântano. O animal agitava inutilmente suas patas livres, o que só o fazia afundar mais no atoleiro. Enquanto me aproximava do animal ferido, cuidando de pisar nas saliências cobertas de urze, onde era seguro, eu sussurrava sons que pudessem acalmá-lo. O carneiro voltou-se em minha direção, como se fosse uma mulher idosa e doente, fraca demais para erguer a cabeça do travesseiro. Não senti pena do bicho, só uma espécie de nojo, por sua estupidez. Um grande corvo pousou num montículo próximo e nos estudou com interesse. Avaliei quais seriam as ações possíveis. A primeira seria voltar à aldeia para buscar uma corda e alguém para me ajudar a puxar o animal do atoleiro. Descartei a ideia, pois mesmo que o carneiro não tivesse se afogado quando eu voltasse, o corvo e seus irmãos já teriam dado conta dele. Essa ação implicaria também a revelação de que o carneiro se extraviara para o pântano quando estava sob minha supervisão, eventualidade que eu preferia evitar. Não havia, pois, alternativa a não ser resgatar o carneiro sem ajuda de ninguém.

Sem mais demora, ajoelhei-me à beira do pântano e, espalhando meu peso o mais amplamente possível, estiquei-me todo para pegar a anca do animal. A lama tinha um cheiro amargoso. Nuvens de moscas subiram voando, como uma névoa, da superfície fétida da água. Consegui agarrar o casco do carneiro, mas não firme o bastante para ter uma pega adequada. Testei o solo entre nós e, tentativamente, arrastei-me de costas, a lama escorrendo dentro de meus calções. O corvo observava meu avanço com interesse. Eu agora conseguia agarrar os chifres espiralados na cabeça do bicho. Eu me alavanquei para trás, soerguendo-me, sentindo os músculos atrás das coxas se contraírem. O carneiro esperneou com renovado vigor e emitiu um balido assustado. Então o pântano soltou um arroto salivoso e largou o animal. Desabei para trás sobre as urzes, respingado de lama negra. Em meu alívio, soltei uma gargalhada. O animal libertado esforçou-se em vão para ficar de pé, e eu vi que a pata traseira que estivera mergulhada na lama estava deslocada e se projetava do corpo do carneiro num ângulo totalmente inatural. O animal desabou sobre um flanco, suas patas não feridas debatendo-se no ar. Seus balidos continuavam com a mesma intensidade. O corvo emitiu um grasnido agudo, como a zombar de meus esforços. Fiz uma bola de lama e atirei-a na direção da malvada ave, mas ela meramente ficou olhando enquanto ela afundava no pântano, antes de fixar novamente em mim seu olhar arrogante. Não tive outra escolha a não ser livrar o carneiro de seu sofrimento. Para um cavalheiro talvez seja simples despachar um veado ou uma perdiz apertando o gatilho de uma arma, mas provocar a morte de um animal com as próprias mãos ou com um instrumento manual, não importa quão adequado ele seja para tal fim, é uma questão totalmente diferente. Eu sempre me esquivei de matar até mesmo uma galinha, e não compreendia por que homens instruídos consideravam a matança de criaturas vivas um esporte. Não obstante, naquelas circunstâncias, era meu dever acabar com a vida do animal ferido. Pensei em montar nele, agarrar seus chifres e torcer sua cabeça para trás, para quebrar seu pescoço, mas não sabia se teria a força necessária para isso. Vi então um ferro de colher turfa protuberando no outro lado do pântano. Fui buscar a ferramenta e, na volta, a usei para espantar o corvo, que esvoaçou alguns metros no ar e voltou para seu ponto de observação anterior.

"Você está bem confortável?", perguntei.

O corvo, com um grasnido, respondeu que eu devia apressar o trabalho que tinha a fazer, pois ele estava impaciente por seu repasto.

A cabeça do ferro tinha um bom peso. O carneiro olhou para mim. Eu percorri a encosta com o olhar, mas não havia ninguém à vista. Sem mais demora, ergui o ferro acima da cabeça e o baixei com toda a força que consegui reunir. O animal deve ter se movido ou avaliei mal a trajetória, pois meu golpe só conseguiu atingi-lo no focinho, a lâmina de ferro lascando o osso. O animal bufou, engasgado com sangue e osso, e fez novos e lamentáveis esforços para pôr-se de pé. Eu mirei pela segunda vez e baixei o ferro no topo da cabeça do bicho com tal força que meus pés saíram do chão. Sangue espirrou no ar, borrifando meu rosto. O ferro estava cravado no crânio do carneiro e custou-me considerável esforço arrancá-lo de lá. Feito isso, me virei e pus para fora o conteúdo de meu estômago, apoiado no cabo da ferramenta. Quando me recuperei, o corvo tinha fixado residência no crânio do animal morto e estava acabando rapidamente com seus olhos. Dois de seus colegas tinham se juntado a ele e circulavam pomposamente, fazendo uma inspeção metódica da carcaça.

A marca na lã indicava a quem o carneiro pertencia, e foi com uma forte sensação de pavor que voltei para a aldeia.

Na mesma noite realizou-se uma reunião na casa de Kenneth Murchison. O sr. Murchison era conhecido por todos como Kenny Smoke, devido ao fato de ele nunca ser visto sem um cachimbo entre os lábios. Era um homem corpulento, que precisava se inclinar para passar por uma porta. Tinha um rosto largo e bonito, com um bigode preto grosso como a cabeça de uma vassoura. Sua voz era tonitruante e ele se dirigia às mulheres falando alto e alegremente, como se estivesse falando com um homem. Eu nunca via minha mãe mais animada do que quando Kenny Smoke fazia uma visita. Era um grande contador de histórias e capaz de recitar de cor longos trechos de poesia, e nos meses negros era na sua casa que as pessoas se reuniam para um *ceilidh*. Quando eu era criança, ficava fascinado com suas histórias de fantasmas e seres malfadados ou perigosos. Meu pai desconfiava de Kenny Smoke, como de todo homem cuja mente, ele dizia, estava cheia de coisas mundanas. Sua esposa, Carmina, era uma mulher impressionante, com belas feições, grandes olhos escuros e uma figura esguia. Seu pai era comerciante em Kyle of Lochalsh, e Kenny Smoke a conheceu no mercado de lá. Nunca se ouviu falar que uma mulher assim tenha se casado numa aldeia como Culduie, e frequentemente se dizia (e eu não entendia o que isso queria dizer) que Kenny Smoke devia ser muito bem-dotado, a ponto de tirá-la de tal metrópole.

Os Smoke tinham seis filhas, o que era considerado um grande infortúnio. Uma sucessão de velhas senhoras da paróquia tinham oferecido remédios para essa desgraça, mas Kenny Smoke recusou todos, proclamando que qualquer uma de suas filhas valia dez filhos de outro homem. A casa dos Smoke era grande e espaçosa. Havia uma chaminé na extremidade da empena e Kenny Smoke tinha construído uma lareira grande, em torno da qual estavam arrumadas algumas cadeiras estofadas. Uma fileira de belas peças de louça era exibida numa cômoda, construída por um marceneiro em Kyle e transportada para Culduie num barco. Kenny Smoke e sua mulher dormiam num quarto no fundo da casa e havia um quarto separado para suas filhas. Após o casamento, Kenny Smoke alugara um terreno extra e construíra um *byre* para seu gado, dizendo que nenhuma de suas filhas viveria sob o mesmo teto que o gado. Ele sempre se referia a sua mulher como uma de suas garotas, e nas noites de verão frequentemente eles eram vistos caminhando de mãos dadas para o promontório em Aird-Dubh. Se meu pai os via, ele resmungava que "Ela tem de segurar a mão dele para impedir que ele faça o trabalho do Diabo".

Na parte central das dependências ficava uma mesa comprida na qual os Smoke faziam suas refeições. Em torno da mesa estávamos reunidos eu e meu pai, Lachlan Broad, que era o dono do carneiro que eu tinha matado, e seu irmão, Aeneas. O próprio Kenny Smoke estava sentado na cabeceira da mesa. Não havia nada da atmosfera de convívio social que comumente existia nas reuniões no lar dos Smoke. Lachlan Broad havia recusado o trago que Kenny Smoke lhe oferecera e estava sentado empertigado, com as mãos juntas e entrelaçadas sobre a mesa a sua frente, a direita envolvendo a esquerda, apertando e desapertando, como se as mãos fossem um coração a bater. Seu olhar estava dirigido para a cômoda atrás de meu pai e de mim. Broad, se poderia dizer, era um espécime muito impressionante da raça humana. Tinha mais de um metro e oitenta de altura, ombros largos e grandes mãos carnosas. Era conhecido por ter carregado a carcaça de um veado, que dois homens teriam tido dificuldade para levantar, por todo o comprimento da aldeia. Seus olhos estreitos eram azul-claros e sua grande e pesada cabeça tinha no topo um cabelo espesso e louro que ia até os ombros, cuja cor, dizia-se, era por conta de algum sangue nórdico na família, por parte de sua mãe. Ele parecia nunca sentir frio, e mesmo nos meses negros andava só de camisa aberta no peito. Como se não fosse inconfundível o bastante, usava habitualmente um lenço amarelo amarrado na garganta. Seu irmão tinha estatura menor, era rechonchudo, com feições rosadas e pequenos olhos que lembravam os de uma ave. Tinha pouco a dizer por si mesmo, mas habitualmente zurrava como o burro de um funileiro ambulante a qualquer observação feita por seu familiar. Aeneas estava sentado ao lado do irmão, seu tornozelo esquerdo apoiado no joelho direito, absorto na tarefa de limpar a sujeira de sua bota com um canivete.

Kenny Smoke pitava tranquilamente seu cachimbo e constantemente alisava os pelos de seu grande bigode com o polegar e o dedo médio. Meu pai, cujo cachimbo continuava no bolso, segurava o boné no colo com as duas mãos e olhava para a mesa à sua frente. Estávamos esperando a chegada de Calum Finlayson, um barqueiro de Camusterrach que na época exercia o cargo de policial da paróquia.* Lá fora, o dia continuava claro e ensolarado, o que servia apenas para acentuar a

* O policial da aldeia, ou paróquia, era um oficial eleito por membros da comunidade para servir como intermediário entre o administrador e o povo. Era sua função fazer valer os termos de locação dos pequenos agricultores e resolver litígios. O administrador, por sua vez, era o gerente, ou agente encarregado de tocar a propriedade em nome do *laird*. O administrador era, de modo geral, uma figura impopular e temida.

atmosfera sombria dentro da casa. Logo o sr. Finlayson chegou e cumprimentou o grupo com efusão. Kenny Smoke levantou-se e apertou calorosamente sua mão e fez algumas perguntas sobre o bem-estar de sua família. O policial aceitou a xícara de chá que lhe foi oferecida e Carmina Smoke foi convocada. Ela ocupou-se preparando o chá e pondo uma xícara e um pires diante de cada um de nós, mesmo que somente o sr. Finlayson o quisesse. Lachlan Broad a observava intensamente, como se avaliasse uma cabeça de gado no mercado.

Quando o chá estava servido e Carmina Smoke tinha se retirado para o quarto dos fundos, Calum Finlayson abriu os procedimentos.

"Vamos ver se não podemos resolver esta questão de maneira amigável, cavalheiros", disse ele.

Kenny Smoke anuiu solenemente, e disse, "Exato".

Lachlan Broad fungou ruidosamente, e seu irmão soltou sua risada que parecia um zurro. Calum Finlayson ignorou esse som grosseiro e, num tom gentil, solicitou que eu relatasse com a maior exatidão possível o que tinha ocorrido naquela tarde. Eu me sentia muito ansioso diante daqueles homens reunidos, mas contei a história o melhor que pude, omitindo apenas o interlúdio na cachoeira, que poderia ser razoavelmente interpretado como negligência em meu dever de vigiar o rebanho. Incluí o detalhe de ter sido picado por uma vespa, calculando que se poderia pensar ter sido esta a razão de eu me distrair quando o carneiro tresmalhou. Declarei também que quando encontrei o carneiro seus olhos já tinham sido comidos, para com isso ressaltar o sofrimento do animal e minha falta de alternativa ao agir como agi.

Quando terminei, o sr. Finlayson agradeceu o meu relato. Eu tinha mantido o tempo todo meus olhos fixos na mesa, à minha frente, mas, achando que aquilo poderia ser o fim do martírio, eu os ergui. Lachlan Broad mudou de posição na cadeira e bufou desdenhosamente pelo nariz. Inclinou-se para a frente como se tencionasse falar, mas o sr. Finlayson ergueu um dedo em sua direção para silenciá-lo.

"Não era seu dever, Roddy", ele perguntou, "vigiar os animais durante toda a tarde?"

"Era", respondi.

"E você ficou vigiando?"

"Fiquei, sr. Finlayson." De repente fiquei com medo de que alguém pudesse ter me visto ir na direção da cachoeira e estava prestes a se apresentar para contradizer minha história.

"Então como pode ser", perguntou o sr. Finlayson, seu tom de voz ainda plácido, "que o carneiro conseguiu se afastar e cair no pântano?"

"Não sei dizer", respondi.

"Talvez você tenha se distraído, e não prestado atenção", disse ele.

"Se o carneiro se afastou enquanto eu estava de guarda, então devo ter me distraído e não prestado atenção", disse eu. Estava aliviado porque não havia aparecido nenhuma testemunha para depor contra mim. "Quero dizer que sinto muito pelo sofrimento do carneiro, e estou disposto a fazer o que for exigido para compensar o sr. Mackenzie pela sua perda."

O sr. Finlayson anuiu como se tivesse ficado satisfeito com minha observação. Kenny Smoke tirou o cachimbo da boca e disse, "Todos nós sabemos que não é possível vigiar cinquenta ovelhas numa encosta de montanha. O menino disse que sente muito, por que não deixamos por isso mesmo?".

Lachlan Broad voltou seu olhar para ele. "Devo dizer que não foi seu carneiro que precisou ser mortalmente esbordoado, sr. Murchison, e apesar de todos nós apreciarmos sua hospitalidade, não acho que sua opinião tenha qualquer peso quanto a esta questão." O irmão dele reprimiu o riso e se remexeu na cadeira.

O sr. Finlayson ergueu a mão para sufocar qualquer discussão subsequente e dirigiu seus comentários a Lachlan Broad. "No entanto, o sr. Murchison tem toda a razão ao declarar que não é tarefa fácil ficar de olho no rebanho, e se foi cometido um erro, foi um erro honesto, sem maldade."

"Há maldade de sobra neste rapaz", disse Broad, apontando um dedo grosso para mim.

O sr. Finlayson disse que não estávamos lá para fazer observações insultuosas, mas se o sr. Mackenzie quisesse me fazer algumas perguntas, estava livre para isso.

Broad se satisfez em resmungar alguma coisa sobre a impossibilidade de obter de mim uma só palavra verdadeira.

O sr. Finlayson deixou pairar no recinto alguns minutos de silêncio e então declarou que, se todos estivessem satisfeitos com o que tinham ouvido, cabia a ele decidir quanto à questão. "Proponho", ele disse, "que, pela perda do carneiro, John Macrae pague trinta e cinco shillings de indenização a Lachlan Mackenzie, por ser este o preço de mercado desse animal."

"E quanto à alimentação no inverno e o trabalho que me custou criar o animal?", disse Broad.

Calum Finlayson pareceu estar dando à pergunta a devida consideração. "Se você vendesse o animal no mercado, esses custos não lhe seriam devolvidos. Além do mais, somados aos trinta e cinco shillings, você ainda tem a lã e a carne do animal."

"Sim, o que resta dele depois que os corvos o atacaram", disse Broad.

O sr. Finlayson ignorou essa observação e virou-se para meu pai para perguntar se sua decisão era aceitável. Meu pai indicou com um breve aceno que era.

"Parece-me", persistiu Lachlan Broad, "que você está deixando o garoto ficar impune. Com certeza deveria haver uma punição adicional."

"O que sugere você?", disse o policial. "Um açoitamento público?"

Eu já tinha recebido de meu pai, na frente de meus irmãos, uma surra das mais rigorosas, mas não creio que coubesse a mim divulgar isso. Meu pai tampouco achou adequado mencioná-lo.

"Sou capaz de pensar em ideias piores", disse Broad, cravando o olhar em mim. "Talvez arrancar a pancada alguma verdade desse merdinha."

"Sim, vamos arrancar a pancada alguma verdade desse merdinha", repetiu Aeneas Mackenzie.

Calum Finlayson levantou-se e se debruçou sobre a mesa na direção dos dois homens. "Não vim até aqui para ouvir palavras de baixo calão e insultos", disse ele. "O garoto admitiu o que fez e deve ser elogiado por isso. Propus um acordo em seu benefício. Se não é aceitável, sugiro que você preste queixa na delegacia."

Lachlan Broad olhou furioso para ele. A sugestão era impraticável, pois envolveria uma jornada de mais de cento e dez quilômetros até Dingwall, e, além disso, a recusa em aceitar a adjudicação do policial seria mal recebida na comunidade. "Talvez o administrador fique interessado em ouvir o que ocorreu."

"Posso assegurar-lhe", disse o sr. Finlayson, "que o administrador tem assuntos mais importantes com que se preocupar do que a perda de um carneiro. Como o sr. Macrae aceitou minha proposta, sugiro que você faça o mesmo."

Lachlan Broad indicou com um gesto que aceitava o veredicto. Meu pai, que quase não falara durante os procedimentos, ergueu então um dedo áspero e anguloso. O policial perguntou-lhe se queria dizer alguma coisa.

"A questão do pagamento", disse meu pai.

"Sim?", disse o sr. Finlayson.

Com alguma dificuldade meu pai explicou que, embora tivesse aceitado o acordo, não tinha, no momento, trinta e cinco shillings nem nada parecido com essa quantia.

Isso suscitou em Lachlan Broad e seu irmão uma grande alegria. "Lamento ouvir isso, John Black", disse ele. "Talvez eu pudesse levar em vez disso aquela sua melancólica filha. Tenho certeza de que seria capaz de pôr um sorriso no rosto dela."

"Somos os dois capazes de pôr um sorriso naquele rosto melancólico", acrescentou Aeneas Mackenzie com um risinho idiota.

Kenny Smoke levantou-se e se debruçou sobre a mesa. "Não vou permitir essa linguagem em minha casa, Lachlan Broad."

"Talvez você prefira em vez disso que eu leve uma de suas filhas", disse Broad. "A mais velha já está bem madura."

O rosto de Kenny Smoke ficou muito vermelho e eu tive certeza de que ele estava a ponto de se atirar contra ele, mas Calum Finlayson levantou-se e pôs a mão em seu peito.

Lachlan Broad caiu na gargalhada, os braços cruzados no peito. Kenny Smoke permaneceu de pé por alguns momentos, olhando para Broad, que sorria com desdém para ele. Meu pai olhava para a mesa a sua frente. Debaixo da mesa eu pude ver sua mão remexendo o tecido áspero de seus calções.

Depois, Kenny Smoke tornou a sentar e o sr. Finlayson, sem dúvida ansioso para encerrar os procedimentos, continuou. "Tendo em vista as circunstâncias, proponho que a quantia acertada seja paga a prestações de um shilling por semana até a dívida ser saldada."

Lachlan Broad deu de ombros. "Que seja", disse ele num tom zombeteiro. "Não quero causar nenhuma dificuldade a meu pobre vizinho aqui."

E foi desse modo que se concluíram os debates. Lachlan Broad empurrou sua cadeira para trás e deu duas palmadas na coxa de seu irmão para sinalizar que estavam indo embora.

Depois que saíram, Kenny Smoke expirou longamente e disse um palavrão que não cabe repetir aqui. O sr. Finlayson disse-me que eu tinha me portado bem. Kenny Smoke foi até a cômoda e trouxe uma garrafa de uísque e quatro copos, que pôs na mesa entre nós. Fiquei grato por ele ter incluído um copo para mim, mas antes que o uísque fosse servido meu pai se levantou e agradeceu ao sr. Finlayson pela imparcialidade de seu julgamento, mas eu não consegui deixar de pensar que ele teria concordado alegremente com a proposta de Lachlan Broad de eu ser açoitado. Kenny Smoke pediu-lhe que compartilhasse um trago da bebida, mas ele recusou. Meu pai me cutucou no braço e nós saímos. Por um momento tive medo de levar uma surra quando chegássemos em casa, mas só fui privado de meu jantar. Fiquei deitado em meu beliche, imaginando Kenny Smoke e Calum Finlayson bebendo uísque e rindo do incidente, enquanto meu pai pitava seu cachimbo na escuridão cada vez maior.

Minha cela aqui em Inverness tem cinco passos de comprimento e dois de largura. Duas tábuas presas na parede e cobertas de palha servem de cama. No canto há dois baldes, um no qual faço minhas abluções, o outro para minhas funções corporais. No alto da parede, em frente à porta, há uma janela sem vidraça, do tamanho da mão de um homem. As paredes são grossas, e só em pé, com as costas pressionadas contra a porta, eu consigo ver um pequeno retângulo de céu. O propósito da janela é, imagino, nem tanto o de propiciar ao ocupante da cela uma vista, e sim o de permitir que circule um pouco de ar. Não obstante, na falta de outras diversões, é surpreendente quanto entretenimento pode-se ter ao observar as lentas alterações de uma pequena nesga de céu.

Meu carcereiro é um sujeito grande e abrutalhado, tão largo que precisa se pôr de lado para entrar na cela. Ele usa um colete de couro, um camisa imunda do lado de fora dos calções, e botas pesadas que ressoam ruidosamente quando ele vai e vem pelas lajes de pedra do corredor no lado de fora. Ele mantém os calções amarrados nos tornozelos com uma corda. Isso me deixa intrigado, pois não vi nenhum rato nem vermes por aqui, mas não lhe perguntei o motivo para isso. Nem perguntei qual era seu nome.

O carcereiro não me trata nem com gentileza nem com desdém. De manhã me traz um pedaço de pão e um pouco de água, e se meu balde está cheio ele o remove. Nos primeiros dias, fiz algumas tentativas de falar com ele, mas não obtive resposta. Quando me trouxeram a mesa e a cadeira nas quais estou escrevendo este documento, ele não fez nenhum comentário. Mas não é mudo, já que algumas vezes eu o ouvi conversando no corredor. Suponho que não sou motivo de preocupação para ele, não diferente dos ocupantes das outras celas ao longo do corredor. Seja como for, aqui não há muito sobre o que falar. Depois que ele vai embora, eu o ouço cumprir os mesmos deveres nas celas restantes. Não vi nada que diga respeito a meus colegas prisioneiros, nem tenho vontade de ver, pois não quero confraternizar com criminosos. À noite, homens gritam em termos dos mais grosseiros, ou ficam batendo com os punhos nas portas de suas celas, cujo único resultado é fazer com que outros gritem pedindo silêncio. Esses períodos de tumulto duram algum tempo, até que subitamente o clamor diminui e só se ouvem os débeis ruídos da noite lá fora.

Dia sim dia não me tiram da cela e permitem que estique as pernas num espaço calçado com pedras. Na primeira vez, não tive certeza do que fazer lá. Devido à altura dos muros, a luz do sol não incide no chão e as pedrinhas são viscosas e cobertas de musgo. Observei que em torno das margens do pátio tinha se formado, por desgaste, uma trilha, assim fiquei dando voltas seguindo o perímetro. O carcereiro fica o tempo todo na entrada, mas não tenho a impressão de que ele está me observando. Sinto certa pena dele. Sua vida parece não ser mais agradável do que a minha e muito depois de eu ter deixado este lugar ele ainda estará aqui. A distância a percorrer em torno do pátio é de vinte e oito passos, e geralmente eu completo cerca de sessenta voltas no tempo que me concedem. É mais ou menos a distância entre Culduie e Camusterrach, e eu tento imaginar que é para lá que estou caminhando.

Mais tarde trazem-me uma tigela de sopa com um pedaço de pão ou um *bannock*. Passo a maior parte do tempo produzindo este documento. Não posso prever se o que escrevo aqui será do interesse de alguém, mas estou contente de ter alguma atividade com que me ocupar.

Nos primeiros dias de meu encarceramento tive pouco tempo para me acostumar com meu novo ambiente, sobrecarregado que estava com as numerosas visitas de agentes da lei. Frequentemente era levado a uma sala em outra parte da prisão para ser interrogado sobre o que tinha feito. As mesmas perguntas me foram feitas em tantas ocasiões que eu já não tinha de pensar quais seriam as respostas. Muitas vezes tinha a impressão de que agradaria a meus interlocutores se inventasse alguma outra versão dos fatos, ou tentasse de algum modo me eximir de responsabilidade pelo que tinha feito, mas eu não fiz isso. Fui tratado por todos com cortesia, e gostaria de ter retribuído sua gentileza, mas não vi propósito em mentir. Frequentemente, após repetir minha história pela terceira ou quarta vez, as pessoas presentes trocavam olhares entre si, como se eu as tivesse divertido de algum modo, ou fosse para elas um mistério. Contudo, depois de refletir sobre isso, imagino que esses cavalheiros estejam mais acostumados a lidar com criminosos que não estão inclinados a admitir sua culpa. Por fim, contei minha história na presença de um escriba, e após numerosos avisos de que eu não era obrigado a fazer isso, assinei meu nome no depoimento.

Agora, além das visitas de meu advogado, o sr. Sinclair, tenho pouco contato humano. Esta manhã, no entanto, fui interrompido em meu trabalho pela visita do médico da prisão. Era um homem afável, com bochechas rosadas e suíças desgrenhadas. Apresentou-se como dr. Munro e informou-me que fora requisitado para atestar meu estado de saúde. Eu lhe disse que estava muito bem, mas assim mesmo ele me pediu que tirasse a camisa e fez um exame minucioso. Enquanto se ocupava comigo eu podia sentir seu hálito, que tinha o doce fedor de estrume fresco, e fiquei aliviado quando completou seu exame e se afastou de mim. Fez então uma série de perguntas concernentes aos meus crimes e eu dei minhas respostas costumeiras. De vez em quando ele tirava de um bolso interno de seu casaco um frasco de estanho e tomava um gole. Anotou minhas respostas num caderninho e não parecia estar nem um pouco perturbado com nada do que eu lhe contara. Quando terminou com as perguntas cruzou os braços e me olhou com algum interesse. Perguntou se eu lamentava ter feito aquilo. Eu lhe disse que não, e de qualquer maneira pouco importava se lamentava ou não, o que fora feito não poderia ser desfeito.

"Isso é verdade", ele disse. Após alguns momentos acrescentou, "Você é de fato um sujeito estranho, Roderick Macrae".

Respondi que não era estranho para mim mesmo, e que, da mesma forma, ele era estranho para mim tanto quanto eu era estranho para ele. Ao ouvir isso, ele riu jovialmente consigo mesmo e, não pela primeira vez, fiquei surpreso com o modo afável com que estava sendo tratado, como se eu só fosse culpado pelo roubo de um tablete de manteiga.

Ainda no final dos meses amarelos do verão, o sr. Gillies fez uma visita a meu pai. Foi à noitinha, e Jetta estava tirando da mesa as tigelas de nossa refeição vespertina. Meu pai ficou tomado de surpresa com a chegada do professor, que apareceu na porta tendo ainda nas mãos as rédeas de seu *garron*. Fui mandado para fora, a fim de prender o pônei, e depois de fazer isso fiquei alguns minutos acariciando seu pescoço e sussurrando em sua orelha. Quando fui para dentro, o sr. Gillies estava sentado no banco junto à mesa e Jetta preparava para ele uma xícara de chá. Num prato a sua frente fora posto um *bannock*. Meu pai estava de pé, desajeitadamente, no meio da sala, remexendo seu cachimbo, sem querer sentar na presença de alguém que considerava superior a ele. O sr. Gillies estava fazendo várias perguntas sobre Jetta e dizendo a meu pai como tivera prazer em ensiná-la. Quando me viu na porta, disse jovialmente, "Aí está o menino!".

Perguntou então a meu pai se ele não ia se sentar, e meu pai tomou seu lugar na cabeceira da mesa.

"Tenho notado que desde que nosso ano letivo recomeçou, Roddy não voltou para a escola."

Meu pai continuava a pitar seu cachimbo. "Ele não é uma criança", disse.

"Isso é bem verdade, e nessa qualidade ele não é mais obrigado a frequentar a escola", disse o sr. Gillies. "No entanto, talvez lhe tenha contado a conversa que tivemos, ele e eu, no final do último ano letivo?"

Meu pai respondeu que eu não tinha falado de nenhuma conversa. O sr. Gillies olhou para mim e convidou-me a juntar-me a eles na mesa.

Quando me sentei, ele continuou. "Nossa conversa foi acerca do futuro de seu filho, isto é, a respeito da continuação de sua educação. Ele não lhe mencionou isso?"

"Não mencionou", disse meu pai.

O sr. Gillies olhou então para mim e franziu a sobrancelha. "Bem", disse ele, num tom animado, "seu filho demonstrou em seu trabalho na escola ter considerável potencial, potencial que, em minha opinião, seria vergonhoso desperdiçar."

Meu pai me fitou como se eu tivesse cometido um delito ou fosse culpado de conspirar com o professor nas costas dele.

"Desperdiçar?", repetiu, como se a palavra lhe fosse totalmente estranha.

O sr. Gillies olhou em volta, para nossa obscura morada, bem consciente da armadilha que meu pai lhe tinha armado. Tomou um gole de seu chá antes de responder.

"Quero dizer simplesmente que, se continuasse sua educação, ele poderia, no futuro, ter um maior número de caminhos para escolher."

"Que tipos de caminho?" Meu pai sabia muito bem a que tipos de caminho o sr. Gillies se referia. Não tenho dúvida de que ele estava vagamente ciente de minhas conquistas na sala de aula, mas nunca demonstrara qualquer interesse nelas ou me fizera qualquer elogio.

"Não tenho dúvida de que Roddy poderia aspirar a se tornar um..." — aqui ele ergueu os olhos para a cumeeira, como se estivesse contemplando a questão pela primeira vez — "... se tornar um pastor ou um professor. Ou qualquer coisa que desejasse."

"Tornar-se alguém como você?", disse meu pai, rudemente.

"Tudo que quero dizer, sr. Macrae, é que certas opções estariam abertas para ele."

Meu pai se remexeu no banco. "Você quer dizer que ele poderia se tornar algo melhor do que um pequeno agricultor", disse.

"Eu não diria melhor, sr. Macrae, mas certamente diferente. Digo-lhe isso somente para ter certeza de que o senhor está ciente das oportunidades que se oferecem a seu filho."

"Oportunidades não servem de nada por aqui", disse meu pai. "O garoto é necessário para trabalhar no sítio e ganhar dinheiro para sua família com seu trabalho."

O sr. Gillies respondeu dizendo que talvez fosse útil perguntar o que eu gostaria de fazer. Com isso meu pai pôs-se de pé.

"Não faremos tal coisa", disse ele.

O sr. Gillies não se levantou. "Se é uma questão de dinheiro", disse, "certos arranjos podem ser feitos."

"Não precisamos de sua caridade aqui, senhor professor."

O sr. Gillies abriu a boca para falar, mas pensou melhor. Assentiu com a cabeça, como que dando o assunto por encerrado, e se levantou. Foi em direção a meu pai e estendeu a mão, que foi recusada.

"Não tive a intenção de ofender, sr. Macrae."

Meu pai não respondeu e o sr. Gillies, depois de dar boa-noite a mim e a Jetta, que durante toda a conversa se mantivera ocupada lavando nossas tigelas, foi embora.

Eu o acompanhei até o lado de fora, com o pretexto de ajudá-lo com seu pônei. Eu queria demonstrar minha gratidão por sua visita, mas também que, se tivessem me perguntado, eu concordava com meu pai quanto a ser necessário para trabalhar pela família e que aquelas coisas não eram feitas para pessoas como nós. Seja como for, nenhum garoto de minha idade na paróquia frequentava a escola e eu me sentiria um tolo estando entre as crianças. Nem queria tornar-me um homem como o sr. Gillies, com seu aspecto frágil e suas mãos flácidas e rosadas. Ele me agradeceu por desamarrar seu pônei e me disse que se eu quisesse voltar para a escola seria muito bem-vindo e que providências poderiam ser tomadas para pagar os custos. Tenho certeza de que ele não esperava me ver novamente, e nisso ele estava certo. Eu o vi montar em seu pônei e cavalgar lentamente saindo da aldeia. Suas pernas quase chegavam ao solo, o que fazia dele uma figura bem cômica. O *garron* seguia na andadura característica do pônei das Terras Altas, como se estivesse esperando a qualquer momento bater com a cabeça em alguma trave baixa.

Os planos de meu pai para eu contribuir para a renda da casa mostraram-se inúteis. Logo após a conversa com o sr.

Gillies ele arranjou para mim um cargo durante a temporada de caça. Eu deveria me apresentar à primeira luz do dia na cabana do *ghillie*, e isso eu fiz. O *ghillie* era um homem alto com olhos estreitos e uma barba espessa e crespa, salpicada de cinza. Vestia calções de tweed, meias grossas de lã e robustos sapatos. Seu colete estava desabotoado e na mão esquerda segurava um cachimbo com uma haste em forma de S. Perguntou meu nome e eu respondi que era Roderick Macrae, de Culduie. Ele me olhou de alto a baixo e falou para eu esperar no pátio atrás da Casa Grande.

Avancei pela propriedade, sentindo-me, apesar da aprovação do *ghillie*, um invasor, mas ninguém me deteve. Chegava-se ao pátio por um arco de pedra à direita da entrada principal. Vi-me numa área com calçamento de pedras, com estábulos ao longo de um dos lados, e do outro, janelas que davam para as cozinhas da casa. Não quis pressionar meu nariz contra a vidraça, mas parecia haver grande atividade lá dentro. Encostei-me na parede à direita da porta da cozinha e fiz o que pude para parecer à vontade. Podia ouvir os cavalos mexendo-se e relinchando em suas cocheiras. Eu os imaginava como grandes puros-sangues e queria muito entrar nos estábulos e olhar para eles, mas não fiz isso por medo de ser repreendido. Naquele momento chegou outro garoto, um pouco mais velho que eu. Ele não disse nada, mas me encarou sem disfarçar. Encostou-se na parede do estábulo, pondo a sola de sua bota direita contra ela, formando assim um triângulo. Essa postura fazia com que parecesse estar bem à vontade naquelas vizinhanças, por isso eu o imitei. Após alguns minutos, o garoto tirou um pequeno cachimbo do bolso de seu paletó. Examinou-o minuciosamente antes de pôr a piteira na boca e mastigá-la ruidosamente. Não havia fumo no fornilho, ou, se havia, ele não fez menção de acender. Não obstante, vi nessa exibição uma confirmação de sua atitude confiante, que me causou grande impressão. Mais tarde, quando em nossa caminhada pelo vale estreito* acabamos nos falando, ele explicou que não era preciso acender um cachimbo para colher os benefícios do fumo. Se o cachimbo tivesse sido usado previamente, tudo que se requeria era sugá-lo vigorosamente.

Algum tempo depois, dois homens chegaram e entraram nos estábulos, onde eu os ouvi aprontando os cavalos. Quando os animais foram trazidos para fora, fiquei desapontado em ver que não eram garanhões, e sim os mesmos *garrons* atarracados com cabeça pesada e baixa que havia nas aldeias. Ao mesmo tempo, suprimentos e equipamentos foram trazidos das cozinhas e depositados sobre o chão calçado de pedras. O garoto com o cachimbo e eu fomos instruídos a carregar o primeiro pônei. O segundo foi deixado sem carga, para que pudesse transportar algum animal eventualmente caçado. Terminados os preparativos, uma mulher corpulenta de bata e avental saiu da cozinha com uma bandeja e quatro taças de chá. Era a mulher de Lachlan Broad, Mimi, que trabalhava para lorde Middleton durante os meses amarelos. Ela me disse bom-dia de um modo que sugeria não estar surpresa por me ver ali. Eu normalmente não bebia chá, pois meu pai acha que isso é adequado só para mulheres, mas, não querendo me colocar fora do grupo, peguei a xícara a mim oferecida. E, de fato, esse ato de beber juntos pareceu gerar um senso de camaradagem entre nós quatro. O chá estava adoçado com açúcar e era menos desagradável do que eu esperava. Enquanto bebíamos, um dos homens dirigiu-se a mim pela primeira vez.

"Então você é o garoto de Black Macrae?"

Respondi que era o filho de John Macrae de Culduie e os dois homens trocaram um olhar, cujo significado foi para mim

* O termo usado, *glen*, refere-se a um tipo de vale estreito característico das montanhas da Escócia e da Irlanda. [N. T.]

um mistério. Fiquei surpreso por esses dois desconhecidos saberem o nome de meu pai e parecerem estar me julgando segundo o conceito que tinham sobre ele.

Mimi Broad voltou para recolher nossas xícaras e perguntou se eu tinha trazido algo para comer, já que estaríamos o dia inteiro nas montanhas. Jetta tinha me dado duas batatas, e ela assentiu de um modo que sugeria que eu fizera bem de estar assim preparado. Os pôneis foram conduzidos pelo chão de pedras até a parte frontal da casa, onde ficamos esperando os participantes da caça. Um dos homens apontou para um grande baú de madeira, que eu deveria carregar. Tinha um metro de largura e sessenta centímetros de profundidade, e entre dois cantos diagonalmente opostos passava uma pesada correia de couro, com a largura da mão de um homem. Havia um bom peso dentro dele, e um dos homens passou a correia por cima de minha cabeça, prendendo-a em meus ombros. Ele então me disse que era importante não sacudir o baú ou deixá-lo inclinar-se para um lado, pois o conteúdo poderia quebrar. Não perguntei o que havia dentro, mas senti que tinham me confiado uma tarefa de grande importância e decidi cumpri-la bem. Quando o *ghillie* juntou-se a nós a correia já estava me causando algum desconforto, mas fiz o melhor que pude para esconder isso. O *ghillie* passou em revista os pôneis e fez aos homens uma ou duas observações. No lado interno de seu cotovelo descansava uma arma. Alguns minutos depois, quatro cavalheiros surgiram na entrada da casa, todos vestidos em tweed e carregando armas do mesmo jeito que o *ghillie*. Não se pareciam em nada com os nativos destas paragens. Eram altos e empertigados, com belos cabelos e feições rosadas, como as de meu antigo professor. O *ghillie* apertou a mão do mais velho dos homens, que eu julguei ser lorde Middleton. Depois ele cumprimentou os outros homens e declarou que era uma bela manhã e que estava confiante de que voltariam das montanhas com um veado. Depois fez uma avaliação genérica do que poderia acontecer naquele dia, e deu uma ou duas instruções concernentes a como lidar com as armas de fogo e se comportar na montanha. O cavalheiros ouviram atentamente e eu fiquei muito impressionado, pois, apesar de suas roupas finas, o *ghillie* era um Highlander, um homem das Terras Altas, que se dirigia a seus superiores sem nenhum sinal de deferência. Ao final de sua breve fala, lorde Middleton deu um tapinha no ombro do *ghillie* e, voltando-se para seus companheiros, disse, "Não tenham medo, o latido dele é pior que a mordida". Isso foi para o grupo motivo de grande divertimento, exceto para o próprio *ghillie*, que tirou um relógio prateado do bolso do colete e declarou que já era tempo de partir. Saímos então na direção do vale estreito, o *ghillie* e lorde Middleton na frente, seguidos pelos três cavalheiros, depois pelos cavalariços conduzindo os dois *garrons*, enquanto eu e o outro garoto formávamos a retaguarda. A manhã estava quente e nublada. Não demorou muito para o baú começar a se chocar doloridamente com a parte de trás de meus joelhos. Meu companheiro, que carregava um baú semelhante, porém claramente mais leve, mostrou-me como caminhar com os ombros para trás e as mãos pousadas nos flancos para evitar que ele ficasse batendo. Esse diálogo quebrou o gelo entre nós e ele me disse que seu nome era Archibald Ross, e que era o mais velho de seis irmãos. Eu lhe disse que minha mãe tinha morrido recentemente no parto de meu irmão mais moço e que isso havia causado à família muitas dificuldades. Archibald Ross respondeu que, para pessoas do povo como nós, não havia outro destino senão o duro destino. Fiquei muito impressionado com sua resposta e pensei que meu novo amigo era a pessoa mais inteligente que eu jamais conhecera.

Quando deixamos a trilha que passava pelo meio do vale e começamos a subir a encosta, ficou impossível impedir que meu baú oscilasse para lá e para cá, e eu me conformei com a ideia de que ia danificar seu conteúdo e incorrer na ira do *ghillie*. Archibald Ross mantinha um constante monólogo, falando de maneira divertida sobre seus irmãos e seus vizinhos em Applecross. Contou-me, muito francamente, que seu pai achava as pessoas do Promontório preguiçosas, seres inferiores, especialmente as de Aird-Dubh, que ele considerava sujas e falsas. Ele se esforçava para deixar claro que não compartilhava as ideias do pai, mas assim mesmo lembrei a ele que era de Culduie, e não de Aird-Dubh.

Logo que tivesse idade para isso e tivesse economizado o bastante para comprar a passagem, Archibald tencionava emigrar para o Canadá. Lá, ele me disse, jovens como nós podiam prosperar. Grandes tratos de terra fértil esperavam por nós, e em um ano seria possível ganhar mais dinheiro do que nossos pais ganhariam durante uma vida inteira de esforço tirando seu sustento de terras arrendadas. Um primo dele que tinha ido embora sem nada a não ser uma sacola com *sowens*, agora vive numa casa com o dobro do tamanho da casa de lorde Middleton. Propôs que deveríamos ir juntos ganhar nossas fortunas, e fiquei muito excitado com a ideia. Archibald disse-me então, num tom conspiratório, que, se eu fosse particularmente útil para os cavalheiros, talvez no fim do dia eles me dessem um penny, ou até mesmo um shilling. A perspectiva de tal ganho recobrou minha decisão de ignorar a dor que o baú estava me causando.

Umas duas horas depois, chegamos a um platô que dominava o vale, e paramos. Eu nunca tivera motivo para ir tão longe nas montanhas, e fomos agraciados com uma ampla vista da baía de Applecross e até das montanhas de Raasay e Skye. Os cavalariços pegaram dois grandes tapetes na carga do primeiro pônei e os estenderam no chão. Meu baú foi retirado de mim, e dele foram tiradas várias peças de louça, taças e garrafas de vinho. Nas *ashets* foram colocadas diversas carnes frias, legumes, condimentos e pão. Os cavalheiros se declararam impressionados com a fartura e começaram a comer sem dizer a bênção. Os dois ajudantes, depois de servir a refeição, ficaram perto dos *garrons*. Eu me sentei numa elevação do terreno e comi lentamente a primeira de minhas batatas. Fiquei tentado a comer a segunda, mas sabendo que estaria por muito tempo na montanha, resolvi guardá-la para mais tarde. Archibald sentou-se perto de mim, mastigando lentamente um *bannock* que tirou do bolso da jaqueta. Ele me ofereceu um pedaço, que recusei, porque não queria dividir minha batata. O *ghillie* comia junto com os cavalheiros, mas não participava da conversa. Tampouco aceitou um cálice de vinho. Os cavalheiros bebericavam à vontade e competiam entre si em descrições cada vez mais elaboradas da cena que tinham diante de seus olhos. Um dos cavalheiros esfregou as têmporas e fez troça do fato de ter se aproveitado demais da hospitalidade de lorde Middleton na noite anterior. Seu companheiro ergueu a taça e declarou, "Ao pelo do cão!" — uma declaração que me deixou confuso.* Lorde Middleton pegou uma pequena taça de vinho e falou com o *ghillie* em voz baixa. O *ghillie* fez uma observação quanto ao fato de que os cavalheiros não iam atirar em muitos veados após beber tanto vinho, e, embora tivesse dito isso jocosamente, eu entendi que falava sério e que não aprovava o comportamento dos cavalheiros. Estes, no entanto, pareciam alheios ao descontentamento do *ghillie* e esvaziaram, entre eles, três garrafas.

Quando se declararam satisfeitos, a louça e a comida foram guardadas e fui informado, para meu alívio, que não precisaria mais carregar o baú adiante, pois eu o pegaria em nosso

* Brinde que se faz quando se ingere uma bebida alcoólica com o intuito de curar a ressaca da noite anterior. [N. T.]

caminho de volta. Eu estava, pois, de bom humor quando retomamos a caminhada, e ele aumentou quando um dos ajudantes, querendo encher seu cachimbo, pediu-me para conduzir seu *garron*. Fiquei muito orgulhoso por essa promoção, e achei que isso significava que fora aceito pelos homens. Entre dois picos mudamos de direção, indo para o sul, e imaginei nosso grupo como exploradores aventurando-se por terras desconhecidas. Os convidados de lorde Middleton estavam com boa disposição e conversavam ruidosamente entre si. O *ghillie* foi obrigado a lhes dizer que baixassem a voz ou não haveria nada para caçar naquele dia. Fiquei perplexo ao ver o *ghillie* dirigir-se aos cavalheiros daquele modo abrupto, mas lorde Middleton não demonstrou ficar nem um pouco afrontado. Os cavalheiros pareceram ficar envergonhados e daí em diante avançaram em silêncio. O *ghillie* agora assumira a liderança e a cada cem metros ou algo assim ele nos instruía a parar, esticando a mão aberta ao lado do corpo. Parávamos, mal respirando, ele percorria a encosta com o olhar e parecia estar farejando, antes de, sem pronunciar nenhuma palavra, nos orientar, com mais um gesto da mão, a continuar nesta ou naquela direção. Após mais ou menos uma hora chegamos ao topo de uma serra e o *ghillie* nos instruiu a mantermos a cabeça abaixada. Eu me deitei sobre a urze de barriga para baixo. O humor de nosso grupo era agora bastante sombrio. Abaixo de nós pastava um rebanho com trinta ou quarenta animais. Todas as corças estavam voltadas para a mesma direção, as cabeças baixas junto ao solo, movendo-se lentamente para a frente, como um grupo de mulheres semeando. Estávamos perto o bastante para ver a desapressada rotação de suas mandíbulas. Chefiando o grupo havia um cervo com uma galhada que parecia um par de mãos retorcidas levantadas para o céu. Os animais não haviam percebido nossa presença.

O *ghillie* fez um sinal a um dos caçadores para que viesse mais para a frente. Esse cavalheiro, silenciosamente e com certa competência, carregou sua arma e apontou-a para o veado, apoiando a cabeça na coronha. Foi um momento de grande solenidade. Eu estava perto do cavalheiro o bastante para ver seu dedo aproximando-se do gatilho. Olhei novamente para o veado e senti uma terrível vergonha por ele ter de morrer para que esse homem pudesse pendurar sua cabeça na parede de seu salão. O dedo curvou-se em torno do gatilho. Sem qualquer premeditação, subitamente pus-me de pé e corri pela serra, agitando os braços como um grande pássaro e cacarejando como um galo. O veado lá embaixo fugiu e o tiro do cavalheiro perdeu-se no ar. O *ghillie* deu um salto à frente, agarrou-me pelo braço e jogou-me brutalmente no chão. Eu estava, naquele momento, tão chocado quanto ele com minhas ações e imediatamente me arrependi. O *ghillie* deixou escapar uma série de palavrões, e, com medo de que me batesse com a coronha de sua arma, cobri a cabeça com os braços. No entanto, ele não fez isso, e me deixou prostrado nas urzes sentindo-me terrivelmente idiota. Os dois ajudantes riram simpaticamente, mas foram silenciados pelo olhar severo do *ghillie*. O rosto de lorde Middleton ficou quase púrpura, seja por efeito do ar de montanha, seja por raiva, eu não saberia dizer. Os três cavalheiros olharam para mim com espanto. Eu fantasiei que o *ghillie* talvez me mandasse descer correndo até o vale para que os convidados pudessem atirar em mim, em vez de praticar o esporte que eu tinha acabado de inviabilizar. No entanto, nada semelhante aconteceu. Lorde Middleton adiantou-se e perguntou ao *ghillie* qual era o meu nome.

"Ele é Roderick Macrae, filho de John Macrae, de Culduie", respondeu ele.

Lorde Middleton assentiu e disse, "Cuide que ele nunca mais arranje trabalho na propriedade".

Depois virou-se e pediu desculpas a seus convidados. Se me dessem uma oportunidade eu teria feito o mesmo, mas fui mandado embora da montanha e lembrado de recolher meu baú no caminho de volta e devolvê-lo às cozinhas. Pus-me de pé, agradecido a lorde Middleton pela leniência de minha punição. Quando deixei o grupo, Archibald Ross desviou o olhar, não querendo se associar com tal imbecil.

Quando voltei naquela noite, não disse nada sobre o incidente na montanha. Na manhã seguinte, saí com minhas duas batatas no bolso como se nada inapropriado tivesse acontecido e passei o dia vagando entre as lagoas* do Càrn. Quando voltei naquela noite, meu pai já tinha ouvido falar de minha má conduta e recebi uma merecida e meticulosa surra.

Algum tempo depois do incidente com o carneiro, correu o boato de que Lachlan Broad fizera uma visita ao administrador. Não estava clara a origem do boato. Alguns habitantes de Applecross disseram ter visto Broad indo na direção da casa do administrador, mas dificilmente se poderia considerar que isso, por si mesmo, constituísse uma prova. Nunca se ouvira falar de alguém que visitasse o administrador por vontade própria, mas, se tivesse sido convocado, a convocação só poderia ser entregue por intermédio do policial, e Calum Finlayson não a entregara. Meu pai ficou resmungando sombriamente que a fonte mais provável do boato era o próprio Lachlan Broad. Seja como for, por força da repetição, a história acabou sendo aceita como um fato.

O que é certo é que pouco depois dessa alegada visita, Calum Finlayson foi convocado ele mesmo à presença do administrador. O mandato do sr. Finlayson como policial deveria se encerrar em questão de meses e, um tanto excepcionalmente, ele tinha conseguido completar seu período nessa

* A palavra escocesa usada no original é *lochan*, diminutivo de *loch*, lago ou braço de mar terra adentro. [N.T.]

indesejada função sem se incompatibilizar com seus vizinhos. Como *factotum* do administrador, o policial fica numa posição nada invejável. Se fracassar em aplicar os regulamentos, incorre na ira do administrador, e se implementar os termos de arrendamento com demasiado rigor, ele se aliena da comunidade. O sr. Finlayson tinha conseguido evitar esta última situação, optando por repreender qualquer transgressão tranquilamente, tomando um *strupach*, em vez de correr ao administrador na primeira oportunidade. Da mesma forma, quando possível, incentivara arrendatários e arrendadores a resolver entre eles mesmos os litígios, e quando requisitado a arbitrar, tinha-se que ele o fazia de maneira imparcial. A grande maioria da comunidade queria que ele continuasse no cargo, mas aceitava, como sinal de seu bom caráter, o fato de ele não querer fazer isso.

Após a audiência com o administrador, Calum Finlayson divulgou que tinha sido informado de que não cumprira seu papel com vigor suficiente. Se isso foi ou não trazido à atenção do administrador por Lachlan Broad era motivo de especulação, mas a consequência foi que, pelo restante de seu período no cargo, ele seria obrigado a aplicar os regulamentos com maior rigor. Para obrigá-lo a fazer isso, o administrador ordenara que ele aplicasse uma certa quantidade de multas em seus meses restantes no cargo. Se esse montante não fosse alcançado, o policial seria obrigado a pagar a diferença de seu próprio bolso. O sr. Finlayson ficou muito angustiado com essa situação.

Na casa de Kenny Smoke foi realizada uma reunião à qual compareceu a grande maioria dos habitantes de nossas municipalidades. Decidiu-se que, para isentar o sr. Finlayson da obrigação de arrecadar as multas necessárias de seus vizinhos, os regulamentos seriam seguidos tão escrupulosamente quanto possível. Foi decidido além disso que, para levantar a quantia requerida pelo administrador, as famílias aptas a fazê--lo contribuiriam com cinco shillings para um fundo geral. As que não estivessem tão bem contribuiriam de acordo com suas possibilidades. Depois da reunião, apesar do ressentimento por serem obrigadas, como expressou Kenny Smoke, a encher os bolsos do administrador, as pessoas estavam num estado de espírito elevado, e houve cantoria e se bebeu muito uísque.

Lachlan Broad e seus familiares não estavam presentes na reunião e depois recusaram-se a contribuir para o fundo. Meu pai não aprovou o esquema, dizendo que ele envolvia enganação e desafiava as autoridades. Não obstante, contribuiu com um shilling como sinal da estima que tinha por Calum Finlayson. Como ninguém queria ter seu nome marcado por ter transgredido os regulamentos, acordou-se que as multas seriam registradas como tendo sido cobradas equitativamente das famílias da paróquia. Dessa maneira, nenhuma família ou pessoa poderia ser individualizada para futuras sanções. À medida que transcorreu o verão, apesar das dificuldades causadas por essas despesas desnecessárias, o esquema tornou-se fonte de muita diversão. Multas eram cobradas pelas mais frívolas transgressões. A contribuição de meu pai foi registrada como punição por permitir que seu galo cacarejasse durante as horas de escuridão. Kenny Smoke foi multado por ter deixado de perguntar como ia o administrador, e Maggie Blind, uma viúva de Camusterrach, por ter começado a caminhar para a igreja com seu pé esquerdo. Quando chegou o momento de o sr. Finlayson prestar conta das arrecadações, o administrador deve ter suspeitado que as coisas não eram como pareciam ser, mas dificilmente poderia acusar seu policial de ter deixado de executar seus deveres zelosamente. As pessoas ficaram em geral deliciadas com o sucesso do esquema, vendo isso como uma pequena vitória sobre as autoridades. Meu pai, contudo, era de opinião que as pessoas não deveriam estar tão contentes por entregar seu dinheiro ao administrador, e eu compartilhava essa ideia.

No final do verão, Lachlan Broad comunicou que tencionava se candidatar ao cargo de policial, que em breve estaria vago. Nunca se tinha ouvido falar de alguém que se voluntariasse para essa função ingrata. Mesmo aqueles que talvez gostassem de usufruir da autoridade que o cargo conferia eram sensatos o bastante para não admitir isso. Todos sabiam que Lachlan Broad adoraria exercer seu poder sobre seus vizinhos, e por esse motivo buscou-se abertamente um candidato alternativo. Meu pai, embora não fosse muito estimado, era respeitado na comunidade, e certa noite alguns homens, Kenny Smoke entre eles, visitaram nossa casa para persuadi-lo a permitir que se apresentasse seu nome. Meu pai perguntou a cada um, um de cada vez, se achava que era tão importante opor-se a Lachlan Broad, por que não o fazia ele mesmo. Cada um dos homens tinha suas próprias desculpas para não fazer isso, e assim, quando o último acabou de falar, meu pai não precisou declarar sua recusa. O fato era que o encontro entre Lachlan Broad e o administrador, real ou imaginário, gerara a percepção de que ele já fora escolhido pelo administrador, e por esta e não outra razão ninguém queria colocar-se contra ele. No fim, a única pessoa que pôde ser convencida a se candidatar foi Murdo Cock, um imbecil que vivia numa cabana em Aird-Dubh e, dizia-se, sobrevivia com uma dieta de *sowens* e lapas.

A votação realizou-se no presbitério em Camusterrach. Na data marcada, vieram os homens das três aldeias, com os bonés enfiados nos bolsos de seus casacos ou em suas mãos, à sua frente. O reverendo Galbraith agradeceu a cada um à medida que entravam, fazendo perguntas genéricas sobre suas famílias e comentários sobre qualquer ausência recente na igreja. O ambiente era de desânimo. O administrador estava de pé, ladeado pelos dois candidatos, e dirigiu-se brevemente ao grupo ali reunido. Agradeceu por seu comparecimento e lembrou-os da importância do cargo de policial para um bom gerenciamento da propriedade. Não recomendou nenhum dos dois, mencionando apenas seu espírito público ao se candidatar e expressando sua confiança de que os homens escolheriam o candidato mais capaz. O reverendo Galbraith aproveitou a oportunidade para conduzir uma prece. Quando chegou a hora de votar, ninguém ergueu a mão para se opor a Lachlan Broad.

Broad não demorou muito para exercer seus novos poderes. Uma noite, pouco tempo após sua nomeação, fez uma visita à nossa casa. Jetta tinha acabado de tirar a louça de nossa refeição e retomara seu tricô. Meu pai estava em sua cadeira, próximo à janela. Eu havia permanecido à mesa. Ainda estava claro e eu estivera olhando pela porta aberta por alguns minutos, vendo Lachlan Broad e seu irmão se aproximarem. Só quando eles passaram pela casa de nosso vizinho me dei conta de que tencionavam nos visitar, e naquele momento era tarde demais para alertar meu pai de sua chegada iminente. A grande figura de Broad encheu o vão da porta. Ele não fez nenhum cumprimento, e creio que foi a mudança na luz que fez meu pai erguer os olhos de seu livro. Nesse momento, o novo policial nos deu boa-noite. Meu pai se levantou, mas não demonstrou qualquer intenção de lhe dar boas-vindas. Aeneas Mackenzie ficou do lado de fora, os braços cruzados como se estivesse de guarda contra a chegada de intrusos. Lachlan Broad deu um ou dois passos entrando na casa e anunciou que, em sua capacitação recentemente adquirida, estava visitando todas as casas sob sua jurisdição.

Meu pai disse num tom malicioso, "Então estamos agora sob sua jurisdição, não estamos?".

Lachlan Broad respondeu, "Vocês estão sob jurisdição do *laird*, e como seu administrador está encarregado do gerenciamento da propriedade e eu sou agora o representante do administrador desta municipalidade, então, sim, vocês estão sob minha jurisdição".

Ele então fez com a mão direita um gesto na direção da mesa e disse, "Não sou bem-vindo em sua casa?".

Meu pai fez um sinal para que se sentasse e disse a Jetta que levasse seu tricô para outro lugar, mas não ofereceu nenhum refresco, como fazia com as visitas em geral. Lachlan Broad observou Jetta enquanto ela se retirava para o quarto dos fundos, antes de sentar no banco e me desejar boa-noite. Eu devolvi o cumprimento da maneira mais civil que pude, pois se tivesse dito o que realmente estava pensando ele certamente expediria uma multa contra nós.

Quando meu pai tomou seu lugar na cabeceira da mesa, Lachlan Broad começou declarando que se sentia grato por ter ganhado o apoio da comunidade para assumir o cargo de policial. Depois fez um discurso um tanto longo sobre a responsabilidade das pessoas no cumprimento dos termos de seu arrendamento. Os regulamentos, disse ele, não existem para diversão ou lucro do *laird*, e sim em benefício de todos na comunidade. "Se não houvesse regulamentos", disse, "estaríamos vivendo num estado de anarquia, não estaríamos?"

Enquanto falava, ele tamborilava na mesa com os três dedos do meio da mão direita, fazendo assim o som de um galope distante de um pônei. Seus dedos eram grossos e esfolados, as unhas lascadas e entranhadas de sujeira. Durante seu discurso, manteve o olhar fixo em algum lugar entre o topo da cômoda e a cumeeira, como que se dirigindo a uma reunião da paróquia. Fez uma pausa por alguns momentos, como que dando a meu pai uma oportunidade para responder, mas como ele não fez isso, continuou.

Em sua opinião, recentemente nossa comunidade tinha se comportado vergonhosamente em sua não adesão aos regulamentos, e pela lassidão com que eles tinham sido aplicados. Tínhamos nos comportado, disse ele, como crianças de escola quando o professor lhes dá as costas, e fizemos isso estimulados pela indulgência de uma autoridade que, querendo muito ser estimada, serviu mal à comunidade. No entanto, ele considerou sua eleição para policial como um sinal de que as pessoas queriam corrigir seus modos. Assim, estava aproveitando a oportunidade para lembrar a todos os arrendatários suas responsabilidades quanto às condições de seus arrendamentos. Se as coisas não mudassem para melhor, medidas teriam de ser tomadas. Então ficou calado por um momento, antes de acrescentar, como se fosse um pensamento tardio, que estava falando com autorização total do administrador.

A expressão de meu pai não tinha se alterado desde o início do discurso de Broad. Mas então ele pegou o cachimbo da boca e o reencheu com o fumo de sua bolsa. Feito isso, acendeu-o e tirou algumas baforadas.

"Você não precisa me lembrar de minhas responsabilidades, Lachlan Mackenzie. Nunca transgredi nenhum regulamento e nunca tive uma marca de desabono em meu nome."

"Lamento dizer, sr. Macrae, que sua resposta apenas confirma o estado de anarquia no qual caímos recentemente, e que desconsideramos os regulamentos de tal maneira que não sabemos mais quando os estamos transgredindo." Depois acrescentou, "Seja como for, não cabe a você ou a qualquer outra pessoa saber se há marcas de desabono em seu nome".

Meu pai continuava a tirar baforadas de seu cachimbo. Raramente era possível saber o que estava pensando, mas naquele momento senti, por uma certa dureza em seus olhos, que estava aborrecido. Os dedos de Lachlan Broad pararam de tamborilar e ele colocou a mão esquerda, que até então estivera em seu colo, aberta na mesa. Eu interpretei esse gesto como um sinal de que ele tencionava levantar-se e ir embora, mas não foi. Em vez disso, ficou aparente que suas observações até então tinham sido meramente um prefácio para o real propósito de sua visita.

"Afora essas generalidades", disse ele, "há uma questão adicional no que concerne a sua casa em particular."

Seus dedos recomeçaram a tamborilar. Supus que ele estava a ponto de reabrir a questão da morte do carneiro e de usar seus poderes recém-adquiridos para aumentar o valor da multa contra meu pai, ou pelo menos exigir seu pagamento imediato. Mas eu estava enganado.

"Foi decidido", ele continuou, "que a extensão de seu sítio será reduzida."

A expressão de meu pai não se alterou.

"Desde a morte de sua mulher, o número de pessoas em sua casa diminuiu, e presumindo que você não planeja se casar de novo, essa redução será permanente. Sua locação de terra será portanto reduzida em um quinto. Há outras famílias maiores cujo sítio é menor do que o de vocês, e a terra será alocada para uma delas."

"Isso quer dizer, para você mesmo", disse meu pai.

Lachlan Broad fez um muxoxo de desprezo e sacudiu a cabeça como se estivesse ofendido pela sugestão. "Certamente não para mim, sr. Macrae. Isso seria um abuso de meu cargo. A terra será alocada para uma família adequada."

"Nenhum de meus vizinhos aceitará parte de minhas terras", disse meu pai.

Lachlan Broad franziu os lábios. "Veremos", disse. "Não será do interesse de ninguém a terra ficar sem cultivo."

"Meu pai e meu avô trabalharam esta terra antes de mim."

"Sim", disse Broad, "mas ela não pertencia a eles e não pertence a você. Pertence ao *laird*, e é por arbítrio dele que você tem o privilégio de cultivá-la."

"E quanto ao valor do arrendamento?"

Eu por dentro xinguei meu pai, pois sua pergunta expressava claramente a intenção de capitular na questão da redução do sítio. Se minha mãe estivesse viva ela expulsaria Lachlan Broad da casa imediatamente com uma enxurrada de insultos, mas meu pai não tinha aquele estofo.

"O que tem o valor do arrendamento?", disse Broad.

"Se a extensão do sítio vai ser reduzida, então, certamente, o valor do arrendamento também será", disse meu pai.

O policial soltou um riso pelo nariz, para sinalizar a extravagância da ideia.

"Seu aluguel, creio, tem se atrasado por alguns anos", ele disse. "Se me é permitido lhe dar um conselho, eu não provocaria as autoridades pedindo uma redução."

Meu pai se levantou e, pondo o nó dos dedos na mesa, inclinou-se para Lachlan Broad.

"Vou pedir um encontro com o administrador para discutir este assunto."

Broad continuou sentado e estendeu as mãos a sua frente. "Você está livre para fazer isso", disse, "mas posso lhe garantir que estou falando com autorização do administrador. Estou certo de que você não quer ganhar a reputação de alguém que está procurando fazer agitação contra o funcionamento tranquilo da propriedade, cujo gerenciamento, lembro a você, é feito em benefício da comunidade e não de qualquer indivíduo. Como você mesmo declarou, não quer ter marcas de desabono em seu nome."

A essa altura Lachlan Broad levantou-se e disse, como um fato consumado, "A realocação será realizada na primavera, e assim você terá oportunidade de retirar da terra as colheitas deste ano. Você mesmo pode decidir de qual porção da terra quer abrir mão, e comunicar-me no devido tempo".

Ele então nos informou que no futuro deveríamos nos dirigir a ele como Policial Mackenzie ou simplesmente Policial, para que não esquecêssemos que ele estava agindo por um mandato oficial.

Meu pai não pediu um encontro com o administrador, e na primavera a porção de terra mais afastada da casa foi dada a nosso vizinho, Duncan Gregor, que vivia com a mãe idosa, mulher e quatro filhos. O sr. Gregor procurou meu pai para assegurar-lhe que nunca tentara obter aquela porção de seu sítio e não queria lucrar às expensas de meu pai. Propôs que as duas famílias cultivassem juntas aquele pedaço de terra e dividissem a colheita entre elas. Meu pai recusou essa generosa oferta, dizendo que ele não queria cultivar uma terra que não era sua e que, de qualquer maneira, as necessidades do sr. Gregor eram maiores que as dele. O sr. Gregor ficou durante algum tempo argumentando com meu pai, mas ele não mudou de ideia. Nem aceitaria nenhuma compensação por sua perda.

Rapidamente ficou clara qual era a natureza do regime de Lachlan Broad. Nos anos anteriores, quem quer que ocupasse o cargo de policial o fazia com relutância e só cumpria seus deveres quando pressionado a isso. Lachlan Broad, no entanto, empenhou-se naquele papel com o fervor de uma raposa no galinheiro. Ele se pavoneava pelas aldeias sob sua jurisdição, com o caderninho na mão e um lápis atrás da orelha, muito frequentemente acompanhado de seu irmão imbecil, ou de seu primo, ou dos dois. A manutenção dos sítios e a condição dos caminhos, regos e trilhas eram submetidas a seu escrutínio. Tampouco limitava sua inspeção às áreas comunitárias. Não pensava duas vezes antes de entrar sem se anunciar na casa dos vizinhos e fazer anotações em seu livrinho, cujo conteúdo não divulgava a ninguém. Essas anotações não resultavam em multas imediatamente. As pessoas sabiam apenas que o policial tinha anotado alguma coisa e que isso poderia ser usado contra elas em algum momento no futuro. Consequentemente, Lachlan Broad achava pessoas que aquiesciam quando ele pedia que trabalhassem em seu sítio ou realizassem outras tarefas, que seus deveres autoimpostos o impediam de fazer.

Lachlan Broad decretou que as estradas e trilhas entre nossas casas e aldeias haviam caído num inaceitável estado de ruína. Foi elaborado um programa geral de trabalhos e ordenou-se aos homens da paróquia fisicamente capacitados que dessem dez dias de trabalho num momento estabelecido pelo policial. Os que foram ousados o bastante para questionar a obrigação de trabalhar de graça receberam a informação de que eram obrigados, segundo os termos de seu arrendamento, a manter as estradas e trilhas comunais adequadamente drenadas e em bom estado. Era, pois, por liberalidade que apenas se estava pedindo aos aldeões para arcarem com as responsabilidades antes ignoradas, em vez de serem multados por sua negligência. Apesar dos resmungos sobre a natureza autoritária dos métodos de Lachlan Broad, foi amplamente aceito que as melhoras que ele instituiu eram para o bem geral.

Na manutenção de seu bom nome, o policial era auxiliado pelo grande número de parentes seus que residiam nas aldeias sob sua autoridade. Como os membros de outros clãs, os Mackenzie eram naturalmente propensos a pular na defesa de um dos seus, e tornou-se lugar-comum, ou pelo menos acreditou-se ser lugar-comum, que observações depreciativas sobre Broad lhe fossem relatadas. As pessoas, assim, tiveram a sensatez de guardar seus pensamentos sobre o policial consigo mesmas.

Uma noite meu pai estava sentado no banco do lado de fora, tomando ar. Kenny Smoke juntou-se a ele, e os dois ficaram em silêncio por alguns minutos, sugando seus cachimbos. Lachlan Broad vinha pelo caminho que levava da estrada à aldeia, fazendo uma inspeção nos regos. Kenny Smoke tirou o cachimbo da boca, inclinou-se na direção de meu pai e murmurou, "Lachlan Broad é um bundão, mas não há como negar a melhora na manutenção deste lugar".

Meu pai não respondeu. Ele não aprovava esse tipo de linguagem.

A influência de Lachlan Broad estendia-se a todo aspecto da vida na aldeia. O final dos meses negros é, nestas paragens, caracterizado pelo corte e a secagem da turfa, que ocorre assim que o clima o permite. É uma tarefa realizada pela aldeia como uma só entidade, pois não faz sentido uma família cortar turfa apenas para si mesma. É um trabalho árduo, mas geralmente feito num ambiente de bom humor, com cantoria e merendas comunitárias. Esse ano, no entanto, apesar de o corte da turfa ter se realizado com sucesso desde tempos imemoriais, o policial assumiu o encargo de supervisionar o processo. Foram elaborados roteiros de trabalho e nomeados vice-policiais (invariavelmente um parente próximo de Broad) para inspecionar o trabalho em cada uma das aldeias sob a jurisdição dele. Esses vices não trabalhavam, e sim passavam o dia rodeando os pântanos, à espreita, gritando ordens aos cortadores e determinando quando seriam servidas as merendas. Isso causou um grande ressentimento, pois parecia que um trabalho que os aldeões antigamente empreendiam por sua própria vontade agora só se realizava sob o comando das autoridades. Por isso não houve a cantoria e o bom humor que normalmente acompanhavam esse trabalho. Eu fui submetido a uma fiscalização especial, pois desde o incidente com o carneiro dizia-se que não se podia confiar em mim se eu tivesse um ferro de colher turfa. Fui portanto obrigado a trabalhar a alguma distância dos outros, e se fazia uma pausa demorada demais para enxugar a testa, Aeneas Mackenzie advertia-me que parasse de vadiar. Confesso que ficaria feliz em baixar minha ferramenta sobre o crânio dele, mas, não querendo trazer mais problemas para meu pai, trabalhei tão duramente quanto pude, voltando da montanha toda noite com os braços e as panturrilhas doendo de tanto esforço.

Certa manhã, após alguns dias de corte da turfa, percebi que havia esquecido o *bannock* que Jetta tinha preparado para mim. Sem dizer uma palavra a meus companheiros, que estavam descansando em torno das margens do pântano, comecei a descer a encosta. O dia estava quente e ensolarado, e o trabalho matinal me fizera suar nas costas. Enquanto descia a encosta pensei em descansar por alguns momentos no banco, fora da casa, com um copo de leite. A aldeia estava silenciosa. A maioria dos homens estava na montanha e as mulheres provavelmente estavam ocupadas com suas tarefas domésticas. Meu pai, que àquela altura não tinha forças para um dia inteiro na turfa, trabalhava no sítio com seu *cas chrom* e, observando seus débeis esforços, refleti que quando terminasse o corte da turfa minha próxima tarefa seria revolver adequadamente o solo do que restara de nossas terras.

Fiquei por um momento na soleira da porta. Saindo da luz brilhante do sol, meus olhos levaram algum tempo para se acostumar à penumbra de dentro. Um tênue fulgor emanava do fogo que ardia lentamente, e um estreito raio de luz penetrava pela janela. Fiquei surpreso ao ver um vulto de pé, de costas para a porta na extremidade de nossa mesa. Minha surpresa aumentou quando discerni, pelo seu tamanho e pelo lenço amarelo em seu pescoço, que era Lachlan Broad. Ele parecia estar tentando virar a mesa, as mãos agarrando as beiradas e as pernas e o corpo fazendo força contra ela. Isso me intrigou, pois não conseguia pensar num motivo para o policial estar tentando mover nossa mobília; além disso, nossa mesa não é uma construção tão pesada para que um homem da estatura de Lachlan Broad tivesse de se esforçar para erguê-la. Eu estava a ponto de anunciar minha presença quando vi duas pernas projetando-se uma de cada lado dos quadris de

Lachlan Broad. As pernas estavam suspensas no ar, levemente dobradas na altura do joelho, mais ou menos paralelas ao chão de terra batida. Eu soube, pelas botas pretas nos pés, que elas pertenciam a minha irmã. Percebi então na altura do meio da mesa um segundo par de mãos, agarrando firmemente a beirada. Fiquei na porta em silêncio e observei por alguns minutos enquanto Lachlan Broad continuava a fazer força, cada vez mais intensamente, de encontro à mesa. Ele começou a emitir alguns ruídos animalescos e depois, subitamente, desistiu, sem ter movido a mesa mais do que alguns centímetros. Recuou e virou-se na direção da janela. Vi seu membro protuberando em seus calções, muito aumentado e rijo como um pau de vassoura. Ele o tomou na mão e o empurrou para dentro das calças. Estava respirando pesadamente por causa de seus esforços, e havia suor em sua testa. Eu não tinha feito nenhum som, mas ele voltou sua cabeça para mim, como se tivesse estado o tempo todo ciente de minha presença. Ele me deu bom-dia, como se não houvesse nada de incomum em sua presença em nossa casa. Depois desatou o lenço do pescoço e o usou para enxugar a testa e o pescoço, antes de, sem pressa, afastar os cabelos que lhe caíam no rosto. Então olhou para Jetta, cujas mãos já não agarravam as beiradas da mesa, e caminhou em minha direção. Eu me afastei para deixá-lo passar.

Ele parou na porta e disse, "Você não devia estar na turfa, garoto?".

Sempre detestei ser chamado de "garoto", pois é assim que meu pai se dirige a mim quando está irritado, e respondi bruscamente, "Não sou seu garoto, sr. Mackenzie".

Imediatamente arrependi-me desse desabafo, pensando que ele ia informar meu pai que eu lhe falara desrespeitosamente e nos multar com um shilling. Mas em vez disso ele agarrou minha nuca e trouxe seu rosto para perto do meu e disse, "Quando você for mais velho você vai constatar que um homem precisa satisfazer suas necessidades em algum lugar. Especialmente agora que sua querida mãe não está mais entre nós". Então soltou um riso estridente e foi embora. Eu o observei enquanto caminhava pela aldeia, enrolando seu lenço na mão direita, e senti um ódio terrível.

Jetta permaneceu na mesa, seu peito subindo e descendo, e meus olhos foram atraídos para a região escura entre suas coxas abertas. Sem erguer as costas do tampo da mesa, ela empurrou para baixo a saia e as anáguas que estavam franzidas em torno da cintura. Depois ela se pôs sentada, e ficou ali por alguns minutos, os pés balançando acima do chão. Seu rosto estava corado, e havia gotas de suor em sua testa. Eu não sabia o que dizer, então não disse nada. Ela perguntou-me o que estava fazendo lá e eu lhe disse que tinha esquecido meus *bannocks*. Ela foi buscá-los na cômoda e trouxe-os para onde eu estava, na porta. Suas bochechas brilhavam como se ela tivesse estado correndo ou dançando. Disse-me que não contasse nada ao pai sobre o que tinha visto. Assenti e perguntei se havia um copo de leite para mim.

Peguei meus *bannocks* e sentei-me no banco do lado de fora da casa. Jetta trouxe-me um copo de leite e tornou a entrar sem uma palavra. Meu pai estava de costas para a casa e não olhou para cima. Eu o observei enquanto ele lutava com o arado, o pé escorregando a todo momento da cavilha. Ele trabalhava metodicamente, mas com pouco impacto sobre o terreno. Não sei dizer se ele tinha visto Lachlan Broad entrar ou sair da casa. Certamente durante os poucos minutos em que o fiquei observando ele não ergueu a cabeça do trabalho uma única vez.

Quando voltei para o pântano da turfa, Aeneas Mackenzie me chamou e disse que ia relatar a seu irmão minha ausência da montanha. Respondi que não era necessário, pois eu já o tinha visto, e não ouvi mais falar desse assunto.

Foi por volta dessa época que conheci Flora Mackenzie, a filha mais velha de Lachlan Broad. Tínhamos frequentado a escola juntos, mas minha natureza antissocial naqueles dias significava que para todos os fins e intenções estávamos nos conhecendo agora pela primeira vez. Ela era mais ou menos um ano mais jovem que eu, e por conta disso e da animosidade entre nossas famílias havíamos tido pouco contato. Na escola, Flora sentava na parte da frente da sala de aula, e embora eu não pudesse ver seu rosto, imaginava que era a imagem de uma atenção embevecida. Era sempre a primeira a se voluntariar a limpar o quadro-negro para o sr. Gillies e ficava desmedidamente orgulhosa quando obtinha esse privilégio. Se eu tinha alguma opinião sobre ela na época, seria a de uma menina tola, superansiosa para agradar quem tivesse autoridade.

Uma tarde, eu fora encarregado de trabalhar no sítio de Lachlan Broad, revolvendo a terra. Flora estava no lado de fora da casa, varrendo e tomando conta de seu irmão pequeno, Donald. Embora de costas para ela, percebi que me observava. Continuei meu trabalho por alguns minutos, o tempo todo consciente de que seus olhos estavam fixados em mim. Fiz uma pausa e virei-me em sua direção. Ela estava apoiada no cabo da vassoura e não tentou esconder que estivera me observando. Eu me apoiei no cabo de meu *flaughter*, imitando a postura dela, e devolvi o olhar. Ficamos assim por alguns momentos, como que participando de um jogo. Então ela deu de ombros e entrou, como se tivesse lembrado de repente que tinha uma tarefa urgente lá dentro. Algum tempo depois, saiu e trouxe-me um copo de leite.

"Pensei que você poderia estar com sede", disse, estendendo-o para mim.

Eu o tomei de suas mãos e bebi de um gole só.

"Obrigado", eu disse. Enxuguei a boca com as costas da mão. Ela tomou o copo de mim e voltou para a casa, os quadris balançando enquanto passava pelos sulcos abertos no solo.

Uma noite, alguns dias depois, eu estava saindo do barracão atrás de nossa casa. Tinha encostado a porta e enrolava uma corda em torno do batente apodrecido quando tive consciência da presença de outra pessoa. Completei a tarefa de apertar a corda como se não soubesse que havia alguém ali. Não sei dizer o que me levou a esse pequeno fingimento, exceto talvez por eu não querer que a pessoa me julgasse envolvido em alguma atividade secreta. Devo ter suposto que era Jetta, embora não houvesse motivo para ela ficar me observando em silêncio. Sabia que não era meu pai porque, depois do jantar, ele já tinha ido para seu lugar junto à janela, e uma vez lá raramente se movia até ir para a cama. Certamente não era Flora Broad que eu esperaria ver de pé junto a uma quina da casa de Gregor. Minha expressão deve ter traído minha surpresa, porque ela riu e pôs a mão na boca, como se tivesse o tempo todo planejado me surpreender e estivesse contente com o sucesso obtido.

Eu não sabia o que dizer, então apenas fiquei olhando para ela. Flora tinha mudado muito desde a época da escola. Suas feições tinham se tornado menos infantis, o nariz e a boca um tanto maiores. Seu cabelo estava preso da maneira que as mulheres do povo usavam, e não em tranças de menina. Sua figura ficara mais voluptuosa, e agora os seios enchiam agradavelmente o corpete de seu vestido. A saia chegava a alguns centímetros acima dos tornozelos e os babados na beira das anáguas eram visíveis debaixo da bainha da roupa. Calçava nos pés um par de botas pretas e limpas. Eu me perguntei se elas tinham sido compradas com os shillings que estávamos pagando ao pai dela como indenização pelo carneiro. Ela me estudou com a cabeça inclinada para um lado, como se eu fosse uma curiosidade num espetáculo ambulante.

Flora deu-me boa-noite e perguntou o que estava fazendo. Respondi que o que eu estava fazendo não era da conta dela e que eu poderia fazer a ela a mesma pergunta. Ela disse que se eu não queria lhe contar o que estava fazendo no barracão, com certeza era porque estava armando alguma traquinagem. Acrescentou depois que o pai dela tinha dito que eu era um tipo ruim e para ela ficar longe de mim. Não me surpreendeu ouvir o mau conceito que Lachlan Broad fazia de mim, mas subitamente entendi que a intenção de Flora era menos a de me ofender do que a de transmitir que ao me procurar estava desafiando a vontade do pai.

"E o que diria seu pai se soubesse que você estava falando comigo agora?"

Flora deu de ombros e arregalou os olhos, como se isso fosse irrelevante para ela.

"Se eu fosse seu pai eu lhe daria uma boa surra", eu disse.

"Talvez em vez disso ele desse em você essa surra", ela respondeu.

"Não tenho dúvida de que ele teria um grande prazer em fazer isso."

Flora riu, como se a perspectiva de me ver apanhar a divertisse. Perguntou-me então, pela segunda vez, o que eu estivera fazendo no celeiro. Sentindo agora que havia alguma ligação entre nós, eu lhe disse que estava cuidando de um passarinho que encontrara, dois ou três dias antes, na grama, exatamente no mesmo lugar em que ela estava naquele momento. Apontei para um ninho na cumeeira da casa, acima da cabeça dela, do qual o passarinho tinha caído.

"Por que você não o colocou de volta no ninho?", ela perguntou.

Eu não soube como responder a essa pergunta, pois, se quisesse meramente salvar a pequena ave, aquele teria sido realmente o modo mais simples de agir. A verdade é que com frequência eu cuidava de aves e animais feridos, mas o fazia escondido, pois meu pai ia achar que meu hobby era perda de tempo, ou, pior, um desafio à vontade de Deus. Seja como for, era mais comum meus pacientes morrerem do que não morrerem. Dois anos antes, no entanto, eu tinha criado uma avezinha que encontrara, trazendo para ela turfa da encosta da montanha. Quando lhe cresceram penas, constatei que era um corvo e lhe dei o nome de Blackie. Uma noite, quando fui ao celeiro para alimentar meu paciente, ele tinha ido embora, e supus que tinha ficado forte o bastante para percorrer seu próprio caminho no mundo. Não sei se essas aves permanecem nas vizinhanças do lugar em que nascem, mas sempre que via um corvo saltitando em cima do restolho de um dos sítios ou empoleirado na mureta do dique, na estrada para Toscaig, eu me perguntava se era Blackie e se havia algum indício em seus olhos de que me reconhecia.

Nestas paragens, avistar corvos não é uma coisa bem-vinda, pois eles são tidos como um presságio de azar. As pessoas de Aird-Dubh, por se ocuparem na maioria com a pesca, são particularmente hostis a essas aves e encontrar um corvo empoleirado em um de seus barcos lhes causa grande consternação. Já vi pescadores atirando pedras de bom tamanho numa dessas aves agourentas sem ligar para os danos que poderiam causar ao barco, como se ao repelir o símbolo eles estivessem evitando a má sorte que ele anuncia. Mas eu nunca soube de um nativo de Aird-Dubh, ou de qualquer outro lugar, que tivesse mudado sua rotina quando assim alertado do perigo. Nestas paragens, acredita-se que se alguém tem de ser visitado pelo infortúnio, não há nada que possa fazer para evitá-lo. Se uma tripulação abortasse sua saída para a pesca, possivelmente um deles, mais tarde naquele mesmo dia, acabaria golpeado na cabeça pela queda de um pau de cumeeira em sua casa. Não se pode saber antecipadamente que tipo de infortúnio acontecerá, e assim é inútil fazer qualquer outra coisa que não o que se queria fazer desde o início. E assim o ato de atirar projéteis voadores no vaticinador é ainda mais funesto. Além disso, os corvos são muito numerosos nestas paragens e se poderia passar boa parte de cada dia tentando afugentá-los. A mim parece que uma pessoa, se atingida por um infortúnio, é muito provavelmente capaz de repensar e lembrar que um corvo pousara na empena de sua casa naquela manhã, mas isso não faz com que seja razoável acreditar que exista alguma conexão entre os dois eventos.

Perguntei a Flora se ela gostaria de ver a ave ferida e ela disse que sim. Passei os olhos em volta rapidamente, para transmitir a ideia de que estávamos prestes a compartilhar um segredo que era só nosso. Depois desamarrei a corda e Flora seguiu-me quando entrei. Fechei a porta atrás de nós. A única luz vinha das frestas entre as ripas da parede, e da pequena janela lá em cima, na cumeeira. Tive o impulso de pegar a mão de Flora para levá-la até o caibro em que tinha escondido meu paciente, mas não o fiz. Em vez disso, ficamos perto um do outro, deixando que nossos olhos se acostumassem à escuridão. Eu podia ouvir o som suave da respiração de Flora. Fui na frente até o canto e puxei o banquinho de ordenhar no qual eu trepava para cuidar de meu paciente. Sinalizei para Flora que ela deveria subir no banquinho para poder ver o passarinho. Ela chegou mais perto e me estendeu a mão para se firmar enquanto trepava no banco. Ficou na ponta dos pés de suas botinhas, que estavam caprichosamente atadas em torno de seus tornozelos. Seus dedos se demoraram nos meus por um momento, antes de ela apoiar as duas mãos no caibro. Eu tinha construído um ninho improvisado de raminhos e capim e o forrado com penas de galinha. Além disso, havia algumas tiras de pano que eu tinha posto sobre a avezinha para imitar o calor de sua mãe. Flora deu um pequeno suspiro quando viu a cabeça do passarinho saindo daquele pacote de trapos, e ela ficou ali por alguns minutos, apesar de ele estar dormindo e não haver muito o que olhar.

"O que você dá para ele comer?", ela perguntou num sussurro.

"Insetos", respondi. "E minhocas que pego no sítio."

Ela estendeu a mão por trás dela, para que eu pudesse dar-lhe apoio enquanto descia do banquinho. Depois se encaminhou para a porta. Pus o banquinho no canto oposto do barracão, para que meu pai não o visse debaixo do caibro e estranhasse. Eu gostaria de ficar mais um pouco no barracão com ela, mas não consegui imaginar nenhum pretexto para isso. Empurrei a porta, abrindo-a, e pus minha cabeça para fora, verificando se não havia ninguém que nos visse antes de sair com Flora.

"Obrigado por ter me mostrado", ela disse.

"Estou contente de ter mostrado a você", respondi.

Ela deu um passo para longe de mim. "É melhor eu ir embora. Meu pai vai querer saber onde estive."

"Você vai levar uma boa surra."

"Eu vou contar a ele onde estive, e será você quem vai levar a surra", disse ela com um pequeno sorriso.

Depois desapareceu, dobrando a quina da casa. Amarrei a corda no batente pela segunda vez e fui para a frente da casa. Sentei-me no banco e fiquei observando Flora caminhar pela aldeia. Tinha um jeito de andar que era como se o corpo estivesse cantando uma canção. Àquela altura já estava escurecendo, e a bruma pairava baixa acima da água. Pouco depois, Jetta saiu de casa e sentou-se perto de mim com seu tricô. Eu fiquei ouvindo o agradável estalido de suas agulhas no ar silencioso e perguntei o que ela estava tricotando. Ela ignorou minha pergunta e em vez disso perguntou-me com quem estivera falando no barracão. Senti meu rosto ficar vermelho e respondi, "Com ninguém".

Ela pôs o tricô no colo e olhou para mim com uma expressão séria.

"Olha, Roddy", disse, "você sabe muito bem que estava falando com alguém e sabe muito bem que eu sei que você estava falando com alguém."

"Então você deve saber com quem eu estava falando", eu disse.

"Mas eu gostaria que você me dissesse."

Olhei para a porta de casa e depois disse baixinho, "Com Flora Broad".

"Flora Broad!", exclamou Jetta, como se isso tivesse sido uma grande revelação para ela, "A linda e pequena Flora Broad!"

"Shhh! O pai vai ouvir você", eu disse.

"Então você agora está correndo atrás de Flora Broad", ela continuou. "Jetta não basta mais para você?"

"Não estou correndo atrás dela", eu disse.

"Mas você deve ter notado que coisinha linda ela é e como agora ela preenche bem seus vestidos."

"Não notei nada disso", eu disse, com meu rosto ficando vermelho pela segunda vez.

Jetta deu uma risada. Fiquei contente com isso, pois ela não estava muito propensa a risos nos últimos meses. Depois seu rosto ficou sombrio como sempre ficava quando antecipava algum infortúnio.

"Pobre Roddy", disse ela, "sei que você não tem má intenção, mas sou obrigada a lhe dizer que isso não vai acabar bem, e você tem de se manter afastado de Flora Broad."

Baixei os olhos, consternado por ela ter decidido tão bruscamente modificar o estado de espírito que reinava entre nós. Não tinha dúvida de que seu conselho baseava-se em alguma insinuação vinda do Outro Mundo, mas eu não podia fazer nada para alterar o curso do que iria acontecer, nem, àquela altura, queria fazer isso.

Alguns dias depois, meu pai e eu acordamos cedo para pegar a maré baixa. Era uma manhã úmida, silenciosa. A bruma em torno das casas envolvia o solo como uma mortalha. Orvalho espesso cobria o solo revolvido do sítio. Era nossa intenção naquela manhã recolher algas do mar, que, junto com excrementos de animais, serviriam para nutrir as plantações. Fomos até a linha d'água, frequentemente escorregando nas rochas escorregadias. Meu pai estava enrijecido pelo reumatismo, por isso cabia a mim cortar as algas das rochas, e comecei a realizar a tarefa. Era um trabalho árduo. A lâmina de meu *croman* estava cega e cada punhado de algas que eu cortava das rochas exigia um esforço considerável. Meu pai apoiava-se em seu forcado, observando meu trabalho e fazendo frequentes comentários sobre como eu deveria mudar minha empunhadura da ferramenta ou endireitar as costas enquanto trabalhava. Eu não respondia a esses conselhos. Após eu ter juntado uma pilha considerável, meu pai começou a tarefa de transferi-la para além da linha da maré alta. Em cada jornada, ele perdia metade da carga, que caía dos dentes de seu forcado, mas não parava para a recolher. Em mais de uma ocasião perdeu completamente o apoio dos pés, com o forcado saindo em pleno voo pelo ar e ele mesmo caindo numa dura elevação na rocha. Apesar do desperdício de nosso trabalho, eu era incapaz de conter o riso quando isso acontecia. Meu pai ficava como um caranguejo virado de costas, as patas agitando-se inutilmente no ar, até conseguir se aprumar.

No entanto, à medida que transcorria a manhã, adquirimos uma espécie de ritmo. Enquanto a maré subia eu trabalhava cada vez mais acima na praia, de modo que as jornadas de meu pai iam ficando cada vez mais curtas. Ele até começou a cantarolar um pouco, para si mesmo. Era uma forma muito esquisita de cantar, mais falada que musical, e ninguém a compreenderia, além dele mesmo, mas ainda assim era um canto, e fiquei contente de ouvi-lo. Lá pelo meio-dia, tínhamos juntado uma pilha com mais de um metro de altura, o bastante para cobrir metade de nossa terra. Poderia ser transportada de lá para o sítio num *hurlie*, uma tarefa simples. Meu pai sentou numa rocha perto de nossa pilha, tirou seu cachimbo do casaco e o acendeu. Interpretei isso como significando que nosso trabalho matinal tinha terminado. Ficamos sentados em silêncio por alguns minutos, satisfeitos pelo que tínhamos conseguido. Meu pai então disse-me que fosse até em casa e trouxesse leite e *bannocks*.

Quando eu estava voltando pelo *rig*, vi os vultos de Lachlan Broad e seu irmão caminhando pela estrada na direção em que meu pai estava sentado. Eles se detiveram e lhe desejaram um bom-dia, ao que meu pai não respondeu, ou ao menos eu não o ouvi fazer isso. Estava de costas para mim e pude ver um fio de fumaça subindo de seu cachimbo. Como não ventava, a fumaça permanecia em torno de seu boné, assim como a bruma que tinha pairado mais cedo em torno das casas. Fiquei com medo de que Lachlan Broad fosse reclamar de minha associação com a sua filha, e me apressei na direção deles como se isso fosse detê-lo. Entreguei a meu pai seu copo de leite.

"Pelo que estou vendo você está juntando algas", estava dizendo Lachlan Broad.

Meu pai não disse nada.

"Com que propósito, posso perguntar?"

"Ora, com que propósito eu juntaria algas?", respondeu meu pai. Ele manteve os olhos fixos bem em frente, na direção da baía. Uma foca pôs a cabeça fora d'água e observou a cena por alguns momentos antes de arquear-se, mergulhando de volta silenciosamente.

Lachlan Broad fez um gesto com a mão, parecendo sugerir que havia muitos motivos para se juntar algas. Esperou por alguma resposta antes de continuar.

"Você não vai responder a minha pergunta?"

"Eu só conheço um motivo para se juntar algas", respondeu meu pai. "Assim, não vejo propósito em responder a sua pergunta."

O policial voltou-se para seu irmão com ar de espanto, como se não pudesse compreender por que meu pai estava se comportando tão obstrutivamente. Aeneas Mackenzie baliu como um carneiro.

"Já que você me obriga a adivinhar", ele continuou, "posso supor que você está juntando as algas para espalhar em suas terras?"

"Você é muito astuto, policial", disse meu pai, com especial ênfase nesta última palavra.

Lachlan Broad crispou então os lábios e assentiu lentamente, como se a resposta o tivesse incomodado.

"Você está ciente, não está", disse ele, "de que os frutos do litoral, inclusive as algas, pertencem ao *laird*?"

Meu pai tirou o cachimbo da boca, mas não disse nada. Lachlan Broad insistiu.

"Está ciente disso, sr. Macrae?"

Meu pai pegou seu leite e bebeu um gole. A nata formou uma mancha amarela em seu bigode, que ficou lá durante o resto da conversa.

"E para que o *laird* ia querer alguns forcados de algas?", disse meu pai. Ele manteve os olhos o tempo todo voltados para o horizonte.

Lachlan Broad sacudiu a cabeça, como se meu pai não o tivesse entendido, ou como se o erro fosse seu, por não se fazer compreender claramente.

"Não se trata do que o *laird* poderia fazer com as algas, o que estou dizendo é que as algas pertencem ao *laird*." Fez uma pausa por um momento. "Estou certo de que não preciso ensinar a um devoto como você que um homem não deve tomar o que pertence a outro."

Os olhos de meu pai dardejaram em sua direção.

"Como você sabe muito bem, Lachlan Broad, as pessoas sempre levaram algas para espalhar em sua terra, inclusive você e seu pai."

"Isto é bem verdade, mas foi só por deferência do *laird* que fizemos isso. É uma violação dos termos de seu arrendamento fazer uso dos frutos da terra sem ter primeiro permissão para isso."

Meu pai levantou-se da rocha sobre a qual estava sentado e deu um passo em direção a Broad.

"Devo supor que essa permissão não foi concedida?", perguntou o policial.

Meu pai era bem uns quinze centímetros mais baixo que Broad, mas empurrou vigorosamente o queixo em direção ao rosto dele. Seu peito estava a centímetros do de Broad. Aeneas Mackenzie deu um passo adiante, aproximando-se do ombro do irmão e soltou um risinho idiota. Eu não tinha dúvida de que alegremente deixaria meu pai estendido nas rochas se ele avançasse um pouco mais.

Lachlan Broad não parecia perturbado com a proximidade de meu pai.

"Sr. Macrae", disse ele, "quando eu me tornei o policial destas aldeias, declarei que o cumprimento dos regulamentos que regem nossa existência tinha sido negligenciado de um modo que nos envergonhava a todos. E como, se minha memória não falha, você não se opôs a minha eleição, devo supor que tem a mesma opinião."

"Não sei nada desses regulamentos com os quais você está tão obcecado", disse meu pai.

Broad riu consigo mesmo. "Creio que estamos todos cientes dos regulamentos. Não é razoável de sua parte fingir que os ignora."

Meu pai inalou forte pelo nariz. Apertava o cachimbo na mão com tanta força que os nós dos dedos tinham ficado brancos.

"Lamento que você tenha desperdiçado uma manhã de trabalho", disse Broad, "mas devo pedir-lhe que devolva essas algas para o lugar de onde vieram."

"Não farei tal coisa", disse meu pai.

Lachlan Broad exalou ar lentamente e fez um estalo com a língua.

"Como policial de sua aldeia eu o advirto a fazer o que estou sugerindo. Estou lhe dando a oportunidade de corrigir esta transgressão sem aplicar multa, a qual sei que você dificilmente pode se permitir pagar. E estou bem certo de que você prefere resolver esta questão sem o envolvimento do administrador."

Recuou um passo para longe de meu pai, depois deu-lhe um tapinha no ombro e disse, "Vou deixar você decidir quanto a isso. Não tenho dúvida de que vai tomar a decisão correta".

Fez então um sinal para seu irmão e os dois tomaram o caminho de volta para a aldeia. Meu pai partiu o cachimbo em dois, jogou os pedaços no chão e os esmagou com o salto de sua bota. Disse-me então que devolvesse as algas e começou a voltar para casa.

Na mesma noite, Lachlan Broad fez uma visita a nossa casa. Meu pai estava sentado em sua cadeira olhando para a janela, e deve tê-lo visto se aproximar, mas quando Broad pisou na soleira da porta ele baixou os olhos para o livro que estava em seu colo e fingiu não estar ciente da presença dele. Jetta levantou a cabeça de suas tarefas e quando o viu arregalou os olhos e expirou profundamente, os lábios entreabertos. Lachlan Broad olhou intencionalmente para ela, mas não a cumprimentou. Bateu então no batente da porta para chamar a atenção de meu pai e perguntou se podia trocar algumas palavras com ele. Meu pai tornou a olhar para o livro e fingiu que estava terminando de ler um parágrafo. Então se levantou e deu alguns passos em direção a Broad.

"Sem dúvida, se me recusasse a permitir que você entre em minha casa", disse ele, "você diria que esta não é absolutamente minha casa, porque pertence ao *laird*, e sendo assim eu não tenho o direito de impedi-lo."

Lachlan Broad riu cordialmente, como se meu pai tivesse contado uma piada. "Estou certo de que ainda não chegamos ao ponto de recusarmos um ao outro a hospitalidade de nossas casas."

Depois bateu-lhe no braço, como se fossem os melhores amigos e, mantendo a mão no ombro de meu pai, o guiou até a mesa. "Eu detestaria pensar que nossa conversa desta manhã pudesse manchar nosso bom relacionamento."

Meu pai não respondeu a isso, mas não opôs resistência à manobra de Broad. Os dois sentaram-se à mesa — meu pai na cabeceira, Broad no banco, com as costas para a porta, de modo que seu rosto só estava iluminado pelo brilho laranja do fogo. Parecia estar ansioso para que o ambiente fosse sociável. Eu estava de pé, de costas para a cômoda. Ele perguntou como eu ia de saúde, e, não querendo desagradá-lo, respondi que estava bem. Perguntou-me se eu não ia juntar-me a eles na mesa. Olhei para meu pai e, como não objetou, foi o que fiz. Broad então fez um gesto em direção ao *swee* e, de modo excessivamente jovial, disse, "Jetta, não haverá um *strupach* para saudar o cansado viajante?".

Jetta olhou para meu pai, que não fez sinal nem que sim nem que não. Ela então encarregou-se de preparar um chá, e enquanto o fazia Broad dirigiu-lhe algumas perguntas, num tom dos mais afáveis. Jetta respondia educadamente, mas com um uso mínimo de palavras, e sem erguer os olhos para ele. Eu notei, no entanto, que suas bochechas estavam da cor do carmim quando pôs a xícara diante de nosso visitante. Depois, por ordem de meu pai, ela retirou-se para o quarto dos fundos. Broad tomou um gole de chá e soltou um suspiro de apreciação, como se realmente tivesse viajado uma grande distância para chegar até nós.

"John", começou ele, inclinando-se para a frente, "temo que o incidente na praia tenha provocado algum rancor em você. Por isso achei que seria sensato dizer-lhe como eu vejo a ocorrência desta manhã, para que você compreenda que eu não tinha alternativa a não ser agir como agi."

Como meu pai não respondeu, ele continuou, "Só lhe peço que considere quais seriam as consequências se eu permitisse que você juntasse as algas".

"Famílias têm juntado algas desde tempos imemoriais", disse meu pai, "e eu não me lembro de consequências, como você as chama."

"Isto é verdade, é claro", disse Broad, "mas talvez eu não tenha me expressado com clareza. Não é o ato em si de juntar as algas que está em questão. A questão é a falta de uma autorização adequada para fazer isso. Se eu tivesse permitido que você continuasse com sua colheita esta manhã, isso não seria interpretado — por pessoas menos escrupulosas que você — como uma indicação de que seria aceitável que se juntassem algas como e quando as pessoas quisessem? Eu não poderia permitir que você continuasse e depois pedir amanhã ao sr. Gregor que desistisse. Ele com razão objetaria que eu tinha permitido que você colhesse as algas, então por que não faria ele o mesmo? Os regulamentos, estou certo de que você concordará, devem se aplicar igualmente a todos."

Ele abriu as grandes mãos a sua frente como a sugerir que o que tinha dito era irrefutável.

"Então, embora reconhecendo a inconveniência de devolver as algas para a praia, estou certo de que pode ver que se eu não agisse assim, estaria sancionando todos esses recolhimentos de algas não autorizados. Como você mesmo ressaltou, isso vem acontecendo há muito tempo sem controle, e apesar de que você possa estar pensando que isso não teve consequências, eu objetaria dizendo que a consequência é o descumprimento geral dos regulamentos, e disso somos todos culpados. Como fui eleito para o cargo de policial com o propósito expresso de restaurar a ordem, se eu deixasse passar a transgressão desta manhã estaria fazendo troça de meu mandato."

Ele fez uma pausa para um gole de chá e repôs delicadamente a xícara no pires. Os olhos de meu pai acompanharam o movimento de suas mãos. Seguiu-se um momento de silêncio, e estava claro que não seria meu pai a quebrá-lo. Lachlan Broad virou-se para mim e disse, "Seu pai é um homem de princípios, Roddy. Temo não tê-lo convencido de minhas boas intenções".

Não respondi, e fixei meus olhos na mesa para evitar seu olhar. Ele então dirigiu-se novamente a meu pai, seu tom traindo agora certa exasperação.

"Talvez você ache que minha aplicação dos regulamentos é uma atitude fanática, ou que eu obtenho alguma gratificação pessoal pelo exercício desses poderes. Posso assegurar a você que nada estaria mais longe da verdade. É bem verdade que, em si mesmo, o recolhimento de algas é uma questão insignificante, mas se for permitido tirar algas da praia, não teriam as pessoas razão em concluir que também é permitido tirar peixes dos rios ou veados da montanha?"

"Não acho que essas duas coisas sejam comparáveis", disse meu pai.

"Mas elas são", disse Broad, sacudindo o indicador para enfatizar o argumento. "Não pretendo ensinar a um homem devoto como você questões de teologia, mas o Oitavo Mandamento não faz, eu creio, distinção entre os roubos de uma coisa grande e de uma coisa pequena."

"Você está me acusando de roubo?", disse meu pai baixinho.

"Não o estou acusando de nada", disse Broad, com um aceno de mão, "mas é difícil ver como o ato de levar algo que não lhe pertence possa ser interpretado de outra maneira."

Meu pai considerou isso por alguns momentos antes de declarar que se Broad tinha dito o que queria dizer, não havia razão para ele continuar ali por mais tempo.

O policial não fez menção de sair, e ficou sentado no banco. Tomou o que restava de seu chá e passou as costas da mão na boca. Os dedos permaneceram no rosto por alguns momentos, alisando o bigode.

"Não vim aqui para fazer acusações, John", disse ele. "Se me expressei mal, me perdoe. Vim, pelo contrário, num espírito de reconciliação. Em circunstâncias normais, a multa pela transgressão desta manhã seria de dez shillings. No entanto, considerando o fato de que, como você ressaltou corretamente, as algas têm sido recolhidas na praia desde tempos imemoriais, e que, quando lhe chamei a atenção para seu erro, você devolveu as algas à praia, estou pronto a renunciar à penalidade dessa vez."

Se Lachlan Broad pensava que meu pai lhe agradeceria por seu ato de caridade, estava enganado.

"Prefiro pagar os dez shillings do que dever algo a você."

Lachlan Broad assentiu. "Eu respeito isso, mas como não há dez shillings a pagar, você não precisa ter isso como um favor pelo qual você se sentiria endividado."

Ele tamborilou os dedos na mesa novamente, como a indicar que tinha havido uma solução satisfatória para a questão. Parecia estar prestes a sair, mas fez uma pausa como se outro pensamento lhe tivesse subitamente ocorrido.

"É claro", ele disse, "que você continua precisando de algas."

"Não quero o que não me pertence", disse meu pai.

"Como venho tentando explicar", disse Broad, "não é o caso de levar o que não lhe pertence, é meramente uma questão de seguir os procedimentos adequados."

"Já ouvi bastante sobre procedimentos e regulamentos nestes últimos meses."

"Pode ser, mas os procedimentos existem e têm de ser seguidos. Neste caso, tudo que é requerido é fazer uma solicitação ao administrador dizendo que você quer recolher algas da praia com o propósito de espalhar em seu sítio. Esta solicitação pode ser feita por intermédio dos representantes do administrador."

"Quer dizer, você mesmo", disse meu pai.

Broad indicou com um leve aceno de cabeça que de fato este era o caso.

"Dado o entendimento a que chegamos esta noite", ele disse, "não vejo motivo para não aceitar um pedido verbal e posso lhe garantir que esse pedido será considerado favoravelmente."

Os lábios de meu pai se retorceram, mas ele não disse nada. Após alguns momentos apareceu uma bem nutrida galinha, uma silhueta na porta de entrada, e enfiou a cabeça por cima da soleira, como se estivesse procurando suas companheiras. Sua pata esquerda estava suspensa no ar, enrolada debaixo do peito como uma mão ressecada. Depois, não achando o que tinha vindo procurar, ela recuou e sumiu de vista. Lachlan Broad deu de ombros e disse, "Concluo então que você não quer fazer essa solicitação".

Deu então boa-noite de uma maneira que sugeria que tínhamos passado uma hora de convívio na companhia uns dos outros, e foi embora. Não tenho dúvida de que estava muito satisfeito consigo mesmo e senti naquele momento um ódio terrível dele. Era certamente um sujeito esperto e meu pai com seu raciocínio lento não era páreo para ele.

Meu pai permaneceu à mesa e passou o resto da noite olhando inexpressivamente para o *byre* vazio. Não havendo nada a dizer sobre o que tinha se passado, eu saí e sentei no banco de fora. A galinha que tinha aparecido na porta estava agora bicando na sujeira entre as casas. Alguns minutos mais tarde, Lachlan Broad surgiu da casa do sr. Gregor e sem olhar em minha direção seguiu pela aldeia, visitando em seguida a casa de Kenny Smoke.

Na manhã seguinte, na maré baixa, houve um recolhimento geral de algas da praia e à noitinha tinham sido espalhadas em todos os sítios, menos no nosso. Meu pai não fez comentários sobre os procedimentos e cuidou de seus afazeres como se nada estivesse errado. Alguns dias mais tarde, eu o ouvi comentar com Kenny Smoke, enquanto compartilhavam um cachimbo no banco do lado de fora de nossa casa, que não havia como saber se as algas traziam algum benefício aos sítios. Era meramente uma coisa que as pessoas faziam por hábito, porque seus pais e seus avós tinham feito antes delas. Kenny Smoke replicou que se poderia dizer o mesmo de muitas práticas.

O sr. Sinclair visita-me aqui bem frequentemente e acabei gostando de suas visitas. Na primeira vez em que entrou em minha cela eu lhe ofereci minha cama para ele sentar, porém ele olhou para mim com algum desdém e permaneceu de pé, de costas para a porta. Sugeriu que eu ficasse à vontade, mas achei que seria impróprio ficar sentado na presença de meu superior, por isso fiquei de pé no canto, debaixo da janela lá no alto. Ele estava vestido com um terno de tweed e *brogues* de couro marrom, que combinavam mal com este ambiente sombrio. Sua cútis tinha bom aspecto, as mãos eram róseas e macias. Eu estimei que tivesse cerca de quarenta anos de idade.* Falava de maneira comedida, elegante, como um cavalheiro.

O sr. Sinclair me informou que tinha sido designado como meu advogado e que era seu dever representar-me com o melhor de sua aptidão. Disse-me depois que tinha muito prazer

* Andrew Sinclair tinha então sessenta e dois anos.

em me conhecer, e a ideia de que um cavalheiro se dirigisse a um pobre infeliz como eu daquela maneira me bateu como tão cômica que comecei a rir incontrolavelmente. Ele esperou que eu retomasse a compostura, depois informou que tudo que eu lhe dissesse era confidencial, antes de explicar o significado da palavra "confidencial" da maneira com que um professor se dirige a um aluno atrasado.

Eu lhe disse que ele não precisava me explicar o significado dessa ou de qualquer outra palavra e, além disso, que eu não precisava de seus serviços. Ele respondeu que se eu quisesse ter outro advogado, isso poderia se arranjar facilmente. No entanto, não era a identidade de meu advogado que estava em questão, eu expliquei, e sim que eu não requeria os serviços de nenhum advogado, pois não tinha intenção de refutar as acusações que me eram feitas. O sr. Sinclair olhou para mim por alguns momentos com uma expressão séria. Disse-me que compreendia minha posição, mas a lei exigia que eu fosse representado no tribunal.

"Não estou interessado no que exige a lei", repliquei. "A lei não é nada para mim."

Não sei o que se apossou de mim para eu lhe falar tão mal-educadamente, a não ser não ter gostado que me dissessem o que era e o que não era exigido de mim. Além disso, eu me sentia um tanto mortificado por estar na presença de um cavalheiro enquanto o conteúdo de meus intestinos estava num balde a meus pés, e desejei ardentemente que ele me deixasse só.

O sr. Sinclair retraiu os lábios e assentiu lentamente.

"No entanto", disse, "é meu dever avisá-lo que dispensar meus conselhos seria totalmente contrário a seus interesses."

Ele sentou em meu beliche e adotou um tom mais coloquial. Explicou que eu lhe faria um favor se concordasse em ouvir algumas perguntas. Um tanto arrependido, eu disse que não fazia objeção, e ele pareceu ficar satisfeito. O cavalheiro tinha me tratado com uma não obrigatória cortesia, e eu não tinha motivo para lhe causar qualquer dificuldade.

O sr. Sinclair tratou então de me fazer algumas perguntas genéricas sobre minha família e as circunstâncias de minha vida, como se fôssemos dois iguais travando conhecimento um com o outro. Eu respondi às perguntas dizendo a verdade, mas sem muita elaboração, pois não via como as particularidades de minha vida em Culduie pudessem ser do interesse dele ou de quem quer que fosse. Não obstante, o sr. Sinclair tinha um modo gentil, agradável, e comecei a me comprazer com sua companhia. Pelo menos nosso diálogo servia para quebrar a monotonia do dia. Quanto mais tempo se passava em nossa conversa, mais estranho me parecia que ele estivesse conversando comigo como se as circunstâncias fossem normais; e não o fato de que ele, um cavalheiro, entabulava conversa com um assassino inculto. Pensei comigo mesmo que talvez ele não tivesse sido informado de meus crimes; ou que eu não estava numa prisão, e sim num manicômio, e o sr. Sinclair era um de meus colegas internados. Contudo, quando a parte genérica da conversa chegou ao fim, o sr. Sinclair chegou ao propósito de sua visita.

"Agora, Roderick", ele disse, "alguns dias atrás foi cometido um crime terrível em sua aldeia."

"Sim", respondi, não querendo que ele continuasse. "Eu matei Lachlan Broad."

"E os outros?"

"Eles também", eu disse.

O sr. Sinclair assentiu lentamente. "Você não está dizendo isso para inocentar outra pessoa?", perguntou.

"Não", eu disse.

"E você agiu sozinho ao fazer isso?"

"Sim", disse eu, "agi totalmente sozinho e como não tenho intenção de negar nada, não preciso dos serviços de um advogado.

Não me arrependo de meus atos e o que quer que aconteça agora é indiferente para mim."

O sr. Sinclair me encarou por alguns momentos depois de meu pequeno discurso. Eu não sabia o que ele tinha em mente, pois nunca havia ficado muito na companhia das classes instruídas e suas maneiras eram bem diferentes das de minha própria gente.

Por fim, ele disse que tinha apreciado minha franqueza e pediu-me permissão para me visitar novamente no dia seguinte. Eu disse que ele seria bem-vindo e que me visitasse quando quisesse, pois eu tinha gostado de conversar com ele. Respondeu que também tinha gostado de falar comigo. Depois bateu na porta duas vezes com a palma da mão e o carcereiro, que devia ter ficado esperando o tempo todo do lado de fora, girou a chave na fechadura e o deixou sair.

O sr. Sinclair realmente continuou a me visitar, e admito que cheguei a ficar ansioso por sua companhia e arrependido de minha rudeza naquele primeiro dia. Era um sinal de sua educação superior o fato de ele estar preparado para ignorar meus maus modos. Como minha cela estava agora mobiliada, por insistência do sr. Sinclair, com uma mesa e uma cadeira para eu poder escrever, nosso tempo juntos ficou um pouco mais confortável. O sr. Sinclair senta-se na raquítica cadeira junto à mesa, e eu no beliche ou no chão, debaixo da janela. Os olhos de meu advogado frequentemente vagueiam pelas páginas que estou escrevendo. Foi em sua segunda ou terceira visita que ele sugeriu que eu fizesse um registro dos eventos que conduziram a meus crimes, e parece ter ficado contente por eu ter aceitado a tarefa entusiasticamente. Uma tarde, enquanto corria o polegar por minhas páginas, ele me disse que estava curioso para saber o que elas continham. Eu fico desconcertado com a ideia de um homem instruído folheando meu texto rudimentar, mas disse-lhe que só estava escrevendo porque ele me pedira para fazer isso, e que poderia levar as páginas sempre que quisesse. Respondeu que preferia esperar até que eu terminasse e que era importante que eu continuasse como se não estivesse escrevendo nem para ele nem para outro público.

O sr. Sinclair parece-me um homem muito paciente. Começa todo dia fazendo as mesmas perguntas sobre meu conforto e se minhas refeições são adequadas. Disse-me várias vezes que seria possível trazer minha refeição de um albergue local, mas eu respondi que estava muito acostumado com uma comida simples e que não havia necessidade de qualquer inconveniência em meu benefício. Esta manhã, no entanto, nossa conversa tomou um rumo bem diferente. O sr. Sinclair tem geralmente evitado discutir os detalhes dos assassinatos em si mesmos. Hoje, contudo, ele me pressionou na questão de o que eu tinha em mente no momento em que os cometia. Respondi que meu único pensamento era livrar meu pai das injustiças cometidas contra ele por Lachlan Mackenzie. O sr. Sinclair insistiu nesse ponto durante algum tempo, refazendo a pergunta várias vezes até eu perceber que ele estava tentando me pegar em contradição, mas ele não conseguiu fazer isso.

O sr. Sinclair perguntou-me então o que acharia se ele propusesse que no julgamento entrássemos com uma alegação de inocência. Respondi que era uma ideia absurda, pois estava bem claro que eu era culpado e nunca tinha feito nenhuma tentativa de ocultar esse fato. O sr. Sinclair explicou-me então que aos olhos da lei, para que se tivesse cometido um crime, teria de haver tanto um ato físico quanto um ato mental. Estava claro, ele disse, que neste caso houvera um ato físico, mas se tinha ou não havido um ato mental — uma intenção malévola, assim ele chamou — era uma questão que dizia respeito ao conteúdo de minha mente. Eu ouvi cortesmente esse resumo solene do sr. Sinclair, sentindo cada vez mais que às vezes o caso era que, em sua mania de aplicar sua grande sagacidade, ele desconsiderava os fatos mais óbvios. No entanto, respondi apenas que não via como aquilo que dissera pudesse ter importância no caso em questão.

O sr. Sinclair adotou então um tom que indicava o desejo de não ferir meus sentimentos. "E se fosse sugerido que o que você acredita ter tido em mente naquele momento não foi, na verdade, o que estava em sua mente?", disse ele.

Eu ri grosseiramente ao ouvir essa bobagem. "Se havia outra coisa em minha mente, eu com certeza teria sabido", disse. "Do contrário, não poderia ter estado em minha mente."

O sr. Sinclair sorriu ao ouvir minha resposta e inclinou a cabeça para um lado, como a reconhecer isso. Disse-me que eu era um jovem muito inteligente. Confesso que fiquei lisonjeado com essa afirmação e enrubesço ao registrar isso aqui.

Ele continuou, "Você acha que é possível, Roddy, que um louco pense que é mentalmente são?".

Essa proposição pareceu-me no início igualmente absurda, como sua declaração anterior, mas pensei em Murdo Cock, o imbecil de Aird-Dubh, que, como era sabido, dormia muitas vezes em seu galinheiro e cocoricava como um galo. Se lhe perguntassem, ele responderia que era insano? Dei-me conta de que o sr. Sinclair, a seu modo delicado, estava sugerindo que eu, à minha maneira, era como Murdo Cock. Levei um tempo para responder, percebendo que eu realmente estaria parecido com o doido se respondesse intempestivamente.

"Posso lhe garantir", eu disse, num tom comedido, "que estou totalmente de posse de minhas faculdades mentais."

"É exatamente o fato de que você acredita nisso como uma verdade que sugere o contrário", ele respondeu. Eu devo ter parecido estar muito ofendido com essa afirmação, pois ele depois acrescentou, "Você deve compreender, Roderick, que é meu dever examinar todos os caminhos possíveis para sua defesa".

"Mas eu não tenho vontade de me defender", deixei escapar abruptamente, imediatamente me arrependendo da rudeza de minha interrupção.

O sr. Sinclair assentiu brevemente e levantou-se. Parecia um pouco triste e eu senti que o tinha magoado e quis corrigir.

"Assim mesmo", ele disse, "eu gostaria de saber se você consentiria em ser examinado por um cavalheiro que está muito ansioso para conhecer você."

Mais uma vez fiquei chocado com o absurdo de uma situação na qual, em virtude de ter me tornado um assassino, cavalheiros buscavam agora minha companhia, mas respondi simplesmente que eu ficaria feliz em conhecer quem ele quisesse.

"Muito bem", ele disse, e com isso fez seu sinal costumeiro para o carcereiro deixá-lo sair.

Alguns dias após o incidente com as algas, encontrei Flora Broad pela segunda vez. Eu estava sentado na mureta de contenção que separa a terra de cultivo da estrada, provocando alguns corvos com um camundongo preso numa linha. Estava de costas para a aldeia, assim não percebi a aproximação de Flora. Ela deve ter visto que eu estava envolvido em algum tipo de jogo porque, quando surgiu a meu lado, perguntou o que eu estava jogando. Fiquei envergonhado por estar envolvido numa atividade tão infantil, assim deixei cair a linha de meus dedos e disse que não estava fazendo nada.

"Parece que você está sempre ocupado fazendo nada", ela respondeu. "O Diabo vai achar trabalho para suas mãos ociosas."

"E que trabalho seria esse?", eu disse.

Flora deu de ombros e voltou os olhos para o céu. Sentou-se a meu lado na mureta. Trazia um cesto coberto com um pano xadrez, que ela pôs no colo. Suas saias roçavam minha perna. Momentos depois, o fio que eu tinha deixado cair serpenteou pelo capim e um corvo afastou-se com sua presa no bico.

“Você não tem medo que seu pai nos veja?”, perguntei.

“Você é que deveria ter medo”, disse ela, “pois não sou eu quem vai levar uma surra.”

Mesmo assim, ela olhou por cima do ombro na direção de sua casa.

“Estou levando estes ovos para a sra. MacLeod, em Aird-Dubh”, disse ela, levantando o pano para me mostrar o conteúdo do cesto. Os Broad Mackenzie tinham um número imenso de galinhas, tantas que conseguiam fornecer ovos para o albergue em Applecross. A sra. MacLeod era uma viúva idosa conhecida como Cebola, por conta do grande número de camadas de roupa que usava. Dizia-se que desde a morte do marido ela nunca mais havia tirado uma peça de roupa.

Flora perguntou se eu gostaria de acompanhá-la e eu disse que faria isso com prazer. Ela caminhava tão devagar que eu tinha de parar a cada poucos metros para deixar que me alcançasse. Quando chegamos à junção com a estrada para Aird-Dubh, Flora perguntou se eu carregaria o cesto. Eu o tomei dela e daquele ponto em diante ela andou um pouco mais rápido, como se o peso do cesto é que a tivesse retardado.

“Como vai o paciente?”, perguntou.

Naquela manhã eu tinha encontrado a avezinha morta no chão do barracão, debaixo do caibro. Flora pareceu ficar muito triste e disse que sentia muito em ouvir essa notícia.

“É uma dessas coisas que Deus nos envia para nos testar”, disse ela, numa voz ondulante.

Olhei de esguelha para ela. Era um sentimento frequentemente expressado em nossas paragens.

“Não consigo imaginar que Deus não tenha preocupações maiores do que nos testar”, eu disse.

Flora olhou para mim com expressão muito séria.

“Então por que essas coisas acontecem?”, disse.

“Que coisas?”, eu disse.

“Coisas ruins.”

“O ministro diria que é para nos punir por nossas maldades”, eu disse.

“E o que diria você?”, ela perguntou.

Hesitei por um momento e depois disse, “Eu diria que elas acontecem sem motivo”.

Flora não demonstrou estar especialmente perturbada com minha resposta, e isso me encorajou. “Não estou vendo Deus muito preocupado comigo, ou com qualquer um de nós, aliás”, continuei.

Flora disse-me que eu não devia falar essas coisas, mas não senti que estivesse discordando de mim, ela só achava errado expressar tais pensamentos.

“Talvez Deus seja só uma história como as que o sr. Gillies nos contava na escola”, eu disse, olhando para Flora com o canto do olho. A brisa soprou uma mecha de cabelos para sua testa e ela levou a mão ao rosto para arrumá-los atrás da orelha. Olhava direto para a frente, e continuamos a caminhar em silêncio.

Quando chegamos a Aird-Dubh, Flora tomou a cesta de mim e pôs a cabeça dentro da casa da Cebola. Uma mulher velha e encurvada apareceu. Seu pescoço era tão torcido que ela teve de virar a cabeça para um lado, como uma galinha, e olhar enviesado para nós. Era um fim de tarde quente, e havia um fogo ardendo na casa, mas ela vestia um sobretudo grosso abotoado até o pescoço e amarrado, por via das dúvidas, em torno da cintura com um pedaço de corda. Pareceu contente de ver Flora e convidou-a a entrar. Flora disse que tinha trazido alguns ovos e estendeu-lhe o cesto.

“E quem é este que está com você?”, disse ela.

“É o garoto de John Black”, disse Flora.

“E ele tem um nome?” A voz dela era áspera como a de uma gaivota.

"É Roddy", disse Flora.

A Cebola olhou para mim por um instante e depois disse que sentia muito pela morte de minha mãe, mesmo já tendo se passado um ano. Tomou o cesto de Flora e desapareceu na penumbra esfumaçada da casa. Flora cantarolou baixinho uma canção para si mesma enquanto esperava, e eu me lembrei de minha mãe cantando nos campos. A velha voltou com o cesto vazio e agradeceu a Flora pelos ovos.

No caminho de volta para Culduie, eu me ofereci novamente para carregar o cesto, mas Flora explicou que o cesto não estivera pesado, ela só tinha querido que eu o carregasse para ela. Seja como for, aliviados dos ovos, nossa conversa ficou mais solta. Flora fez alguns comentários depreciativos sobre como a sra. MacLeod cheirava e eu lhe disse que meu pai não gostava dos habitantes de Aird-Dubh porque eram sujos e comiam lapas. Flora riu alegremente quando ouviu isso. Quando o riso diminuiu, ela disse, "Às vezes eu acho que seu pai não gosta de ninguém".

"Ele não gosta", respondi.

Então me inclinei para a frente e imitei meu pai mancando enquanto andava com seu bastão. "Esteja certo que seus pecados vão descobrir você", resmunguei, acenando com um dedo torto para o rosto de Flora. "Você está no caminho para o fogo eterno, jovem senhora!"

Flora parou de caminhar, pondo a mão livre na boca para abafar o riso. Eu então me empertiguei, subitamente envergonhado por ter ridicularizado meu pai dessa maneira.

"Faz isso de novo", disse ela, mas eu me senti um idiota e continuei pela estrada.

Quando chegamos à junção onde tínhamos nos encontrado, para que não nos vissem eu disse a Flora que continuaria a caminhar na estrada. Ela não protestou. Ficamos nos olhando por alguns momentos. Então ela disse que poderíamos nos ver novamente alguma outra tarde, virou-se e saiu andando pela rua de terra balançando o cesto vazio. Eu segui pela estrada e pulei a mureta junto a nosso sítio, sentindo-me leve, como se tivesse de repente sido aliviado de um cesto de turfa. Quando atravessava nossas mirradas plantações, vi Jetta correndo pela trilha vindo da direção da casa de Lachlan Broad, uma echarpe cobrindo o cabelo e encurvada como uma viúva. Não consegui imaginar o que a teria levado até a parte mais baixa da aldeia e esperei por ela fora de casa, mas ela passou apressada por mim sem olhar.

Meu pai estava em sua cadeira junto à janela, fumando seu cachimbo vespertino. Eu estava esperando que ele me perguntasse onde havia estado, e ele realmente fez isso. Sua cadeira fazia um ângulo com a janela, um pouco afastada, de modo que uma réstia de luz iluminava o texto que estava lendo. Como ele podia facilmente ter nos visto nos separando na junção, eu lhe disse francamente que tinha ido a Aird-Dubh com Flora Broad para entregar alguns ovos. Meu pai perguntou para quem eram os ovos. Eu não consegui ver que diferença fazia para quem eram os ovos, mas disse-lhe isso também. Ele não teve qualquer reação a minhas respostas, o que me convenceu de que já sabia perfeitamente aonde eu tinha ido, e só tinha perguntado para ver se eu diria a verdade. Puxou algumas baforadas de seu cachimbo. Jetta tinha retomado seu tricô e fingia estar alheia a nosso diálogo.

Fiquei ressentido por ter sido inquirido dessa maneira, especialmente porque Jetta não fora submetida a um interrogatório semelhante. Meu pai tirou o cachimbo da boca e disse que não queria que eu me desse com Flora Broad ou com quaisquer outros membros de sua família. Eu não tinha o hábito de responder a meu pai, mas naquele momento eu o fiz. Flora, eu lhe disse, não tinha lhe causado nenhum mal, e tinha ficado grata a mim por ter carregado seu cesto. Eu não esperava que meu pai se envolvesse numa discussão comigo, e ele não se envolveu. Em vez disso, falou que eu não havia ultrapassado a idade para levar uma surra. Dirigi o olhar para o chão, parecendo contrito, mas não tinha intenção de obedecer a seu decreto. Não era nem de longe a primeira vez que eu achava que meu pai era severo demais comigo ou com meus irmãos, mas foi a primeira vez que resolvi desafiá-lo. Mas em retrospecto, no entanto, sou obrigado a admitir que teria sido prudente ter dado atenção a sua advertência.

Fui para fora e sentei-me no banco, esperando que minha irmã se juntasse a mim, mas ela não fez isso. Na manhã seguinte, quando meu pai não estava em casa, perguntei a Jetta onde tinha estado na tarde anterior. Respondeu sem erguer os olhos de suas tarefas que tinha visitado Carmina Smoke. Eu sabia que não era verdade, pois a vira chegando de algum lugar que ficava além da casa dos Smoke, mas não disse nada. Em vez disso, perguntei se Kenny Smoke estava em casa. Jetta parou o que estava fazendo e fixou em mim um olhar sério.

"Eu já tenho um pai", disse, "não preciso de mais um. Há algumas coisas que não dizem respeito a você, Roddy." Então me deu um *bannock* e disse-me que ficasse fora do seu caminho. Fiquei bem triste, pois nunca tinha sabido que Jetta guardasse um segredo de mim, embora se ela tivesse esse hábito eu dificilmente teria sabido. Talvez guardasse de mim todo tipo de segredo.

Depois disso não vi Flora Broad durante alguns dias. Eu estava ocupado trabalhando nas propriedades de Lachlan Broad e à tardinha meu pai inventava tarefas para eu fazer, quando não havia nenhuma. Não sei se isso tinha a intenção de ser um castigo ou era meramente um meio de evitar que eu visse Flora. De qualquer maneira, alcançou seu objetivo. Quando meu pai finalmente tinha acabado de me dar tarefas, passei três tardes na mureta, esperando que Flora passasse em alguma missão doméstica, ou que, vendo-me ali, achasse algum pretexto para fazer isso. Mas ela não veio, e confesso que apesar do pouco tempo que tínhamos passado juntos eu me vi ansiando por sua companhia.

Foi por volta dessa época que comecei a fazer excursões à noite. O sono não me vinha facilmente e mesmo quando eu adormecia era despertado pelo mais leve movimento dos gêmeos ou de um animal do lado de fora. No silêncio da noite, todo tipo de visões saía das brasas do fogo ou do mugido de um bezerro. Eu às vezes fantasiava estar vendo figuras se elevando da fumaça, ou ouvia alguma voz lá fora sussurrando para mim, e ficava deitado em meu beliche, num estado de apavoramento, esperando a chegada de alguma coisa horrível. Então comecei a deixar minha cama e a vaguear pelas montanhas. Eu me imaginava como uma de minhas próprias visões, um vulto só meio visível na escuridão, vislumbrado pelo canto do olho de alguém antes de ser descartado como uma fantasia. Meu costume era me esgueirar entre as casas, escalar o Càrn até uma certa distância e contemplar o município lá embaixo. Nos meses amarelos, as noites aqui nunca são propriamente escuras. A aparência do mundo, em vez disso, é como se lhe tivessem drenado as cores, e quando a lua está alta no céu tudo fica prateado, como numa gravura de um livro. Se eu passava perto das janelas de meus vizinhos, olhava com inveja os corpos adormecidos. Meu objetivo nessas excursões era só esvaziar minha mente de pensamentos indesejáveis, e eu conseguia isso perambulando pelas montanhas até ficar exausto. Não querendo que ninguém soubesse de minhas atividades noturnas, eu sempre voltava antes que meu pai ou minha irmã se levantassem de manhã, e passava o dia seguinte um pouco tonto e disperso. Uma ou duas vezes adormecia onde quer que estivesse trabalhando, fazendo Jetta pensar que tinha desmaiado e correr em meu socorro.

Resolvi usar uma dessas excursões noturnas para descobrir se Flora tinha voltado para a Casa Grande. Ao mesmo tempo que ansiava por vê-la, eu torcia para que estivesse novamente empregada com lorde Middleton, e não evitando minha companhia por vontade própria. Naquela noite específica, a lua estava coberta de nuvens e a luz que irradiava era fraca. Passei entre as casas e comecei a subir pelo Càrn. A natureza de minha missão fez com que ficasse ainda mais ansioso para não ser notado. Pisava no solo sem fazer barulho e mantive as costas encurvadas até estar fora do campo de visão da aldeia. Percorri então a encosta até estar além do ponto em que fica a casa de Broad. Em minhas excursões, nunca tinha deparado com nada, além de uma ou outra ovelha, mas agora o sangue pulsava em minhas têmporas. Mesmo durante o dia, eu tinha medo de pisar na propriedade de Lachlan Broad, mas fazer isso sob a cobertura da escuridão era algo muito mais proibitivo. Se fosse descoberto, dificilmente eu teria o que declarar como motivo de minha presença lá. Desde criança eu achava difícil dissimular. Uma vez, quando tinha cinco ou seis anos de idade, me mandaram ao barracão para buscar os ovos. Eu esqueci de levar a bacia que usávamos para isso e em vez de voltar para apanhá-la resolvi que ela não era necessária. Recolhi os ovos e quando saía do barracão com eles empilhados nas minhas mãos um pássaro passou voando, me assustando e me fazendo deixar cair os ovos. Fiquei olhando a confusão de clara e gema no chão e imediatamente me veio a ideia de alegar que eu tinha surpreendido um desses itinerantes* roubando os ovos. No entanto, quando minha mãe veio me procurar eu simplesmente caí no choro e disse a ela que tinha deixado cair os ovos porque tinha esquecido de trazer a bacia. Ela ficou com pena de mim, enxugou

* O termo usado, *tinker*, literalmente "latoeiro", refere-se, no caso, a membro de grupos itinerantes que eram comuns na Escócia e na Irlanda. [N.T.]

minhas lágrimas e me disse que não fazia mal, haveria mais ovos no dia seguinte. Mais tarde, quando nos sentamos para nossa refeição, ela disse a meu pai que não tinha havido ovos naquele dia, e piscou para mim. Contudo, eu não podia contar com que Broad tivesse, igualmente, pena de mim se me surpreendesse espreitando sua casa na calada da noite.

Não obstante, tendo estabelecido meu percurso, fiquei compelido a levá-lo até o fim. Quando descia pela encosta ocorreu-me uma ideia. Tinha ouvido histórias sobre pessoas que se levantavam, inconscientes, no meio do sono e se movimentavam pelo mundo como se estivessem acordadas. E no entanto, quando alguém falava com elas, não viam nada, como se houvesse outra realidade diante de seus olhos. São os sonâmbulos, e decidi que, se fosse pego, essa seria minha defesa: eu seria um sonâmbulo. Foi com esse espírito que me aproximei da morada, um tanto desprotegida. Eu não estava familiarizado com a planta da casa, mas, como havia duas janelas pequenas na parede de trás, supus que deviam ser os quartos de dormir. Para minha surpresa, havia um brilho bem fraco na segunda janela, e imaginei Flora em suas roupas de dormir esperando por mim à luz de velas.

Eu me espremi contra a parede e avancei lenta e silenciosamente na direção da primeira janela. As pedras estavam musgosas e úmidas sob as palmas de minhas mãos. Hesitei e, depois, prendendo a respiração, levei a cabeça lentamente em direção à vidraça. O quarto estava escuro. Após alguns instantes, divisei uma cama e as silhuetas escuras de corpos envoltos em cobertores. Nada se movia. Aos pés da cama havia um berço, e pude ver o cabelo amarelo do irmão pequeno de Flora. Meu hálito condensava-se no vidro. Dei três passos para o lado, em direção ao segundo quarto. Deixando de lado toda a precaução, dei um passo e fiquei diante da janela. Uma vela bruxuleava, e numa pesada cadeira, envolta em cobertores, estava não Flora, mas uma mulher idosa, a mãe inválida de Lachlan Broad, que havia anos não punha um pé fora de casa. Seus olhos estavam abertos e dirigidos diretamente ao caixilho da janela, mas ela não dava sinal de ter registrado minha presença. Parecia estar bem morta, e a visão dela fez meu couro cabeludo ficar arrepiado. À sua direita havia uma cama pequena, vazia, e imaginei que devia ser a de Flora. Observei a velha por alguns instantes, até ver o leve arfar de seus cobertores. Então ela piscou lentamente, como se tivesse recuperado a visão, e um dedo ossudo apontou para mim. Seus lábios moveram-se sem emitir som. Eu me virei e corri de volta para a encosta. Em algum lugar, um cão começou a latir e imaginei Lachlan Broad despertando do sono e saindo estabanadamente da cama para investigar o que estava acontecendo. Atirei-me no capim úmido atrás de um monte de urzes e fiquei ali deitado por um tempo, esperando recuperar o fôlego. Ninguém se moveu na casa lá embaixo e voltei para casa sem ser descoberto. Passei o que restava da noite acordado em meu beliche, pensando na cama vazia de Flora, e sentindo-me muito satisfeito com o sucesso de minha empreitada.

Nossa colheita foi pobre naquele ano. Não sei dizer se foi pela falta das algas em nossa terra ou devido a outras causas. Meu pai tinha previsto que a colheita seria pobre e assim cuidou do sítio com menos diligência do que era usual. Quando Kenny Smoke comentou sobre as ervas daninhas que cresciam em nossos canteiros, meu pai deu de ombros e disse, "De que adianta? A terra está exausta".

A mim parecia que não era a terra que estava exausta, e sim meu pai. Passei muitos dias trabalhando nos projetos de Lachlan Broad. Primeiro, nos dias que era mesmo a minha obrigação. Depois, quando o estado de saúde de meu pai era tal que ele não podia mais ser útil fazendo trabalho pesado, trabalhei em seu lugar. Além disso, às vezes eu trabalhava por meio shilling por dia substituindo outros, que estavam atarefados em ocupações mais lucrativas. Eu dava tudo que ganhava para meu pai e ficava contente por contribuir de algum modo para a renda da família. No entanto, trabalhar para Lachlan Broad era um negócio irritante. Era raro um momento em que o policial ou seu irmão não estivessem por lá, empertigados como grandes galos, assegurando-se de que nenhum de nós fizesse uma pausa para tomar fôlego ou enxugar o suor da testa. Mesmo quando Broad estava ausente, trabalhávamos sem descanso, com medo de que ele aparecesse de repente e ordenasse que déssemos mais um dia de trabalho por conta de nossa ociosidade. Essa constante labuta significava que eu tinha pouco tempo para cuidar de nosso próprio cultivo e, em consequência, havia menos para comer nos meses negros.

Uma tarde, Lachlan Broad nos fez uma visita, para informar que tinha chegado a sua atenção o fato de o nosso sítio ter alcançado um estado de negligência. Essa expressão tinha se tornado a favorita dele, quando dizia que esta e aquela coisa tinha "chegado a sua atenção". Isso perpetuava a noção de que fosse lá o que alguém fizesse, ou dissesse, isso seria anotado e relatado a ele, noção essa que garantia um alto grau de obediência a quaisquer decretos que ele emitisse. Ela fez também com que as pessoas olhassem de soslaio para seus vizinhos e os tratassem com um grau de desconfiança até então desconhecido em nossas paragens. Dessa vez, Broad multou meu pai em dez shillings e lembrou-lhe que um cuidado adequado com o sítio era uma condição de seu arrendamento e que se ele não cumprisse suas obrigações o administrador não teria outra escolha senão rever seu direito sobre a terra. Para levantar os fundos necessários para pagar a multa, fui obrigado a trabalhar mais nas estradas e trilhas, e em consequência o sítio ficou num estado ainda mais vergonhoso.

Poucos dias depois dessa visita do policial, meu pai continuou sentado após Jetta tirar a mesa. Tive a impressão de que ele queria anunciar alguma coisa, e não estava enganado. Depois de encher e acender seu cachimbo, ele nos informou que pretendia pedir uma entrevista com o administrador. Eu lhe perguntei qual era o objetivo. Meu pai ignorou minha pergunta e declarou que queria que eu o acompanhasse, pois eu era um menino inteligente e não seria engambelado pelas palavras do administrador. Fiquei desconcertado com essa admissão que meu pai fazia de suas limitações, e protestei dizendo que, verdade seja dita, ele era igual ao administrador ou qualquer outra pessoa. Meu pai balançou a cabeça e disse, "Nós dois sabemos que isso não é verdade, Roderick". Ele falou então que pretendia ir a Applecross dentro de dois dias e que se eu tinha concordado em trabalhar para Lachlan Broad devia encontrar alguém para me substituir, ou apresentar minhas desculpas antecipadamente. Depois levantou-se e foi para seu lugar junto à janela.

Desde o início achei que nada de bom ia resultar do plano de meu pai. Ninguém em nossa paróquia jamais buscara ter um encontro com o administrador, e quando pessoas eram convocadas à sua presença elas iam com grande sobressalto. Meu pai devia ter raciocinado que nossa situação dificilmente poderia ser pior, mas eu não tinha dúvida de que, quando sua visita fosse levada ao conhecimento de Lachlan Broad, ele não hesitaria em se vingar de algum modo.

Meu pai e eu saímos para ir a Applecross de manhã cedo. Lachlan Broad, acontecera, tinha ido a Kyle of Lochalsh para algum tipo de negócio, e eu me dei conta de que meu pai devia ter escolhido aquele dia para nossa visita tendo isso em mente. Naquele dia houve um grande contraste no clima com o qual estávamos acostumados em nossas paragens. Quando estávamos chegando em Camusterrach, uma rajada de chuva e vento tinha nos deixado encharcados, antes de o céu clarear de repente e o sol começar a secar nossas roupas. Quando nos aproximamos de Applecross, no entanto, o céu escureceu novamente e a chuva começou a cair em gotas grandes e pesadas. Meu pai não reagiu a essas mudanças no clima. Na verdade, não posso afirmar com certeza que sequer as tenha notado. Continuou a caminhar num ritmo constante, os braços rígidos em seus flancos, os olhos fixos alguns metros adiante na estrada. Não tínhamos conversado sobre aquele encontro, assim eu não tinha uma real noção do que meu pai tencionava dizer ao administrador ou que papel ele queria que eu desempenhasse. Secretamente, eu esperava que o administrador não estivesse em casa, ou se recusasse a nos receber, para que pudéssemos voltar sem ter provocado as autoridades.

A casa do administrador ficava atrás da Casa Grande. Tomamos um caminho que rodeava as terras, sem dúvida porque meu pai queria evitar ser confrontado por ter atravessado as terras do *laird*. Quando chegamos à casa cinzenta de dois pavimentos, meu pai bateu na porta com a aldraba de bronze com uma timidez que não era um bom augúrio para nossa entrevista. Prontamente apareceu uma governanta. Ela olhou para nós como se fôssemos de um grupo de trabalhadores itinerantes e perguntou o que queríamos. Meu pai tirou o boné, apesar de a mulher ser uma criada e não alguém melhor do que ele, e respondeu que seu nome era John Macrae, de Culduie, e que gostaria de falar com o administrador. A governanta perguntou então se tínhamos marcado um encontro. Era uma mulher magra, com uma boca fina e pálida e um nariz comprido, que claramente acreditava que seu emprego na casa do administrador a fazia ser melhor do que um pequeno agricultor. Meu pai respondeu que não tínhamos. A mulher fechou a porta sem uma palavra e nos deixou lá de pé no limiar. Como ainda estava chovendo, nós nos abrigamos, apertados, no pequeno vestíbulo. É difícil dizer quanto tempo ficamos lá. Certamente tempo bastante para eu ainda ter esperança de que o administrador não estivesse em casa. Eu estava a ponto de expressar esse pensamento a meu pai quando a porta se abriu novamente e fomos convidados a entrar. A criada nos levou a um estúdio revestido com painéis de madeira e disse que esperássemos. Um fogo ardia na lareira, mas nenhum de nós ousou se aproximar dela para secar as roupas. Em vez disso, ficamos no centro, onde nossa presença seria menos ultrajante. Nas paredes de cada lado da lareira havia quadros representando cavalheiros distintos, vestidos em roupas finas. Reconheci lorde Middleton em um deles, sentado numa poltrona, um cão de caça a seus pés. À nossa frente havia uma grande escrivaninha de madeira pesada e escura. Arrumados sobre ela havia alguns implementos para escrever e alguns livros-razão encadernados em couro. Em toda a parede à nossa esquerda alinhavam-se prateleiras com livros.

O administrador chegou e, para minha surpresa, cumprimentou meu pai com certa simpatia. Meu pai fez-lhe uma reverência meio encolhida, torcendo nervosamente o boné em suas mãos. Fiquei por alguns momentos a seu lado, tentando parecer à vontade, segurando meu próprio boné a minha frente. O administrador era mais baixo do que me lembrava, mas tinha um rosto agradável, aberto, com densas suíças cobrindo as bochechas. O cabelo no alto da cabeça era ralo, mas o que havia era duro e desleixado, diferente do de outros homens instruídos que eu conheci.

"E quem seria este aqui?", perguntou ele, fazendo um gesto em minha direção.

Meu pai lhe disse e ele olhou para mim com curiosidade por um instante, como se tivesse ouvido algo sobre mim, e eu sinceramente esperei que não fosse o caso. O administrador sentou-se atrás de sua escrivaninha e olhou para meu pai, esperando que ele explicasse o motivo de sua visita. Como meu pai não fez isso, o administrador voltou seu olhar para mim. No entanto, eu não poderia falar em nome de meu pai, e ele não me avisara o que queria dizer. Seguiram-se mais alguns momentos de silêncio. Com o canto do olho vi meu pai olhar para o administrador com uma expressão humilde.

"Sr. Macrae", começou o administrador, o tom de voz ainda jovial, "imagino que não percorreu todo o caminho desde Culduie para compartilhar o calor de minha lareira." Ele riu um pouco de sua própria graça, antes de continuar. "Por mais que eu goste de jogos de salão, não consigo adivinhar que missão o traz aqui, por isso tenho de o intimar a declarar do que se trata."

Meu pai olhou para mim. Pensei que tivesse perdido a coragem, ou não tinha entendido o que lhe estava sendo pedido, mas depois de limpar a garganta ele disse em voz baixa, "Talvez o senhor tenha ouvido falar dos problemas que temos tido em Culduie?".

"Problemas?", disse o administrador. "Não ouvi falar de nenhum problema. Que problemas?"

"Vários problemas, senhor."

"Não ouvi falar de problemas. Pelo contrário, só ouço bons relatórios sobre as melhoras que estão ocorrendo em seu município. O senhor conversou com nosso policial sobre esses 'problemas'?" Ele pronunciou esta última palavra com uma ênfase peculiar, como se fosse de uma língua estrangeira.

"Não conversei."

O administrador franziu as sobrancelhas e olhou de soslaio para meu pai.

"Se o senhor está tendo dificuldade, deve falar com o sr. Mackenzie. Não consigo imaginar que ele não sinta ser uma desfeita o fato de o senhor ter vindo a mim antes de primeiro procurar a ajuda dele. É função do policial cuidar de quaisquer problemas que vocês possam ter. Não posso ficar me preocupando com as minúcias de...” Deixou suas palavras se extinguirem, com um gesto desdenhoso da mão.

Meu pai não disse nada. O administrador tamborilou os dedos na mesa.

“E então?”

Meu pai ergueu um pouco os olhos de seus pés.

“Não falei com o sr. Mackenzie sobre esses problemas porque o sr. Mackenzie é a origem desses problemas.”

Ao ouvir isso o administrador caiu na gargalhada, que não me bateu como sendo autêntica, e sim um meio de expressar o quão absurdas eram as palavras de meu pai. Quando parou de rir, deixou escapar um grande suspiro.

“O senhor se incomodaria de detalhar mais?”, disse.

Meu pai, para minha surpresa, não ficou totalmente intimidado pelo riso do administrador. “É verdade que as relações entre mim e o sr. Mackenzie são tensas, mas eu não pretendia envolver o senhor nessas coisas.”

“Eu espero que não, sr. Macrae. Segundo entendo, o sr. Mackenzie está cumprindo seus deveres com uma dedicação que dolorosamente tem faltado nos anos recentes. E como, se me lembro bem, ele foi eleito por unanimidade, só posso presumir que está fazendo isso com o apoio de sua comunidade. Se existem algumas diferenças privadas entre o senhor e o policial, então...” Ele ergueu as mãos e bufou ruidosamente.

“Claro”, disse meu pai.

“Então, se não veio fazer alguma queixa pessoal, sugiro que me diga por que está aqui.” Os modos joviais do administrador tinham dado lugar à impaciência.

Meu pai retorceu o boné nas mãos e depois, como que percebendo que essa ação não tinha contribuído para formar uma impressão favorável, parou abruptamente e pôs as mãos nos dois lados do corpo.

“Eu quero ver os regulamentos”, disse.

O administrador olhou para ele com curiosidade por alguns momentos, e depois voltou o olhar para mim, como se eu fosse capaz de explicar as palavras de meu pai.

"O senhor quer ver os regulamentos?", ele repetiu lentamente, a mão acariciando as suíças.

"Sim", disse meu pai.

"De quais regulamentos está falando?"

"Os regulamentos sob os quais nós existimos", disse ele.

O administrador abanou a cabeça secamente. "Desculpe, sr. Macrae. Não tenho certeza de que estou acompanhando."

Meu pai estava agora bem confuso. Claramente não esperava se deparar com tal ambiguidade e naturalmente supunha que o erro era dele, por não se expressar com clareza suficiente.

"Meu pai", eu disse, "refere-se aos regulamentos que governam nossos arrendamentos."

O administrador olhou para mim com uma expressão séria. "Entendo", disse ele. "E por que, posso perguntar, vocês querem ver esses 'regulamentos', como vocês os chamam?"

Ele ficou olhando para mim e para meu pai e tive a impressão de que estava se divertindo à nossa custa.

"Para que eu possa saber quando os estamos transgredindo", arriscou depois meu pai.

O administrador assentiu. "Mas por quê?"

"Para que possamos evitar ter uma marca negra em nossos nomes, ou penalidades por tê-los transgredido", disse meu pai.

Ao que o administrador se inclinou para trás em sua cadeira com um sonoro muxoxo.

"Então, se o estou compreendendo bem", disse ele, juntando as mãos sob o queixo, "o senhor quer consultar os regulamentos para poder transgredi-los impunemente?"

Os olhos de meu pai estavam voltados para baixo e tive a impressão de que estavam ficando úmidos. Eu o amaldiçoei por ter colocado a si mesmo naquela situação.

"Sr. Macrae, eu aplaudo sua audácia", disse o administrador, fazendo um gesto com as mãos.

"O que meu pai quer dizer", expliquei, "não é que deseja desobedecer aos regulamentos, e sim que, ao se familiarizar com eles, poderá evitar transgredi-los."

"A mim parece", persistiu o administrador, "que uma pessoa que deseja consultar os regulamentos só pode estar querendo fazer isso para poder testar os limites das contravenções que poderia cometer."

Meu pai àquela altura estava bastante perdido, e para acabar com sua aflição eu disse ao administrador que nossa visita tinha sido equivocada e que não iríamos perturbá-lo mais. O administrador, no entanto, descartou minhas tentativas de pôr um fim à entrevista.

"Não, não, não", disse ele, "isso não vai ficar assim. Vocês vieram até aqui, em primeiro lugar, fazendo acusações contra o policial de sua aldeia e, depois, com o objetivo declarado de procurar evitar punição por transgredir os regulamentos. Você não vai esperar que eu deixe as coisas ficarem nisso."

O administrador, vendo que meu pai não tinha mais condições de falar, agora dirigia-se a mim, somente a mim. Ele puxou sua cadeira para mais perto da escrivaninha, escolheu um dos livros-razão e o abriu. Virou algumas páginas e correu o dedo por uma coluna. Depois de ler algumas linhas voltou seu olhar para mim.

"Diga-me, Roderick Macrae", disse, "quais são suas ambições na vida?"

Respondi que minha única ambição era ajudar meu pai no sítio e cuidar de meus irmãos.

"Muito louvável", disse ele. "Muitas, demasiadas pessoas de sua gente têm ideias que estão acima de sua situação atual. Não obstante, você deve ter pensado em abandonar este lugar. Você não tem a intenção de buscar sua fortuna em outro lugar? Um jovem inteligente como você deve perceber que não tem futuro aqui."

"Não quero que meu futuro seja em qualquer outro lugar que não Culduie", eu disse.

"Mas e se não houver futuro?"

Eu não soube como responder a isso.

"Vou-lhe dizer uma coisa muito francamente, Roderick", disse ele, "aqui não existe futuro para agitadores e criminosos."

"Eu não sou nenhuma dessas coisas", respondi, "nem meu pai."

O administrador olhou então significativamente para o livro-razão à sua frente e inclinou a cabeça para um lado. Depois, com estrondo, fechou o livro.

"Seu arrendamento está atrasado", disse ele.

"Assim como o de todos os nossos vizinhos", repliquei.

"Sim", disse o administrador, "mas seus vizinhos não se apresentaram aqui como se fossem eles, de algum modo, o lado prejudicado. É só por condescendência da propriedade que vocês continuam ocupando a terra."

Tomei essa advertência como sinal de que o martírio tinha acabado e cutuquei meu pai, que ficara ali de pé naqueles últimos minutos como se estivesse em transe. O administrador levantou-se.

Eu me virei para sair, mas meu pai ficou onde estava.

"Devo entender então que não podemos ver os regulamentos?", ele disse.

O administrador pareceu se divertir mais do que se irritar com a pergunta de meu pai. Ele estava agora a três ou quatro passos de sua grande escrivaninha, de modo que chegara muito perto de nós.

"Esses regulamentos que o senhor menciona têm sido seguidos desde tempos imemoriais", disse ele. "Ninguém jamais sentiu necessidade de 'vê-los', como diz o senhor."

"Ainda assim...", disse meu pai. Ele ergueu a cabeça e olhou o administrador nos olhos.

O administrador abanou a cabeça e soltou uma risadinha pelo nariz.

"Temo que o senhor esteja agindo com base num equívoco, sr. Macrae", ele disse. "Se o senhor não se apodera dos frutos da terra de seu vizinho não é porque um regulamento o proíbe. O senhor não rouba o produto dele porque seria errado fazer isso. O motivo de não se poder 'ver' os regulamentos é que não há regulamentos, ao menos não do modo que o senhor parece pensar. O senhor poderia pedir para ver também o ar que respiramos. Existem, é claro, regulamentos, mas não se pode vê-los. Os regulamentos existem porque todos aceitamos que eles existem e sem eles haveria anarquia. Cabe ao policial da aldeia interpretar esses regulamentos e aplicá-los a seu critério."

Ele então acenou para a porta com um gesto desdenhoso a mão. Senti de repente que, tendo meu pai nos trazido até aqui, não faria sentido ir embora sem expressar adequadamente nossas queixas.

"Se posso voltar aos problemas dos quais meu pai falou", eu disse, "o que meu pai realmente quer transmitir é que, mediante a aplicação desses regulamentos, Lachlan Broad empreendeu uma campanha de assédio contra nossa família."

O administrador olhou para mim com uma expressão de incredulidade. "Uma campanha de assédio?", repetiu, parecendo até estar satisfeito com essa expressão. Deu alguns passos para trás e apoiou-se na escrivaninha. "Isso é uma alegação das mais sérias, jovem, realmente uma alegação das mais sérias. Não se pode permitir aos que detêm o poder que abusem de seu cargo, não é? Nem, é claro, pode-se permitir que indivíduos façam reclamações infundadas quanto a seus superiores. Portanto, é melhor que você me conte em que consistiu essa 'campanha de assédio'."

Senti-me encorajado pelas palavras do administrador e creio que dei involuntariamente um passo em direção a sua escrivaninha. Relatei então, um tanto longamente, como Lachlan Broad na primeira oportunidade reduziu a extensão de nossa terra, depois negou-nos o uso de algas para fertilizar nosso sítio, cuja produção estava agora caindo, e depois nos multou pela má conservação do sítio.

O administrador ouviu atentamente, os olhos fixados em mim o tempo todo. "Há mais alguma coisa?", disse.

Eu queria lhe contar também da atmosfera geral de opressão sob a qual vivíamos, mas não consegui pensar num modo de expressar isso. Tampouco achei prudente descrever o incidente envolvendo minha irmã que eu tinha testemunhado, não fosse por outra razão além de que continuava sendo um segredo para meu pai.

O administrador pareceu desapontado quando não tive mais nada a acrescentar.

"É isso que você descreve como uma 'campanha de assédio'?", disse.

"Sim, senhor", respondi.

"Assim, seu verdadeiro objetivo ao vir aqui é difamar, por quaisquer motivos privados, um funcionário que, segundo o que você descreve, não está fazendo mais do que cumprir seus deveres conscienciosamente. Eu vou realmente anotar o que você disse e na próxima vez que encontrar o sr. Mackenzie vou lhe dar minhas congratulações pela maneira com que se portou."

Senti meu estômago afundar terrivelmente, mas não vi o que poderia ganhar se protestasse.

O administrador dirigiu-se então a meu pai. "Espero que o senhor não considere ser adequado visitar-me dessa maneira novamente. Lembro que seu arrendamento continua à discrição de lorde Middleton. E à discrição de seus representantes."

Depois balançou a cabeça e nos sinalizou que saíssemos do estúdio.

Meu pai não falou no caminho de volta para casa, nem sua expressão traía seus pensamentos. A chuva tinha cessado. Naquela noite, fiquei nas proximidades da casa, aguardando a chegada de Lachlan Broad, mas ele não apareceu. Nem veio em nenhuma das noites subsequentes, e concluí que estava deixando que nós ficássemos ansiosos com a retribuição que seria desferida contra nós. Alguns dias depois, eu estava trabalhando nas valas que ficam junto à estrada para Aird-Dubh quando Lachlan Broad passou por lá. Ele parou e ficou me vendo trabalhar por alguns minutos, mas não disse nada antes de continuar seu caminho. Depois da nossa entrevista, eu tinha imaginado que o administrador aproveitaria a primeira oportunidade para contar a seu policial o que ocorrera, mas quando pareceu que ele não havia feito isso, eu me dei conta de que para esses homens superiores nossas ações simplesmente não tinham importância.

Alguns dias mais tarde, depois do jantar, saí de casa, por nenhum outro motivo senão o de fugir daquele ambiente soturno. O humor de meu pai naquela época era tão sombrio que parecia estender uma mortalha sobre toda a casa. Eu não tinha visto Jetta sorrir durante dias ou semanas e a cada dia ela parecia encolher mais dentro de si mesma, movendo-se com o esforço de uma velha. Os meninos, se é que brincavam, o faziam silenciosa e misteriosamente para todos, menos para eles mesmos. Quando Jetta se dirigia a eles, era num sussurro, para não lembrar meu pai de sua existência. Eu mesmo, devido a meu desejo de ver Flora Broad, estava me comportando sob um manto de desânimo, o que só aumentava a melancolia geral.

No entanto, quando saí de casa meu humor melhorou imediatamente. Flora estava sentada na mureta na junção da estrada para Toscaig. Fui tentado a começar a correr, mas um momento de circunspecção levou-me a abandonar a rua de terra que atravessa a aldeia e em vez disso seguir caminho atravessando o *rig*, antes de pular a mureta e chegar à estrada a duzentos ou trezentos metros de onde estava Flora. Simulei um comportamento que visava sugerir a quem pudesse estar observando que eu estava meramente perambulando, nem para cá nem para lá, sem ter em mente um determinado destino. Imaginei que assim, quando me encontrasse com Flora, nosso encontro pareceria ter sido por acaso. Flora não olhou para mim nem uma vez quando eu me aproximava, e parecia estar ocupada com alguma coisa em seu colo. Quando cheguei mais perto, fiquei impressionado com a delicadeza de suas feições. Cachos de cabelo agitavam-se quase imperceptivelmente em torno de seu rosto, ao sopro da brisa. Parei a alguns passos de distância, mas Flora estava muito absorta, ou fingia estar, na destruição metódica de um dente-de-leão, cujas pétalas amarelas sujavam suas saias.

Eu a cumprimentei e ela ergueu os olhos do que estava fazendo.

"Alô, Roddy", disse.

Eu me senti incapaz de subterfúgios. "Tenho procurado você nestes últimos dias", disse. "E lamentei não ter te visto."

"Foi mesmo?", ela disse.

Um leve sorriso brincou em seus lábios e ela baixou os olhos para as pétalas em sua saia como se minha declaração tivesse lhe agradado.

"Eu estava trabalhando na Casa Grande", disse.

Fiquei contente por Flora ter achado que devia me dar uma explicação para sua ausência.

Eu assenti e me aproximei dela mais um pouco.

"Aonde você está indo?", ela perguntou.

"Não estou indo a lugar nenhum", disse eu.

"Então foi uma sorte você ter passado em seu caminho para lugar nenhum quando eu estava sentada aqui."

"Sim", eu disse. "Foi muita sorte."

"Talvez eu pudesse ir para lugar nenhum com você", ela disse.

Ela saiu de cima da mureta, espanando as pétalas de sua roupa. Caminhamos um pouco em silêncio e, sem combinar, fizemos a volta em direção a Aird-Dubh. Agradou-me a ideia de que parecia ter se estabelecido esse costume entre nós, como se fôssemos casados havia muito tempo. A brisa tinha cessado, e a água na enseada estava totalmente imóvel. Caminhávamos tão próximos um do outro que não era preciso elevar nossas vozes acima de um sussurro, e eu tinha a sensação de que estávamos seguindo por um mundo que por um momento depositara suas ferramentas para uma pausa. Se eu pudesse, por meios mágicos, me transportar subitamente para casa, Jetta e meu pai estariam paralisados e a brincadeira das crianças, em suspensão.

Após algum tempo, perguntei a Flora o que estivera fazendo na Casa Grande. Ela descreveu como, por conta de uma grande expedição de caça, houve necessidade de mais gente para ajudar na cozinha e para servir nos banquetes. Descreveu os pratos de carnes, legumes e doces servidos aos convidados, e as grandes quantidades de vinho na mesa. Era, disse ela, uma visão das mais maravilhosas. Descreveu então os finos vestidos das damas, um mais bonito que o outro. Havia um cavalheiro muito bonito com cabelo escuro e solto no qual todas as damas fixavam os olhos e que parecia liderar os brindes à hospitalidade de lorde Middleton. Tinha sido uma esplêndida semana, disse Flora, e ela ganhou dois shillings por seu trabalho. Depois, sentindo que não deveria haver segredos entre nós, contei a Flora sobre meu emprego de curta duração a serviço de lorde Middleton. Ela não riu, e sim olhou para mim com uma expressão bem séria e disse, "Não foi uma coisa muito sensata de se fazer, Roddy".

"Não foi mesmo", respondi, "pois meu pai me deu a maior surra que já recebi."

Novamente Flora pareceu não ter achado aquilo divertido e fiquei contrariado, pois ela parecia estar desaprovando meu comportamento. Eu lhe disse que só tinha agido assim porque não quis ver um belo veado ser destruído para a diversão da aristocracia. Flora disse então que os veados estavam na montanha para o esporte dos cavalheiros e que o sustento de lorde Middleton dependia daquelas caçadas. Eu respondi que o sustento de lorde Middleton não era de minha conta. Flora replicou que deveria ser da minha conta, pois era aquela propriedade que dava emprego às pessoas.

"Sem a beneficência de lorde Middleton", disse ela, "estaríamos todos tentando a duras penas viver da terra."

Sua resposta fez com que me sentisse bem tolo e, não querendo azedar a atmosfera entre nós, não toquei mais no assunto. Continuamos em silêncio até Aird-Dubh e senti que a proximidade entre nós tinha se dissipado um pouco. Passamos pela desgastada confusão de casas e barracões da aldeia. A Cebola estava sentada num banco do lado de fora de sua casa, sugando ruidosamente um pequeno cachimbo. Flora parou e lhe deu boa-noite.

"Você não tem ovos para mim?", perguntou a velha.

Flora balançou a cabeça e disse que sentia muito mas não tinha. Depois perguntou pela saúde da velha senhora. A sra. McLeod ignorou a pergunta e, em vez de respondê-la, tirou o cachimbo da boca e voltou o olhar para mim, com os lábios frouxos fazendo o tempo todo um ruído como a batida do mar de encontro a uma rocha.

"E este é o filho do Black Macrae?", ela perguntou.

"Sim", disse Flora.

A velha continuava a olhar para mim com desaprovação.

"O Diabo levou sua língua, Roddy Black?", ela perguntou afinal.

Não consegui pensar numa resposta adequada a essa pergunta, então simplesmente lhe devolvi o olhar. Ela tornou a enfiar o cachimbo na boca e sugou-o ruidosamente. Não estava aceso.

"Eu vi sua irmã recentemente", disse ela.

Não consegui pensar num motivo para minha irmã ter estado em Aird-Dubh, e disse isso.

"Bem, ela esteve aqui. Ou uma *fetch* dela. Uma garota bonita, muito parecida com a mãe." Estas últimas palavras foram ditas num tom malicioso, e se sua intenção era me irritar, confesso que conseguiu. Se Flora não estivesse a meu lado, eu teria lhe dito que ela era uma bruxa velha, mas me contive.

"E você é muito parecido com seu pai", disse ela.

"Você não conhece meu pai", respondi.

"Eu o conheço bastante bem", ela disse. "Duro como um nó na madeira." Depois ela começou a cacarejar consigo mesma. Não querendo ouvir mais nada eu saí de lá e Flora me seguiu, depois de dar boa-noite à velha.

"Diga a sua irmã que eu espero que sua condição tenha melhorado", ela gritou para nós.

Eu fingi não ter ouvido, mas quando estávamos a alguma distância Flora perguntou-me ao que ela tinha se referido. Respondi que ela era só uma velha maluca e que não devia lhe dar atenção.

Passamos pela cabana de Murdo Cock e o som de nossos passos o trouxe para a porta. Ficou nos olhando enquanto passávamos, sua boca tão contraída que o único dente que tinha se exibia proeminentemente. Depois ele emitiu um som como o de uma gaivota e tornou a desaparecer no interior da cabana, como um animal que entra em sua toca. Flora estremeceu um pouco. Eu cheguei mais para perto e deixei o dorso de minha mão roçar em sua manga esperando que ela a segurasse, mas ela não fez isso e eu recuei para a distância anterior. Nós chegamos ao promontório e nos sentamos nas rochas. Alguns barcos balançavam suavemente nas ondas. Contei a Flora a história do barco pesqueiro de meu pai e sobre o incidente no qual os dois Iains tinham se afogado. Descrevi como minha mãe costumava ir até o píer em Toscaig para ver meu pai trazer o barco. Não sei dizer por que contei isso, exceto talvez por eu querer despertar a comiseração dela, para que gostasse mais de mim. Quando terminei, ela disse que era uma história muito triste, e eu lamentei tê-la contado.

Para quebrar o silêncio que crescia entre nós, perguntei se ela iria trabalhar novamente na Casa Grande.

"Se me chamarem, e se eu tiver me saído bem", ela respondeu. Então lembrei-me da garota que tinha observado na escola, sempre ansiosa por agradar o sr. Gillies, e senti que talvez ela não tivesse mudado tanto assim, afinal. Ela me disse que no ano seguinte, quando tivesse dezesseis anos, seria enviada para ficar a serviço de um comerciante em Glasgow. Sua mãe conseguira-lhe o emprego por intermédio da governanta na Casa Grande. Flora perguntou se eu já estivera em Glasgow, e respondi que, por causa do medo que meu pai tinha de água, eu nunca tinha ido além de Kyle of Lochalsh. Ela contou-me muitas histórias sobre as grandes ruas, empórios e residências na cidade. Perguntou se eu não tinha planos de deixar Culduie, e eu lhe disse que meu pai precisava de mim para trabalhar no sítio e, de qualquer maneira, eu não queria ir a lugar nenhum, pois Culduie era onde eu havia nascido e onde queria passar minha vida. Flora expressou a opinião de que havia muito mais no mundo do que Culduie e que com certeza eu queria ver um pouco disso. Eu não respondi, pois desde que a conhecera não tinha querido mais do que aquilo que estava a meu alcance.

Flora disse-me que esperava, quando estivesse em Glasgow, chamar a atenção de um belo jovem que faria dela sua mulher. Eu respondi que estava certo de haver muitos jovens em Culduie que gostariam de fazer isso.

Flora olhou para mim com uma expressão séria e intrigada. "Você não está se referindo a você mesmo, está?", disse ela.

Eu olhei para longe dela, para o mar.

"Se você não estava se referindo a si mesmo, estava se referindo a quem?", ela insistiu, num tom brincalhão.

Eu me virei para encará-la. Então, sem pensar, levei meu rosto até o dela e por um momento meus lábios roçaram sua bochecha. Flora recuou e pôs-se de pé.

"Roddy Black!", ela disse. Depois deu uma risadinha e eu também ri, para mostrar que só tinha feito aquilo de brincadeira.

Após alguns instantes, ela tornou a sentar ao meu lado. Nenhum de nós disse nada. Eu só queria sair correndo e começar a chorar.

Flora me empurrou de brincadeira no braço e disse que eu só era um garoto bobo que não sabia nada sobre o mundo. Seja como for, havia, mesmo em Culduie, as seis filhas de Kenny Smoke para eu correr atrás. Eu não disse no que estava pensando, pois não queria me expor ainda mais ao ridículo.

Quando caminhávamos de volta para Culduie, o fato de saber que Flora tencionava deixar Culduie pesava muito dentro de mim. Dei-me conta de que eu, unilateralmente, havia imaginado um futuro no qual ela e eu estaríamos juntos. Não sei dizer quando esses pensamentos chegaram a minha mente pela primeira vez, mas com certeza antes de nosso encontro no barracão eu nunca tinha considerado a ideia de me casar. Minha vida até então tinha sido com meu pai e com Jetta, e até conhecer Flora eu não quis nenhuma outra companhia. Amaldiçoei a mim mesmo por ter concebido tais fantasias. Percebi que para

Flora eu não era nada mais que uma distração, que ela esqueceria no momento em que pusesse o pé na cidade.

Flora deve ter visto que eu estava abatido, pois tentou sustentar uma conversa sobre assuntos triviais, e me cutucava jocosamente com o ombro, mas eu enfiei as mãos mais fundo nos bolsos de meus calções e não respondi.

Nenhum de nós estava de bom humor para o Encontro de Verão quando ele chegou, mas Jetta tinha tricotado um grande número de xales para vender no mercado, assim não havia como não ir. Meu pai declinou de nos acompanhar, contentando-se em murmurar uma advertência para que eu evitasse problemas. Eu lhe garanti que não tinha intenção de me meter em nenhum problema, e a ausência dele contribuiu para tornar nosso humor mais leve quando saímos.

As mercadorias de Jetta estavam empilhadas num *hurlie*, e os gêmeos, regozijando-se, estavam em cima delas. Na estrada havia uma multidão de grupos, todos parecidos, e havia cantoria e um ambiente geral de festa. Jetta juntou-se aos cantos, por causa das crianças, e, para um observador de fora, devíamos parecer vagamente uma família feliz. De minha parte, eu continuava sob o peso de sentimentos melancólicos em relação a Flora Broad, mas resolvi, por causa de meus irmãos, deixar isso de lado. Quando nos aproximamos de Camusterrach, passamos pela Cebola, que se movimentava num ritmo tão lento que devia ter saído de casa dois dias antes, eu comentei. Jetta apressou o passo quando passamos por ela, depois beliscou o nariz e fez uma careta. Os gêmeos riram e imitaram seu gesto. Depois nos encontramos com os Smoke, e Jetta conversou em sussurros com a filha mais velha. Carmina Smoke perguntou por meu pai e eu lhe disse que tinha ficado para cuidar do sítio. Ela olhou para mim com ar cético, porém não disse mais nada. Pelo resto da jornada eu fiquei atrás do grupo, sem falar com ninguém.

A estrada entre o litoral e a fileira de casebres que constituíam a aldeia de Applecross estava abarrotada de mesas montadas em cavaletes, onde se exibiam queijos, entalhes em madeira, cachimbos, *gimcracks* e itens de vestuário. Jetta achou um lugar já na extremidade da aldeia e arrumou suas coisas no carrinho, antes de se sentar na mureta à beira-mar. Os gêmeos brincavam a seus pés. Eu vagueei por alguns momentos e depois caminhei de volta ao longo da aldeia. Parecia que toda a paróquia estava apinhada na estrada, que não era larga. As mulheres estavam vestidas com suas melhores roupas. Os cabelos das garotas estavam lindamente penteados e ornados com flores. Eu me perguntei se iria ver Flora Broad, mas tinha certeza de que ela não ia querer passar o tempo comigo. Os arrendatários misturavam-se aos convidados da Casa Grande, que conversavam em altas vozes e apontavam com rudeza para as mercadorias lá expostas.

Eu estava atrás de dois cavalheiros bem-vestidos e escutava sua conversa. O primeiro declarou em voz alta, "Esquecemos facilmente que ainda existe essa gente primitiva em nosso país". Seu companheiro assentiu solenemente e perguntou em voz alta se não se poderia fazer mais por nós. O primeiro cavalheiro expressou então a opinião de que era difícil dar assistência a pessoas tão incapazes de fazer qualquer coisa em prol de si mesmas. Eles fizeram então uma pausa para beber de um frasco e olharam para um grupo de garotas que passava. Não esperei para ouvir as observações que estavam fazendo e continuei a caminhar pela rua.

Avistei Archibald Ross encostado no umbral do albergue. Vestia uma bela roupa de tweed e calçava sapatos marrons, os calções enfiados nas meias. Examinei-o por alguns momentos. Parecia, de alto a baixo, o jovem cavalheiro de uma caçada. Embora eu estivesse a uns poucos metros, ele não pareceu ter me reconhecido. Lembrei que havia passado quase um ano desde que tínhamos nos conhecido, e dei um ou dois passos em sua direção. Ele segurava um cachimbo na mão direita, e vi que estava com fumo e aceso. Pensei que talvez depois de minha proeza na montanha ele não quisesse ter alguma ligação comigo, mas um olhar de reconhecimento lhe passou pelo rosto e ele estendeu a mão e exclamou, "Roddy, meu velho amigo!". Apertamos as mãos calorosamente, e eu me senti gratificado por ele não demonstrar nenhum ressentimento para comigo.

"Pensei que você estivesse no Canadá agora", eu disse.

"Canadá?", disse ele.

"Com seu primo."

Ele fez um gesto vistoso com o cachimbo. "Não há nada para nós no Canadá atualmente. As coisas lá estão piores do que aqui. Além disso, eu agora estou com o *ghillie*."

Eu assenti, e disse-lhe que ficava muito bem naquela roupa. Ele acenou com o cachimbo ostensivamente, descartando meu comentário, e depois o devolveu à boca, soprando baforadas com grande ímpeto. Naquele momento, desejei ardentemente ter meu próprio cachimbo. Ele então pegou meu braço e me levou para dentro do albergue. Olhei para trás por cima do ombro, com medo de que um de nossos vizinhos me visse. Nunca tinha estado antes no albergue. Meu pai o considerava um antro de iniquidade e declarava constantemente que os que o frequentavam estavam no caminho da fogueira eterna. Dentro, apinhavam-se muitos homens em mangas de camisa, berrando alegremente uns para os outros. Archibald nos conduziu através da multidão até uma mesinha num canto, sobre a qual uma mulher corpulenta com um vestido xadrez estava depositando duas canecas de pedra com cerveja. Archibald pegou uma delas e, batendo com ela na outra ruidosamente, declarou: "À saúde de quem gosta de nós".

Peguei minha caneca e me surpreendi tanto com seu peso que quase a deixei cair, mas repeti seu brinde. Depois bebemos.

A cerveja tinha gosto ruim e eu a teria cuspido no chão se estivesse sozinho. Archibald tomou um segundo e longo gole, depois cutucou-me com o cotovelo nas costelas para que eu fizesse o mesmo.

"Genial ver você, meu velho", declarou. "Você é um personagem e tanto, não?"

Estava tão encantado por estar na companhia de um sujeito tão legal como Archibald Ross que levei minha caneca aos lábios e esvaziei metade de seu conteúdo em minha goela. Eu me perguntei o que meu pai pensaria ao me ver num lugar como aquele, mas quando a cerveja bateu no estômago, não liguei mais para isso. Dois homens robustos que estavam à nossa esquerda, os braços de um em torno dos ombros do outro, cantavam com o maior entusiasmo:

Quando estávamos em Coille Mhùiridh
Os habitantes das Terras Baixas não vieram nos acordar
E sim bezerros mugindo e veados bramindo
E o cuco fazendo música na primavera.

Não demorou muito e todos cantavam juntos. Archibald levantou-se e, sem entoar melodia, berrou as palavras:

Meu país é o país lindo,
O país é claro, hospitaleiro e vasto,
Há veados na entrada de todo desfiladeiro,
E o cervo, a corça, o galo-silvestre e o salmão.

A essa altura, os dois homens que oscilavam à minha esquerda caíram por cima de mim, derramando o que restava de minha cerveja. Archibald os enxotou rudemente e pediu à proprietária mais duas cervejas. A canção foi definhando numa mistura de corpos enlaçados e risos. Mais duas canecas foram devidamente trazidas e Archibald retomou seu assento muito satisfeito consigo mesmo.

"Bem, sr. Macrae, a nós e àqueles que gostam de nós!"

"Àqueles que gostam de nós!", repeti.

A segunda cerveja tinha um gosto muito melhor do que a primeira, e concluí que a primeira devia estar estragada. Archibald explicou-me então como, no fim da temporada do ano anterior, o *ghillie* tinha lhe proposto fazer dele seu aprendiz, e agora ele estava morando nos alojamentos que ficam atrás da Casa Grande. Ganhava um shilling por dia e mais do que isso se fazia algumas tarefas para os hóspedes de lorde Middleton. Estes me pareciam ser muito ricos, e eu disse isso a ele.

"Eu poderia indagar se haveria algum cargo para você", disse ele, "mas temo que o *ghillie* não tenha uma boa lembrança de você." Ele então agitou os braços e cacarejou ruidosamente, imitando meu desempenho na montanha e rindo com estardalhaço. Archibald deve ter percebido que eu estava de crista caída, pois imediatamente abafou suas gargalhadas e perguntou quais eram meus planos para o futuro. Eu lhe disse que estava trabalhando nas estradas e no sítio de meu pai, e me sentia contente por fazer isso. Archibald assumiu uma expressão séria e perguntou se esse era o limite de minha ambição. Não querendo desapontá-lo, disse que esse arranjo era apenas para o curto prazo, e assim que tivesse economizado dinheiro suficiente tencionava tentar a sorte em Glasgow. Archibald, assentindo, aprovou essa inverdade.

"Ouvi dizer que lá existem grandes oportunidades para um homem com ambições", disse ele.

Concordei, grato por não ter me feito mais perguntas, e ele gritou pedindo mais cerveja. Estávamos agora muito animados, e ele me contou algumas histórias sobre os cavalheiros que frequentavam a propriedade, imitando, com grande efeito, seus hábitos e sua maneira de falar. O *ghillie*, ele me contou, não era nem metade tão temível quanto parecera da primeira vez, e frequentemente convidava Archibald para seu pavilhão, onde à tardinha sentavam-se junto à lareira, fumando seus cachimbos e relembrando os eventos do dia. Quando não havia caçada, o *ghillie* ensinava a Archibald a arte de perseguir a caça, de modo que agora ele poderia dizer, examinando folhas quebradas de capim, ou alterações nas urzes invisíveis a olhos não treinados, se havia cervos nas proximidades e em que direção estavam indo. Archibald jactou-se de que agora conhecia as montanhas e os vales melhor do que o interior de sua própria casa, e confesso que fiquei com muita inveja de sua nova ocupação na vida. Ele começou a reencher seu cachimbo e perguntou por que eu não tinha um também. Respondi que estava economizando todo o meu dinheiro para minha viagem a Glasgow e não queria gastá-lo com fumo. Archibald opinou que tais hábitos fariam de mim um homem saudável. Por um momento, me imaginei como um rico comerciante, sentado à lareira de uma grande casa urbana, com Flora costurando a meu lado.

Não sei por quanto tempo ficamos no albergue ou quantas canecas de cerveja bebemos, mas a certa altura a turba saiu toda para a rua. Estava chegando a hora do grande evento do dia, a partida de *shinty* entre as paróquias de Applecross e do Promontório. Archibald pagou a conta, o que foi uma sorte, pois eu não tinha dinheiro. Ele recusou com um gesto meus agradecimentos, insistindo que, tendo me convidado para um drinque, ele seria um patife se me deixasse pagar.

Eu estava balançando sob o efeito da cerveja, mas não me sentia envergonhado por isso. Caminhava pela rua, empurrado pela multidão e atraindo olhares desaprovadores de quem passava. Archibald pôs um braço sobre meus ombros e juntos tirávamos nossos bonés a todos e a cada um, e nos achávamos os mais encantadores dos sujeitos. No final da estrada chegamos ao ponto em que Jetta tinha arrumado suas mercadorias. Ela pareceu ficar chocada com meu estado de embriaguez.

"Espero, para seu bem, que papai não venha a saber de sua condição", disse ela em voz baixa.

Ignorei seu comentário e, com um gesto em direção a meu companheiro, disse, "Deixe-me lhe apresentar meu amigo, o sr. Archibald Ross".

Archibald fez uma elaborada reverência. "Encantado em conhecê-la, srta. Macrae", disse ele. "Não é possível que haja moça mais bonita na paróquia." Ele então pegou sua mão, mesmo sem ela oferecê-la, e a beijou. Jetta olhou para ele perplexa, sem dúvida se perguntando como seu irmão tinha travado conhecimento com um sujeito tão encantador. Archibald deu um passo para trás para examinar as mercadorias de Jetta. Assumiu ares de conhecedor, passando os itens suavemente entre os dedos e murmurando elogios. Jetta parecia estar contente com essa atenção e nos disse que não fazia dez minutos tinha vendido um xale para uma dama da Casa Grande, por um shilling.

"Um shilling!", disse Archibald. "Você está vendendo barato demais seu belo trabalho, minha querida."

Declarou então que compraria para sua mãe o xale que estava segurando, e que daria a minha irmã dois shillings por ele. Jetta ficou muito satisfeita e lhe agradeceu profusamente. Quando Archibald estava se afastando da barraca ela me deu um shilling e disse-me que não contasse a meu pai uma só palavra sobre as vendas dela. Eu pus a moeda no bolso e fui atrás de Archibald na multidão, contente porque poderia mais tarde convidá-lo para ir ao albergue e tomar mais cerveja. Continuamos a caminhar para além da aldeia, em direção à Casa Grande, onde se realizaria a partida.

"Sua irmã é muito vistosa, mas veste-se como uma velha", disse-me Archibald num tom afável. "Ela nunca vai achar um marido vestida com uma roupa tão pouco lisonjeira. Se um sujeito vir uma moça envolta em pano de saco, terá todo o direito de supor que ela tem bons motivos para ocultar o que está por baixo, ha ha."

Ele fez seu familiar floreio com o cachimbo, que, eu agora compreendia, pretendia significar que, fosse qual fosse a declaração que tinha feito, ela era indiscutível. Devo admitir que havia certa verdade em suas palavras, e se eu olhasse para Jetta com olhos imparciais, ela não parecia ser muito atraente. E como para acentuar esse ponto, havia à nossa volta um sem-número de garotas atraentes, enfeitadas com belos vestidos e cujos cabelos iam presos em formosos coques, de modo que era possível ver a pele macia e clara do pescoço delas.

Archibald pegou então o xale que tinha comprado, o amassou e enfiou num arbusto. Eu fiquei horrorizado e perguntei o que ele queria dizer com esse ato. Archibald deu de ombros e olhou para mim com um sorriso no rosto.

"Velho amigo, eu não daria um trapo desses a meu cão para ele dormir em cima. Só o adquiri para que sua irmã tivesse um pouco de dinheiro a fim de comprar para si uma roupa menos enfadonha."

Pensei nas muitas horas que minha irmã tinha trabalhado para produzir o xale e senti-me muito magoado com a frieza de meu amigo. Pensando que Jetta poderia ver mais tarde seu trabalho descartado no arbusto, corri de volta e o tirei de lá. Estava agarrado em espinhos, e levei algum tempo para soltá-lo dos galhos. O xale estava arruinado, mas eu o dobrei o mais cuidadosamente que pude e o enfiei dentro de meu casaco. Archibald me observava com ar divertido.

"O que você vai fazer com ele agora?", disse, quando o alcancei. "Está todo destruído."

Eu não estava disposto a responder. Continuamos em silêncio por alguns minutos. A partida de *shinty*, programada por ordem do *laird*, seria realizada num campo que fora marcado com serragem, em frente à Casa Grande. Espectadores tinham começado a se juntar em torno das marcações. Após alguns minutos, meu ressentimento com Archibald havia desvanecido. Ele deve ter percebido isso, pois recomeçou a falar num tom confidencial.

"Eu, por mim, não pretendo casar tão cedo. Por que jovens como nós se restringiriam a um prato só quando há tantos a serem degustados?", disse ele, olhando para um grupo de garotas. "Se sua irmã gastasse o dinheiro dela sensatamente, eu consideraria levá-la para dar uma volta atrás do albergue. Depois dos dois shillings que lhe dei, ela sem dúvida sentirá que de algum modo tem uma obrigação comigo."

Ele me cutucou nas costelas com o cotovelo, e, tendo só uma vaga ideia do que ele estava querendo dizer, assenti, concordando. Os hóspedes de lorde Middleton estavam sentados em cadeiras dispostas no lado mais afastado do campo. Como essa área, claramente, destinava-se à aristocracia, os aldeões espalharam-se em torno dos três lados restantes. Um toldo fora erguido e, como a partida não tinha começado, a maioria dos homens do povo perambulava perto de sua entrada. Archibald guiou-me para dentro da tenda, onde comprou duas doses de uísque. Brindamos e bebemos, e quando o álcool chegou a meu estômago eu logo esqueci o incidente com o xale. As equipes entraram em campo e tomamos um lugar entre a multidão, que agora se apertava tão rente às bordas do campo que havia pouca necessidade do perímetro de serragem. Havia muitos gritos, de todos os lados.

Naturalmente, foi Lachlan Broad quem assumiu o papel de liderança na equipe do Promontório, batendo rudemente nos ombros de seus companheiros de equipe para despertar seu entusiasmo. Ele era uma figura imponente, indo para o centro do campo com o peito estufado, seu *caman* apoiado no ombro como se fosse um machado. O restante de nosso time, à exceção de Kenny Smoke, era uma turma lastimável e desarrumada, cuja maioria aparentava um ardente desejo de estar em outro lugar. Desde garoto eu sentia forte aversão por todos os jogos, e o *shinty* era, para mim, um espetáculo particularmente violento e ridículo. Na escola, eu ficava vagueando por um lado do campo e corria no sentido contrário se a bola viesse em minha direção. Apesar da carência em nossa paróquia de jovens fisicamente capacitados, minha inaptidão era tanta que nunca entrei na lista dos participantes.

O jogo começou com o tinido do choque de bastões no centro do campo. Dois homens desabaram imediatamente e foram tirados de lá, enquanto o jogo estrondeava em torno deles. Lachlan Broad pegou a bola no meio de campo e deu-lhe poderosa batida em direção ao gol de Applecross. Depois atravessou a relva para repreender Dunkie Gregor, que mal tinha doze anos de idade, por não ter recebido seu passe. Enquanto isso a bola foi lançada de volta para longe do gol e, entre muitos ruídos de choques de bastões e ossos, foi lançada e passou entre as traves do gol. Lachlan Broad, provocando risos na multidão, atirou Dunkie Gregor no chão e voltou correndo para punir o restante de seu time. Os jogadores de Applecross comemoraram seu gol tomando um trago de uísque de um *quaich*, atrás do gol. Quanto mais o jogo transcorria, mais descambava em violência, e mais veementemente a multidão exortava cada time a atacar seu adversário. Os cavalheiros sentados no outro lado do campo pareciam estar achando o espetáculo enormemente divertido e torciam pelos combatentes com *gusto*. Archibald aplaudia também cada novo ataque, com um fervor cada vez maior. A multidão chegou ao máximo do prazer quando uma mulher idosa levou uma bastonada no lado da cabeça e caiu no chão inconsciente. No fim, a bola foi totalmente esquecida e, com a multidão formando um círculo no centro do campo, os times começaram a se espancar um ao outro com seus bastões, na cabeça e nas pernas. E então, sem aviso ou explicação, a batalha terminou e os dois times foram, simultaneamente, aclamados por sua torcida como vencedores. Os jogadores, sangrando, foram carregados nos ombros, passando entre eles recipientes com uísque. Archibald e eu seguimos atrás, meu amigo entusiasmado com alguns atos de especial violência. Um *quaich* foi enfiado em nossas mãos e bebemos em grandes goles. A multidão agora girava em torno de mim e eu propus a Archibald que voltássemos ao albergue para tomar um pouco mais de cerveja. Ele insistiu para que ficássemos ali na tenda, pois todas as garotas da aldeia estavam lá e poderíamos, ele disse, tentar a sorte com elas.

Depois de abrir caminho para nós na tenda e comprar mais cerveja, Archibald começou a apreciar as garotas, que estavam em torno do denso perímetro formado pelos homens, próximas o bastante entre si para cochichar uma na orelha da outra, rostos corados de excitação com o espetáculo. Foi então que avistei Flora Broad caminhando lentamente na orla do campo de *shinty*. Estava na companhia de uma garota alta que eu não conhecia e parecia profundamente envolvida numa conversa com dois jovens cavalheiros. Notei, com desgosto, o modo com que seu rosto estava ansiosamente voltado para cima, em direção a esses galanteadores. Os dedos de sua mão direita brincavam continuamente com um cacho de seu cabelo, que estava lindamente penteado para a ocasião. Como eu não estava ansioso por renovar o nosso conhecimento, tentei levar Archibald para mais além na multidão, mas ele estava indo na direção de um grupo de garotas e, como estavam na direção oposta à de Flora, alegremente segui seus passos. Eu sentia alguma dificuldade para pôr um pé à frente do outro, e, quando enfim o alcancei, Archibald estava se apresentando de modo encantador a três jovens, todas elas adornadas com vestidos bordados. Ele então me apresentou, nos termos mais lisonjeiros. Eu tirei meu boné e fiz uma espécie de reverência, e só consegui fazer as garotas darem risadinhas abafadas.

"E por que vocês não participaram do jogo?", perguntou a mais alta delas.

Archibald fez um aceno com seu cachimbo. "Somos do tipo de sujeito que prefere vencer seus adversários com astúcia, e não com porretes", ele declarou.

Então cutucou minhas costelas, sem dúvida querendo que eu confirmasse sua afirmação por meio de uma observação inteligente, mas eu não consegui produzir nada além de um sorriso idiota. No entanto, Archibald não desanimou, e começou a informar as garotas que eu logo faria grande fortuna como comerciante em Glasgow.

"Mas este não é filho de Black Macrae?", perguntou a mais alta, apontando um dedo acusador em minha direção.

"Verdade, ele é dos Black Macrae, mas eu lhe diria que nenhum de nós é escravo da reputação que nossos antepassados nos deram", disse Archibald grandiosamente.

Senti que precisava contribuir com alguma coisa para o discurso, mas só consegui acenar com meus dedos no ar e oscilar na direção das garotas, de modo que Archibald teve de me segurar pelo cotovelo para evitar que eu caísse entre elas.

Em seguida, ele perguntou às garotas se elas se incomodariam de dar uma volta pelos terrenos da propriedade conosco, uma vez que, disse ele, era difícil conversar no meio daquela massa de bêbados. As garotas recusaram, e com uma breve reverência Archibald levou-me embora segurando meu braço. Não parecia estar nem um pouco intimidado com essa rejeição, insistindo em vez disso que eu só precisava de um pouco mais de cerveja para soltar minha língua e neutralizar os efeitos do uísque que tínhamos bebido. De volta à tenda e com canecas de cerveja na mão, eu disse a Archibald que não tinha interesse naquelas garotas e que meu coração estava com outra. Archibald perguntou quem era essa garota e eu lhe contei algo do que tinha havido entre mim e Flora Broad. Quando terminei, Archibald sugou por alguns momentos seu cachimbo como que avaliando seriamente a minha situação. Depois agarrou minha lapela e puxou-me para bem perto dele.

"Se posso lhe oferecer um conselho", começou, "não seria melhor que quando você partir para Glasgow você faça isso sem estar preso a nenhuma ligação com este lugar? Você logo esquecerá essa garota quando estiver cercado pelos tesouros que a cidade tem a oferecer."

Eu lhe disse que não conseguia esquecê-la, nem queria.

Archibald assentiu lentamente. Depois, como se tivesse chegado subitamente a uma decisão, jogou seu cachimbo no ar e declarou. "Neste caso você tem de contar a ela o que sente".

Eu lhe contei então nossa conversa em Aird-Dubh, omitindo os detalhes mais humilhantes.

"Se seus sentimentos são tão profundos quanto você sugere", disse Archibald, seu braço agora enlaçando meus ombros, "você tem de fazer alguma declaração a ela. Pelo menos assim você vai saber propriamente em que pé estão as coisas. Seja como for, não deve desanimar tão facilmente. É bem comum uma garota desdenhar os avanços de um rapaz, mas essas recusas não devem ser levadas a sério. Na verdade, deveria ser considerada uma demonstração da sua estima por você o fato de ela não se entregar logo na primeira oportunidade. Ela está meramente testando sua determinação. Você com certeza já viu um galo num galinheiro. Ele tem de fazer uma exibição das penas de seu rabo. Uma jovem mulher é exatamente como uma galinha, ela tem de ser cortejada. Você tem de se pavonear um pouco para ela, Roderick."

Ele então imitou um galo, agitando os cotovelos como se fossem asas, jogando a cabeça para trás e cacarejando. Alguns homens a nossa volta pararam de beber a fim de olhar para ele. Quando concluiu sua demonstração, ele acenou com um dedo para mim. "Você quer ser um galo ou um corno?", declarou, evidentemente orgulhoso desta sua máxima.

Eu então expliquei que mesmo que meus sentimentos fossem correspondidos, havia muita animosidade entre nossas famílias e que o pai dela nunca consentiria que ficássemos juntos.

"A mim parece", disse Archibald, "que você, em sua mente, criou tantos obstáculos que já derrotou a si próprio antes mesmo de ter começado." Ele então me espetou rudemente um dedo na testa e disse-me que eu devia fazer menos uso do que havia entre minhas orelhas e mais uso do que havia entre minhas pernas. E nesse exato momento eu vi, por cima do ombro de Archibald, que Flora tinha deixado seus admiradores e estava caminhando, de braço dado com sua amiga, em torno do perímetro do agora deserto campo de *shinty*. Eu não respondi ao conselho de meu companheiro e devo ter demonstrado o momentâneo *dwam* que me invadiu.

"Percebo pela cor de suas bochechas que você avistou a donzela em questão", disse ele, apontando a haste de seu cachimbo na direção das duas figuras. "Vamos resolver essa questão de uma vez por todas."

Eu não estava querendo resolver questão nenhuma e, para começo de conversa, me arrependi enormemente de ter revelado meus pensamentos sobre Flora, mas Archibald já tinha se posto a caminho, com o braço encaixado firmemente em torno de meus ombros. Quando nos aproximávamos das duas figuras, eu protestei dizendo que não achava que estivesse na mínima condição de conversar adequadamente.

Archibald afastou com um gesto minhas objeções. "Bobagem", declarou. "Você chegou a esta situação exatamente porque não conseguiu se expressar. Se sua língua estiver solta agora por causa da cerveja, tanto melhor."

Cortamos caminho pelo centro do campo, de modo que quando Flora e sua companheira dobrassem o canto do campo pareceria que estávamos nos encontrando com elas por acaso. Estavam tão envolvidas em sua conversa que não nos notaram até estarmos a apenas alguns metros de distância. Àquela altura era impossível, a menos que saísse correndo, evitar nosso encontro. Archibald começou a discursar em voz alta sobre a grandiosidade da paisagem e nosso pequeno lugar dentro dela, para então afetar grande surpresa quando quase colidimos com nossa presa.

"Alô, Roddy", disse Flora.

Ela não parecia ter ficado nem um pouco embaraçada com nossa aparição e senti subitamente que talvez nem tudo estivesse perdido entre nós, e que, ao me ver na companhia de um sujeito tão fino como Archibald Ross, ela poderia reconsiderar a opinião que tinha de mim.

Archibald fingiu estar surpreso com o fato de que Flora e eu nos conhecêssemos e insistiu para que eu o apresentasse. Eu fiz isso, e Flora então apresentou sua amiga, Ishbel Farquhar. Archibald fez aquela mesma reverência que fizera a minha irmã e declarou que, se tivesse sabido de tão lindas flores crescendo em Culduie, há muito teria fixado residência lá. As duas garotas se entreolharam e trocaram algum segredo com o olhar. Archibald perguntou então se podíamos acompanhá-las em sua volta em torno do campo, e elas não fizeram objeção. Archibald, depois de explicar seu cargo com o *ghillie*, destacou algumas características da casa e descreveu em termos divertidos alguns aspectos da vida que se desenrolava por lá. Flora adiantou então que durante os meses de verão sua mãe trabalhava nas cozinhas e que ela mesma tinha sido empregada lá. Fiquei irritado com essa conexão de Flora com a vida que Archibald levava. Os dois ficaram fazendo comentários sobre vários membros da casa, e Flora se divertia muito com as descrições e anedotas que meu amigo contava. Ishbel e eu seguíamos em silêncio, e quanto mais Flora ria discretamente da conversa de Archibald mais sombrio ficava meu humor. Quando chegamos aos limites extremos do campo, Archibald interrompeu o que estava dizendo e sugeriu que continuássemos em direção ao riacho, o qual, ele declarou, era muito pitoresco naquela época do ano. Nossas companheiras concordaram e continuamos, passando por alguns barracões em direção ao bosque junto do rio. Archibald perguntou então há quanto tempo Flora e eu nos conhecíamos. Flora respondeu que tínhamos sido vizinhos a vida inteira, mas, como eu sempre fui um garoto solitário, foi só nos últimos meses que ela veio a me conhecer. Archibald respondeu dizendo que eu era uma figura e tanto, e que enquanto muitos jovens ficavam muito felizes ao ouvir a própria voz, eu era um indivíduo muito mais pensativo. Expressou então a opinião de que era uma pena que Flora e eu não tivéssemos tido oportunidade de nos conhecermos melhor, tendo em vista minha partida iminente para Glasgow. Flora demonstrou alguma surpresa ante essa observação.

"Mas e quanto ao sítio de seu pai?", ela perguntou.

"Mudei de ideia recentemente", eu balbuciei.

Flora me olhou de soslaio. "E o que você pretende fazer em Glasgow?"

Archibald respondeu por mim. "Lá há infinitas possibilidades para um jovem empreendedor como Roddy."

Ao ouvir isso Flora e Ishbel entreolharam-se e começaram a rir. Chegamos à ponte de pedra que cruza o riacho. A luz do sol filtrava-se pelas copas das árvores e faiscava na água. Fizemos uma pausa e ficamos os quatro na trilha olhando um para o outro por alguns momentos. Depois, bem subitamente Archibald tomou Ishbel pelo braço e a levou para a ponte, dizendo haver uma coisa que ele gostaria de mostrar a ela. Inclinaram-se em direção à água, seus corpos muito próximos, e Archibald apontou para alguma coisa no rio enquanto falava com ela aos sussurros. Flora e eu ficamos olhando um para o outro. Eu estava constrangido e consciente de minha embriaguez. Por cima do ombro de Flora eu vi Archibald olhando para mim e com um movimento de cabeça instando-me a agir.

Perguntei a Flora se ela gostaria de caminhar um pouco mais comigo. Ela não se opôs, e continuamos pelo caminho ao longo do riacho. Depois de alguns metros, não resisti à tentação de olhar por cima de meu ombro para Archibald, que àquela altura estava tão perto de Ishbel que seus lábios talvez tocassem em seu pescoço. Flora olhou também por cima do ombro, como se não quisesse ficar fora da vista de sua amiga. Embora tivéssemos estado juntos e sozinhos antes, havia agora uma tensão entre nós que antes não existira. Esperei que Flora fizesse alguma observação, mas ela não fez, e, como não consegui pensar em nada para dizer, o silêncio entre nós ficou mais denso. O caminho era estreito e fomos obrigados a caminhar tão próximos que a manga de Flora roçava em meu braço. Lembrando-me do conselho de Archibald, eu disse a Flora que o vestido dela era muito vistoso. O caminho então atingira um declive cheio de lama espessa. Flora aproveitou a oportunidade para propor que voltássemos.

Sugeri que em vez disso nos sentássemos por um momento. Havia uma grande rocha junto ao riacho que nos serviu como um banco. Não querendo deixar crescer novamente o silêncio entre nós, disse a Flora que Archibald e eu tínhamos ido antes ao albergue e compartilhado algumas canecas de cerveja.

"Dá para ver que você andou bebendo", disse Flora, "e posso imaginar o que seu pai vai fazer quando descobrir."

Respondi dizendo que meu pai não precisava nunca saber, e, de qualquer maneira, valia a pena passar algum tempo na companhia de um sujeito fino como Archibald.

Flora disse então que não gostava dele e que não achava que ele fosse um amigo adequado para mim. Fiquei muito ofendido em nome de meu amigo, mas não disse nada e mais uma vez ficamos em silêncio. Talvez Flora tenha sentido que me magoara, porque foi ela quem falou em seguida.

"Então você mudou de ideia?", disse, referindo-se a nossa conversa de antes. "Eu pensava que você estava bem casado com Culduie."

Talvez tivesse sido o uso da palavra "casado" que soltou minha língua, mas embarquei então espontaneamente na declaração de meus sentimentos.

"Não é com Culduie que quero me casar, mas com você", eu disse. "Eu iria para Glasgow ou para o Canadá ou para qualquer lugar para estar com você."

Flora olhou para mim tomada de surpresa. O rubor me subira ao rosto, e imediatamente arrependi-me de meu repente.

"Roddy", ela disse, "tenho certeza de que, quando você ficar mais velho, vai encontrar uma mulher, mas não serei eu."

Senti lágrimas brotando em meus olhos e para que Flora não as visse eu a tomei pelos ombros e enterrei minha cabeça em seus cabelos. Por um momento senti a pele do pescoço de Flora contra meus lábios e aspirei seu cheiro. Senti algo fluindo em minha virilha. Flora pressionou seu cotovelo em meu peito e me empurrou com alguma violência. Então me deu um tapa no rosto com força, e em meu choque escorreguei da rocha e aterrissei de costas no musgo. Flora levantou-se e saiu correndo entre as árvores. Eu fiquei deitado lá por algum tempo com a mão no rosto. Depois me aprumei e enxuguei minhas lágrimas com a manga da camisa, antes de fazer o caminho de volta pela trilha. Archibald estava esperando por mim na ponte, fumando seu cachimbo. Para meu alívio, Flora e Ishbel tinham ido embora.

Eu me sentia terrivelmente deprimido com o que havia acontecido, mas Archibald pareceu ter achado muito divertido. Enquanto voltávamos para a aldeia ele ficou falando sobre o incidente mais e mais, com floreados ainda mais elaborados, e eu me arrependi muito de ter lhe feito confidências. Mantive os olhos presos no caminho sob meus pés. Flora tinha razão, eu não passava de um garoto bobo. Archibald deve ter percebido que eu estava triste, pois parou com suas provocações e pôs um braço em torno de meu ombro.

"Vamos lá, velho amigo", disse ele, "é melhor para você ir para Glasgow sem peso e sem compromisso."

Eu não estava a fim de ouvir suas comiserações, não só porque as palavras me soavam ocas, mas também porque eu sentia que ele tivera um papel deliberado em minha rejeição. Tentei livrar-me de seu braço, mas ele o manteve com firmeza. Lágrimas turvavam meus olhos. Archibald parou de caminhar de repente e ficamos cara a cara. Eu virei a cabeça, esperando que zombasse de mim, mas ele não fez isso, ficou apenas se desculpando por sua insensibilidade com o que chamou de meus "melhores sentimentos". Eu me senti um tanto apaziguado e enxuguei as lágrimas do rosto com as costas da mão.

"Do que você precisa, meu amigo", disse ele, com uma batidinha em meu ombro, "é de um bom jarro de cerveja."

Forcei um sorriso e fomos novamente em direção ao albergue. Tirei do bolso o shilling que Jetta tinha me dado e mostrei a ele.

"Vamos ficar bêbados como lordes", declarou Archibald.

O albergue estava ainda mais apinhado do que antes, mas Archibald atravessou facilmente a multidão, arrastando-me atrás dele pela manga de meu casaco. Um violinista e um acordeonista tocavam danças escocesas num canto. Não demorou muito e estávamos sentados a uma mesa com canecas nas mãos e eu me senti muito animado.

"Àqueles que gostam de nós!", gritou Archibald.

Todos os homens a nossa volta ergueram suas canecas e repetiram o brinde de Archibald e senti-me orgulhoso de estar na companhia de um sujeito assim. Arrependi-me de lhe ter dito que ia embora para Glasgow, e quis continuar a ser amigo dele e a me encontrar com ele toda noite no albergue para consumir grandes quantidades de cerveja. Logo estávamos cantando e bebendo nossa cerveja com prazer. Eu não tinha ideia de quanto custava um quartilho de cerveja nem se meu shilling ia dar para pagar, mas estava indiferente a essas considerações. Archibald subiu numa cadeira e liderou a turma toda numa canção, sendo veementemente aplaudido. Canecas apareciam em nossas mãos com grande frequência e eu senti um surto de camaradagem com meus compatriotas. O incidente com Flora e as agruras de minha família estavam esquecidos. Eu tinha descoberto a união entre os homens. Para expressar meu entusiasmo, subi numa mesa e despejei uma caneca de cerveja em minha cabeça. Comecei então a gingar acompanhando a melodia do violino, alçando as mãos acima da cabeça e girando como um pião. Os homens lá embaixo batiam nas mesas marcando o ritmo, até que perdi o equilíbrio e me estatelei no chão. Levantei-me sob grandes aplausos e continuei a dançar. Foi nesse momento que vi Lachlan Broad de pé à minha frente com vários de seus familiares. Subitamente eu me senti um idiota e parei com minhas cabriolas. As batidas na mesa que tinham me acompanhado foram diminuindo e cessaram. Algumas vozes pediram-me que continuasse, mas eu não tive vontade de continuar a fazer de mim mesmo um espetáculo. Minha camisa estava ensopada de cerveja e meu cabelo estava grudado na cabeça.

Lachlan Broad deu um único passo em minha direção.

"Vamos lá, Roddy Black, não pare por minha causa."

Ele pediu aos músicos que tocassem. Os homens à minha volta batiam palmas me incentivando a recomeçar, mas fiquei parado ali mesmo. Lachlan Broad pegou um jarro de cerveja de um de seus parentes e, sob aplauso geral, jogou a cerveja em meu rosto.

"Uma dança, garoto!", ele urrou. Atrás dele, Aeneas Mackenzie bateu com o pé no chão marcando um ritmo, grunhindo como um porco. Lachlan Broad, agitando os braços, incitava a multidão até o frenesi.

Eu voei pelo salão de encontro a ele. Ele me recebeu com a palma da mão estendida à frente e me empurrou de volta para o chão. Aterrissei com meu traseiro num emaranhado de pernas. Braços puseram-me de pé e me empurraram de volta para Broad. Dessa vez ele me bateu direto no rosto com a mão em punho. Desabei no chão, depois levantei-me agitando furiosamente meus punhos em sua direção. Houve urros de aprovação e muito riso. O policial deu-me um golpe no diafragma e, quando eu me desequilibrei por cima dele, sua bota me pegou entre as pernas. Fiquei totalmente sem fôlego, estendido no chão e lutando para respirar. Archibald veio e ficou a meu lado mas Lachlan Broad o empurrou brutalmente, tirando-o de lá. Então ele se ajoelhou a meu lado e sussurrou em minha orelha, "Vou botar seu velho fora do sítio no fim do ano, seu *Erse* merdinha imundo".

Depois ele me puxou para me pôr de pé e, agarrando-me pelas lapelas, me jogou violentamente para longe. Caí de costas sobre uma mesa, espirrando cerveja para todos os lados. Fui guindado até ficar de pé e esperei que Broad viesse para cima de mim novamente, mas ele já tinha se divertido e voltara para seu grupo de parentes, que ergueram um ruidoso brinde ao clã dos Mackenzie e esvaziaram suas canecas.

Acordei na manhã seguinte numa vala da estrada, não muito longe de Applecross. Minhas roupas estavam ensopadas e minhas têmporas latejavam dolorosamente. Fiquei deitado ali por algum tempo, mas não consegui lembrar do que houve naquela noite mais do que já relatei aqui. Um corvo me observava da margem da estrada.

"O que você está procurando?", eu lhe perguntei.

"Estava pensando em ter um desjejum com seus olhos", ele respondeu.

"Sinto desapontá-lo", eu disse.

Arrastei-me para fora da vala até a estrada, e pus-me de pé. O corvo acompanhou atentamente o que eu fazia, ainda não convencido de que não teria seu banquete. Ameacei-o com minha bota, ele se ergueu meio metro no ar e depois voltou ao lugar em que estava. Devia ser muito cedo, pois ainda havia orvalho no capim e no ar não se ouvia um som sequer. Comecei a caminhar na direção de Culduie. Estava indiferente quanto à recepção que teria ao voltar. A manhã não estava fria, mas por causa de minhas roupas molhadas eu tremia todo. Os acontecimentos do dia anterior vieram-me à mente e fiquei horrivelmente envergonhado, e resolvi aceitar sem reclamar qualquer castigo que meu pai me aplicasse. Não vi uma só alma na estrada e quando me aproximei de Culduie ainda não havia ninguém trabalhando em suas terras. Pensei que talvez meu pai ainda estivesse na cama e que eu poderia entrar em casa sem ser percebido, mas não foi isso que aconteceu. Quando passava pelo caminho junto aos sítios, senti que havia alguma coisa debaixo de meu braço, abri o casaco e vi que o xale de Jetta ainda estava lá. Não era mais do que uma massa sólida de fibras. Fui até a beira da água e olhando em volta para me certificar de que ninguém me observava, o joguei no mar. Ele se desenrolou na água e ficou preso entre os tentáculos de uma alga que a maré trouxera.

Meu pai estava tomando seu desjejum quando cruzei o umbral. Não olhou em minha direção, nem disse uma só palavra. Não havendo outra coisa que eu pudesse fazer, deitei em meu beliche e fiquei lá o dia inteiro.

Esta manhã, após suas costumeiras perguntas de como eu estava me sentindo, o sr. Sinclair perguntou se eu gostaria de conhecer um cavalheiro que, ele disse, tinha viajado uma certa distância para me ver.

"Meus crimes me elevaram tanto", eu perguntei, "que cavalheiros agora buscam minha companhia?"

O sr. Sinclair sorriu levemente a esta minha observação e informou que receber esse cavalheiro poderia me beneficiar. Eu naturalmente concordei, em primeiro lugar porque não quis desagradar a meu advogado, mas também porque dificilmente um prisioneiro tem o direito de selecionar seus visitantes. O sr. Sinclair aparentou ter ficado contente com minha decisão e saiu para o corredor onde o visitante devia estar esperando. Os dois homens entraram juntos, e como ninguém quis se sentar à mesa em que eu escrevia, ficamos os três de pé, eu debaixo da janela alta, o sr. Sinclair junto à mesa e o cavalheiro ao pé da prancha que me servia de cama, à direita da porta. O sr. Sinclair apresentou o visitante, o sr. Thomson, e explicou que ele era o mais eminente profissional em seu campo, mas não me lembro se ele especificou que campo era. Confesso que achei a fisionomia desse cavalheiro bem repulsiva, e ele deve ter sentido a mesma coisa quanto a mim, pois me observava com uma não disfarçada expressão de repugnância. Era um homem alto — teve de se inclinar para passar pela porta —, com feições bem marcadas e olhos pequenos e azuis. Vestia um terno preto e uma camisa branca tão apertada em seu pescoço que dobras de pele frouxa se derramavam pelo colarinho. Não usava chapéu e seu cabelo era ralo e cinzento, e não crescia mais no alto do crânio. Mantendo as mãos entrelaçadas em cima do peito, seu dedo médio da mão direita fazia girar constantemente um grosso anel com uma pedra verde no quarto dedo da mão esquerda.

Ele dirigiu-se então ao sr. Sinclair. "Com certeza ele é mais franzino do que seria de esperar. O senhor o encontra geralmente alerta quando o visita? Ele dorme muito?"

O sr. Sinclair pareceu estar incomodado de ser questionado dessa maneira. "Eu acho que ele é extremamente alerta e até onde me lembro nunca o encontrei dormindo."

O visitante fez um som de estalido com a língua. "Provavelmente é perturbado pelo som da chave na fechadura."

Ele deu dois passos hesitantes em minha direção, como se tivesse medo que eu pulasse em cima dele. Inclinou a cabeça e ficou alguns minutos examinando meu rosto e o resto de meu corpo. Fiquei perfeitamente imóvel, supondo haver algum motivo que me escapava para esse comportamento rude. Mesmo assim, me senti como uma cabeça de gado. Depois ele se afastou e voltou na direção da mesa. Bateu com os dedos da mão esquerda nas folhas de papel ali empilhadas.

"E estas são as páginas que o senhor diz que ele está escrevendo?"

"As próprias", disse o sr. Sinclair. "Ele tem trabalhado nelas incansavelmente."

O sr. Thomson deu uma fungada pelo nariz. "Tenho muitas dúvidas de que vamos encontrar algo interessante aí. Suspeito, sr. Sinclair, que o senhor esteja sendo um tanto ingênuo na avaliação de seu cliente, mas suponho que isso diz bem do senhor."

Ele então folheou algumas páginas. Senti um forte impulso de atravessar o recinto e arrancá-las dele, pois não queria que lesse as palavras que eu tinha escrito, acreditando que se ele fizesse isso seria com o único propósito de zombar de minhas frases mal compostas. Contudo, não fiz isso, pois não queria confirmar a má impressão que ele parecia ter tido de mim.

Depois ele juntou a ponta dos dedos das duas mãos e perguntou a meu advogado se poderia nos deixar a sós durante alguns minutos. O sr. Sinclair concordou e fez menção de sair. O sr. Thomson o deteve com um movimento de mão.

"O senhor acha que o prisioneiro poderia representar um perigo para sua pessoa?", disse em voz baixa.

O sr. Sinclair sorriu e respondeu que não. Mesmo assim, o sr. Thomson chamou o carcereiro e manteve-o estacionado junto à porta. Em seguida, muito lenta e deliberadamente, ele puxou a cadeira da mesa onde escrevo e se sentou, apoiando um pé na prancha da cama e o cotovelo sobre o joelho.

"Agora, sr. Roderick", ele começou, "você parece ter feito um excelente trabalho iludindo o sr. Sinclair."

Eu não disse nada, porque sua declaração parecia não requerer resposta.

"Sinto dizer, entretanto, que sou de uma estirpe diferente da de seu instruído advogado. Tenho examinado centenas, milhares de pessoas de sua espécie e temo que esteja vendo você exatamente como você é. Temo que você terá muito mais dificuldade para me enganar."

Eu me senti afrontado ao ouvir o sr. Thomson insultar desse modo o sr. Sinclair, mas não achei que fosse prudente entrar em discussão com ele.

"No entanto", ele continuou, "como viajei uma certa distância para examinar você, deveríamos entrar logo no assunto."

O cavalheiro levantou-se e levou um minuto me examinando, o tempo todo tomando notas num caderninho, que devia ter trazido para essa finalidade, e de vez em quando murmurando algo para si mesmo durante a tarefa. Nenhum animal no mercado foi jamais submetido a tão íntima inspeção, mas eu me submeti a todas as suas solicitações e instruções sem objeção.

Uma vez completado seu exame, ele tornou a se sentar, novamente apoiando o pé em minha cama. "Proponho agora fazer-lhe algumas perguntas, e ficaria grato se você pudesse responder o mais completamente que for capaz", disse ele. "O sr. Sinclair me garantiu que você tem uma boa noção de linguagem e que é capaz de se expressar muito lucidamente, então vamos ver, não vamos?"

Meu olhar desviou-se para o carcereiro, que estava parado atrás do sr. Thomson e não demonstrava estar acompanhando a conversa do cavalheiro. Seus olhos estavam voltados para a janelinha na parede, acima de mim, e eu pensei novamente que estar confinado entre aquelas paredes devia ser tão desagradável para ele quanto era para mim. Meus olhos procuraram a janela e depois de algum tempo tomei consciência de que não tinha acompanhado as perguntas que o sr. Thomson me fizera. Voltei meu olhar para ele, que havia tirado o pé de minha cama e sentara-se rigidamente, como se estivesse com algum problema nas costas. Ele ficou em silêncio e depois levantou-se. O carcereiro afastou-se para um lado e o sr. Thomson saiu sem me cumprimentar. O carcereiro fechou a porta e girou a chave na fechadura. Senti que talvez tivesse tratado o cavalheiro com certa descortesia. Não me arrependi disso por causa dele, já que não tinha gostado do sr. Thomson desde o início, mas achei que o sr. Sinclair poderia ficar desapontado comigo, e por isso senti algum remorso.

Meu pai não falou comigo por vários dias depois do Encontro de Verão. Não sei se tinha ouvido falar de minhas extravagâncias no albergue, mas em nossa comunidade poucos acontecimentos ficam sem ser notados e comentados. Jetta também só se dirigia a mim quando necessário, e quando o fazia era de um modo sucinto, ao qual eu não estava acostumado. Se era devido a sua desaprovação a meu comportamento ou por conta de problemas dela mesma, não sei dizer. Nossas refeições eram comidas em silêncio, e o ambiente na casa estava mais sombrio do que nunca. Havia uma sensação geral de pavor, como se estivéssemos todos conscientes de que os acontecimentos logo chegariam a sua conclusão.

Toda noite eu ficava esperando Lachlan Broad aparecer em nosso umbral, mas ele não veio. Contudo, a noção de que nossa visita ao administrador e meus insensatos avanços a sua filha não ficariam sem resposta pesava sobre mim. Não é o golpe que causa a maior aflição, e sim a sua antecipação, e eu estava naquela época num estado de ansiedade que aumentava a cada dia que passava. Não fui chamado para nenhum dos trabalhos de Lachlan Broad, e nem ele nem nenhum de seus familiares tinha se aventurado além do ponto em que as ruas da aldeia se cruzavam. Eu tinha certeza de que o que estava nos aguardando não era a imposição de alguma multa idiota, mas a culminação da campanha do policial contra nós.

Eu ficava em casa o mínimo de tempo possível. Passava os dias arrancando ervas daninhas e tentando melhorar as perspectivas de nossa colheita, mas fazia isso com tal desânimo que, quando largava as ferramentas e ia embora, meu pai não me questionava nem me castigava. No fim da tarde eu ia para as montanhas e ficava sentado olhando para Culduie lá embaixo. Vista de cima e de longe, a aldeia parecia um brinquedo de criança. As pessoas e os animais não eram maiores do que manchas de cinza, e era difícil acreditar que qualquer coisa que ocorresse lá tivesse alguma importância. Pensei no que haveria além das montanhas, nas grandes cidades do sul, e, a oeste, o vasto Atlântico com sua promessa do Canadá. Surpreendi-me perguntando a mim mesmo se poderia, afinal, criar uma nova vida. Em uma coisa Flora tinha toda a razão — não havia nada para nenhum de nós em Culduie. Por que então deveria ficar? Tudo que se precisava fazer era ir embora em alguma manhã e nunca mais voltar. No início isso não era mais do que um pensamento ocioso, mas, durante as horas que eu passava no Càrn, ele começou a tomar conta de mim. Eu ainda não era um prisioneiro. Não havia muros que me impedissem de ir embora. Precisava apenas pôr um pé à frente do outro. Primeiro para

Camusterrach, depois para Applecross e depois, atravessando o Passo, para a metrópole de Jeantown.* De lá eu poderia pegar um barco ou simplesmente continuar caminhando. Eu iria embora sem me despedir. Nem formularia nenhum plano, pois além do Passo eu não conhecia nada do mundo. Por dias a fio essa ideia foi se adensando dentro de mim, até assumir as proporções de uma força irresistível.

E assim aconteceu que numa manhã perfeitamente normal eu saí de casa e caminhei ao longo do *rig*, pulei a mureta e me pus a caminho. Eu não admitia para mim mesmo que estava indo embora. Convenci-me de estar apenas indo em direção a Camusterrach. De lá poderia continuar ou voltar. Não tinha levado nada comigo, nem mesmo comida, pois para isso teria de admitir internamente o que estava fazendo. Não disse nada a Jetta e não me permiti pensar, enquanto a via mexendo o fumegante mingau no *swee*, que nunca mais tornaria a vê-la. Quando cheguei ao topo da montanha que iria tirar Culduie de minha vista, resisti ao impulso de olhar para trás. Para esvaziar a cabeça, contei em voz alta meus passos, e foi assim que caminhei mais de um quilômetro e meio até Camusterrach. Lá cruzei na estrada com o reverendo Galbraith. Ele não me cumprimentou, e eu me perguntei se depois, quando eu não voltasse, ele lembraria de ter me visto.

No início eu andava sem pressa, mas depois de deixar Camusterrach para trás apertei o passo. À medida que crescia a distância entre Culduie e mim, experimentei uma sensação de leveza. Quando cheguei a Applecross me dei conta de que estava correndo, e para não chamar a atenção retomei o ritmo de caminhada. Meu progresso enquanto atravessava a aldeia era observado por alguns velhos sentados em bancos do lado de fora de suas casas. Depois, quando me aproximei do albergue,

* Jeantown é o antigo nome da aldeia de Lochcarron.

avistei Archibald Ross mais à frente na rua, conversando com um homem de barba espessa que reconheci ser o ferreiro. Um cão rodeava seus pés. Não querendo encontrar meu amigo, entrei num vão entre duas casas. Após alguns momentos, pus minha cabeça para fora. Archibald estava se aproximando, o cão em seus calcanhares. Não havia como escapar para a parte de trás da casa, e, a fim de não ser descoberto me escondendo entre as casas, saí de onde estava ajeitando meus calções, como se tivesse ido me aliviar. Archibald não pareceu se surpreender nem um pouco ao me ver aparecer dessa maneira.

"Ora essa, o pugilista voltou! Você levou uma surra de meter medo", disse ele, rindo. "Mas não há nenhuma desonra nisso. O camarada tinha o dobro do seu tamanho."

Eu não disse nada.

"O que traz você a Applecross?"

Eu lhe contei que estava fazendo uma tarefa para meu pai.

"Uma tarefa?", ele repetiu. "Que tipo de tarefa?"

"Assunto de família", eu disse.

"Compreendo", ele respondeu, em tom sério. "E você não confia em seu amigo para contar os detalhes? Bem, não faz mal. Estou certo de que você não vai me recusar o prazer de sua companhia para um copo de cerveja." Ele balançou o polegar na direção do albergue.

Eu sabia muito bem que se entrasse no albergue minha resolução se dissiparia rapidamente, e me desculpei por não aceitar o convite de Archibald.

"Não posso acreditar", ele protestou, "que sua tarefa seja tão urgente a ponto de você deixar seu velho amigo aqui desamparado."

"Tenho de ir para Jeantown", eu disse.

"Mas são quase trinta quilômetros de distância", exclamou Archibald. "Você não pode estar pensando em caminhar essa distância para atravessar o Passo."

"Pretendo passar a noite lá", eu disse.

"Mas primeiro você tem de chegar lá." Ele refletiu sobre meu dilema por um momento, e depois, segurando meu cotovelo, conduziu-me ao longo da aldeia. "Vamos arranjar para você um *garron*", ele disse, excitado com o próprio plano. "Você pode ir montado nele até Jeantown e trazê-lo na volta. Você volta amanhã?"

Assenti, sem falar.

"Tanto melhor!", disse ele.

"Mas não tenho dinheiro para pagar pelo *garron*", eu disse.

Ele descartou com um gesto meus protestos.

"Deixe isso com Archibald Ross", disse. "Não tenho dúvida que você vai achar um jeito de me recompensar no futuro."

Ele então teve a ideia de que na tarde seguinte, depois de eu ter devolvido o pônei, poderíamos tomar uma cerveja no albergue.

"Então talvez você possa me contar sobre sua misteriosa tarefa", disse ele.

Não tive escolha senão acompanhar Archibald ao pátio atrás da Casa Grande, onde havíamos nos conhecido. Ele atravessou o chão de pedras com uma segurança impressionante e enfiou a cabeça pela porta do estábulo. Logo apareceu um funcionário sob o arco de pedra.

"Sele um pônei para o sr. Macrae aqui", disse Archibald sem qualquer explicação.

O funcionário, talvez com cinquenta anos de idade, pareceu hesitar, mas não fez objeção. Enquanto esperávamos no pátio, Archibald encheu seu cachimbo e o acendeu. Seu cão sentou-se a seus pés e olhava para ele com grande devoção. Ocorreu-me que Flora talvez estivesse trabalhando nas cozinhas, e me encostei na parede para não ser visto da janela. Archibald instruiu-me a me assegurar de que o pônei estivesse bem alimentado e bebesse antes da jornada de volta.

Alguns minutos depois, o funcionário trouxe para fora um velho *garron* malhado. Archibald deu-lhe um forte tapa nas ancas e convidou-me a montá-lo, o que fiz com certa dificuldade. Qualquer prazer que eu pudesse sentir (pois não havia nada que alguma vez eu quisera mais do que montar um pônei) foi totalmente estragado pela situação em que me encontrava. Archibald conduziu-me até a frente da Casa Grande e me pôs a caminho, com mais um enérgico tapa no traseiro do pônei e declarando que, na noite seguinte, íamos beber até deixar a estalagem seca.

O *garron* avançou lentamente, a passo. Tentei espetar meus calcanhares em seus flancos, como tinha visto outros montadores fazerem, mas ele recusou-se a apressar seu ritmo. De todo modo, enquanto caminhávamos de volta à aldeia, eu repassava as alternativas de ação de que dispunha. Meu primeiro pensamento foi simplesmente amarrar o *garron* no cruzamento que leva ao Passo e continuar a pé. No entanto, um pônei abandonado logo chamaria a atenção, e imaginei um grupo sendo reunido rapidamente para me prender. Tive de lembrar a mim mesmo que não era um fugitivo. Eu não era livre para ir aonde quisesse? Eu não havia transgredido nenhuma lei ou regulamento, e se quisesse ir a Jeantown montado num pônei emprestado por um amigo, não era da conta das autoridades ou de quem quer que fosse. Na verdade, para Lachlan Broad meu exílio seria motivo de grande satisfação. Mesmo para meu pai, provavelmente, seria uma bênção. Minha existência não evitara nenhuma das atribulações que recaíram sobre nós. Na verdade, tinham sido minhas próprias ações e minha insensatez que causaram grande parte de nossos problemas, e minha presença contínua em Culduie não faria nada para evitar os males ainda por vir. Foi com esses pensamentos que continuei montado depois do cruzamento e comecei a lenta subida até o Passo.

Ficou evidente, também, que Archibald Ross tinha toda a razão. Caminhar quase trinta quilômetros pelo Passo teria sido impraticável, não só pela distância envolvida, como também pelo fato de que estando a pé eu teria chamado muito mais atenção. Estar montado num pônei, mesmo um tão velho e capenga como o meu, conferia certa autoridade. As pessoas por quem eu passava na estrada simplesmente me diziam bom-dia ou até mesmo tocavam seus bonés, cumprimentando-me. Ninguém (como eu imaginara que seria) interrogou-me quanto a meu destino ou me acusou de ter roubado a montaria. Comecei a sentir, à medida que ia subindo mais alto nas montanhas, que a intervenção de Archibald tinha sido muito providencial; que era isso, no fim das contas, o que me estava reservado. À medida que a estrada ficava mais deserta, eu me permiti ficar pensando o que poderia me aguardar além de Jeantown. Sem dúvida, como dissera Archibald, não havia limite de oportunidades nas cidades mais ao sul. Eu poderia me estabelecer em algum emprego lá, e ao fazer isso demonstrar que estava sendo mais valioso para minha família do que se tivesse ficado assistindo ao nosso destino cruel. Eu até poderia ser capaz de enviar algum dinheiro para casa, tirando minha família de sua abjeta situação. Com o tempo, talvez Jetta pudesse se juntar a mim e poderíamos viver com conforto e felicidade. Esses pensamentos, no entanto, não duraram muito tempo.

Nas proximidades do começo do Passo o ar ficou gélido. O vento lançava tufos de capim marrom ao meu lado na estrada. A cabeça do *garron* estava mais baixa e seu ritmo mais pesado. Desmontei junto a um arroio para que ele bebesse um pouco de água. A essa altura eu sentia frio e fome, e amaldiçoei a mim mesmo por não ter enchido o bolso de *bannocks* antes de sair de casa. Puxei meu boné mais para baixo, acima de meus olhos, e continuei a pé, levando o *garron* pelas rédeas. Levei algumas horas para chegar ao cume do Passo. Sentei-me numa grande pedra e olhei para a vista cinzenta à minha frente. A estrada serpenteava para baixo por um vale escarpado. Depois disso havia um curso d'água. Não sei o que eu imaginara encontrar ali, mas a paisagem diante de mim me enchia de inquietações. Dei-me conta de que não tinha ideia de para onde estava indo, ou, se algum dia chegasse em Jeantown, não tinha ideia do que faria lá. O shilling em meu bolso certamente não me levaria muito longe. Talvez eu encontrasse algum barracão onde dormir e algumas migalhas para comer, mas essa perspectiva não me encheu de alegria. Não importa quão desgraçada fosse minha vida em Culduie, eu não queria viver como um mendigo. Pensei então em Jetta, que certamente tinha dado agora por minha falta, e imaginei como minha deserção a deixaria infeliz. E senti profundamente quão desprezível fora ter pensado em ir embora. Como um cão acorrentado, eu chegara ao limite de meu território. Montei no *garron* e meti os calcanhares em seus flancos, mas o exausto animal se recusou a andar. Desmontei, e com algum esforço obriguei-o a me seguir de volta pelo Passo. Foi só no fim da tarde que chegamos a Applecross.

Não querendo encontrar Archibald Ross, aproximei-me da Casa Grande mais sobressaltado do que o usual. Para me explicar com ele eu tinha inventado uma história, de que o sujeito que eu ia encontrar em Jeantown tinha cruzado comigo na estrada, o que me permitiu voltar no mesmo dia. Não me importava muito que Archibald acreditasse ou não numa história tão absurda, mas seja como for ele não apareceu. O som dos cascos do *garron* nas pedras trouxe o funcionário para fora dos estábulos. Ele tomou de mim as rédeas sem uma só palavra e eu lhe agradeci pelo uso do pônei.

Eu me sentia terrivelmente cansado quando me aproximava de Culduie, tanto por causa dos esforços do dia como pela certeza de que agora não haveria como escapar do que a providência nos reservava. Comparado com isso, o que meu pai teria a dizer quanto a minha ausência me era indiferente. Eu não queria outra coisa senão deitar em meu beliche e dormir. Quando passei pela soleira fiquei surpreso ao ver uma figura vestida de preto sentada à mesa, de costas para a porta. Reconheci pelo cabelo cortado muito curto o reverendo Galbraith. Meu pai estava à cabeceira da mesa. Jetta passeava lentamente junto à cômoda como um sombrio fantasma. Mesmo naquela luz turva, dava para notar a palidez de seu rosto. Supus que o ministro tinha vindo relatar que me vira em Camusterrach naquela manhã, mas não era isso. Sobre a mesa havia uma folha de pergaminho, dobrada três vezes e ostentando um lacre de cera quebrado.

O ministro mandou que eu me sentasse e depois disse, "Seu pai recebeu esta carta hoje".

Ele alcançou-a na mesa e com a ponta dos dedos a empurrou para mim. Os nós de seus dedos estavam retorcidos e inchados. Eu peguei o papel e o desdobrei. Como a luz era insuficiente para a leitura, levei a carta até o fogo. Estava escrita em elegante caligrafia e encimada pelas palavras "Ordem de Despejo". Não me lembro do texto exato da carta, mas ela primeiro mencionava meu pai (o "arrendatário") e especificava a extensão da terra arrendada, a casa e os barracões externos. Depois declarava que o administrador, mediante a autoridade nele investida pelo *laird*, comunicava ao arrendatário que ele deveria deixar a dita propriedade no trigésimo dia de setembro de 1869, data que fora assim estipulada para permitir que o arrendatário tivesse tempo para colher os frutos da terra. Seguia-se uma lista dos motivos para o despejo: fracasso em manter o sítio num padrão apropriado; fracasso em manter apropriadamente as casas e os barracões externos; apropriação de bens do *laird*; agitação contra as funções do policial da aldeia; e atrasos na renda e nas multas impostas. Várias quantias eram então enumeradas, o total excedendo de muito o valor de todos os nossos animais e bens materiais. Fora assinado e datado pelo administrador.

Voltei até a mesa e lá depositei a carta. O olhar de meu pai continuou fixado no espaço a sua frente.

"Eu expliquei o conteúdo da carta a seu pai", disse o ministro, dirigindo-se a mim. "Estou perplexo que ele tenha deixado seus assuntos caírem em tal desordem que essas medidas tornaram-se necessárias."

"Necessárias?", repeti.

O ministro olhou para mim com um fino sorriso nos lábios. "Somos todos responsáveis pela administração de nossos assuntos. Não se pode esperar que o *laird* permita que arrendatários explorem sua terra gratuitamente, nem que o façam com tal desrespeito aos termos do arrendamento." Ele então balançou a cabeça e fez um muxoxo.

Não pude evitar o sentimento de que ele estava tendo um certo prazer com nossa situação e não vi propósito em apelar a ele para que interviesse a nosso favor. Ele então declarou que não tinha visto a minha irmã ou a mim na igreja nos últimos meses.

"Talvez se vocês tivessem dado mais atenção a seu bem-estar espiritual", disse, "não se encontrariam nestas circunstâncias."

"Não vejo relação entre as duas coisas", eu disse.

"É exatamente a isso que me refiro", disse o ministro. "Você é um descrédito para seu pai."

Então ele nos informou que faria o que pudesse para achar para nós uma acomodação alternativa. Meu pai agradeceu-lhe e ele foi embora. Depois que saiu, meu pai arrebatou a carta de sobre a mesa e a rasgou em pedacinhos. Bateu com os punhos na mesa fazendo os pedaços de papel saltarem para o ar. Eu olhava para ele como olharia para um animal ferido lutando em sua armadilha. Os gêmeos acordaram em seu beliche e Jetta foi confortá-los. Meu pai então levantou-se e partiu para cima de Jetta. Ele a agarrou por trás do pescoço, a arrastou até a mesa e brutalmente a fez sentar no banco a meu lado. Os gêmeos foram até ela, chorando e se lamentando horrivelmente.

"Foi sua sordidez que nos trouxe tudo isso", ele disse calmamente.

Jetta inclinou a cabeça e entrelaçou as mãos no colo, retorcendo entre os dedos uma trança feita de fios coloridos.

"Não é verdade", replicou ela.

Eu não acho sensato contradizer meu pai quando ele está nesse estado de espírito, mas Jetta parecia estar bem firme.

Meu pai então levantou-se e numa rapidez surpreendente agarrou Jetta com violência pelos cabelos atrás da cabeça. Puxou o rosto dela para bem perto do seu.

"Você pensa que se envolvendo em panos como uma velha você pode esconder de mim a sua condição? Eu não sou cego."

Jetta sacudiu a cabeça tão vigorosamente quanto seu agarrão permitia.

"Você é uma prostituta."

Ele então trouxe a cabeça de minha irmã para baixo, em direção à mesa, e a bateu repetidamente contra a superfície. Jetta não gritou. Eu agarrei o pulso dele e tentei desfazer o agarrão, mas os dedos dele estavam firmemente entrelaçados com os cabelos dela. Enquanto eu lutava com ele, Jetta era arrastada entre nós como um barco pesqueiro na maré cheia.

"Quero saber quem é o responsável", disse baixinho e raivosamente.

Jetta manteve os lábios apertados com força. Lágrimas rolavam de seus olhos. Eu lhe implorei que a largasse. Apesar de meus esforços, ele jogou a cabeça de Jetta de encontro à mesa com tal força que os pés dele saíram do chão.

"Quem é o responsável?", ele vociferou, gotas de saliva saltando de sua boca. Sangue escorria na superfície da mesa. Jetta indicou com um movimento da cabeça que não responderia. Eu temi por sua vida e deixei escapar, "Foi Lachlan Broad quem fez isso".

Meu pai olhou para mim selvagemente, seus pequenos olhos dardejando e se movendo sem parar, e eu aproveitei a oportunidade para me lançar sobre ele atravessando a mesa. Puxei sua mão da cabeça de Jetta, arrancando um grande tufo de seu cabelo. Nós três caímos juntos no chão. Eu me pus, brigando, em cima dele. Ele lutou sem muito ânimo por alguns momentos, e, deitado com meus braços em torno dele, me dei conta de que não era mais do que pele e ossos. Não havia força nele e o espírito de luta que ainda lhe restava logo se esgotou. Jetta saiu correndo da casa. Os gêmeos uivavam como cães. Meu pai estava deitado de costas enquanto eu endireitava a mesa, que tinha virado durante a briga. Levantei várias coisas que tinham se espalhado pelo chão e as devolvi a seus lugares. Meu pai ficou de pé e cansadamente espanou o *stoor* de sua roupa. Depois sentou-se em sua cadeira com a cabeça entre as mãos. Eu saí para procurar Jetta.

Encontrei-a no barracão. Estava sentada no banquinho de ordenhar que eu tinha usado para alcançar o caibro onde havia construído o ninho para meu passarinho. O cabelo no lado esquerdo de sua cabeça estava sujo de sangue, o olho esquerdo ensanguentado e inchado. Estava torcendo um pedaço de corda em seu colo. Olhou para cima quando entrei, seu olho inchado contraindo-se em espasmos.

"Oi, Roddy", disse ela tristemente.

"Oi", disse eu. Não achei mais nada para dizer, assim fui ficar perto dela. Ela pôs a mão no seu couro cabeludo e o tocou delicadamente com a ponta dos dedos. Depois examinou o sangue em sua mão, como se não fosse dela. Eu me ajoelhei a seu lado. Ela voltou a cabeça para mim, e o movimento a fez armar uma careta de dor.

"Nosso quinhão nesta vida não é um quinhão feliz, não é, Roddy?", disse ela.

"Não, não é."

"Estou com medo de nosso pai não me aceitar de volta em casa."

"Nenhum de nós vai estar naquela casa por muito tempo", disse eu.

Ela assentiu lentamente.

"Você vai para Toscaig?", perguntei.

"Temo que neste meu estado atual não seria bem-vinda lá", disse ela.

"Então o quê?"

Seus lábios formaram um sorriso triste e ela balançou a cabeça para indicar que não tinha uma resposta para essa pergunta. Vi pela primeira vez que seu nariz estava totalmente achatado em seu rosto. Doeu-me vê-la tão machucada.

"Para mim está tudo acabado", ela disse. "Minha preocupação é com você. Você deveria ir embora daqui. Você precisa entender que aqui não há nada para você."

Não falei nada sobre minha infeliz excursão até o Passo, pois pensar em minha fuga me deixava envergonhado.

"E quanto ao nosso pai?", perguntei.

"Nosso pai nunca é mais feliz do que quando está sofrendo", disse ela. "Você não pode se amarrar no mastro dele."

"E os gêmeos?"

Uma grande lágrima rolou pelo lado incólume do rosto de Jetta. "Alguém irá cuidar deles", disse ela.

"É de Lachlan Broad que se deveria cuidar", disse eu.

"Isso não é coisa de Lachlan Broad", disse Jetta, levando a mão a seu rosto quebrado.

"Tudo isso é coisa de Lachlan Broad", repliquei. "Eu gostaria de me vingar dele." Estas foram, naquele momento, palavras vazias, mera bravata. Eu não tinha pensado, até aquele momento, numa retaliação, nem tinha noção de como se poderia realizar uma coisa dessas.

Jetta balançou a cabeça vigorosamente.

"Você não deve dizer essas coisas, Roddy. Se você compreendesse um pouco mais o mundo, veria que Lachlan Broad não é responsável. Foi a providência que nos trouxe até este ponto. Não é trabalho de Lachlan Broad mais do que é seu, ou meu, ou de papai."

"E se eu não tivesse matado o carneiro, ou se mamãe não tivesse morrido, ou os Dois Iains não tivessem afundado?", objetei.

"Mas todas essas coisas aconteceram."

"Se Lachlan Broad não existisse...", comecei, sem ideia de aonde este pensamento iria me levar.

"Mas ele existe, e ele não escolheu ser trazido para este mundo mais do que você ou eu."

"Então também não vai escolher o modo como vai partir", eu disse.

Jetta soltou um longo suspiro. "Nada do que você possa fazer vai mudar alguma coisa, Roddy. Seja como for, você não deve se preocupar com Lachlan Broad." Ela baixou a voz até um sussurro. "Ele não vai ficar mais muito tempo neste mundo."

Afastei minha cabeça da sua para ver melhor seu rosto. Ela fez um gesto com os dedos para eu chegar mais perto.

"Eu vi duas vezes a mortalha em volta dele."

Eu me esforcei por alguns momentos para captar as implicações da declaração de minha irmã, e quando o fiz fui assaltado por um sentimento de euforia, pensando que a partida de Lachlan Broad deste mundo nos livraria de nossos problemas. Expressei esse pensamento para Jetta.

Ela repreendeu-me por ter prazer com um evento que faria da mulher dele uma viúva e deixaria seus filhos órfãos. Eu respondi que preferiria ser um órfão a ser criado como descendente de Lachlan Broad.

"Esses sentimentos não dizem bem de você", disse Jetta. "Nada que aconteça a Lachlan Broad pode desfazer meu estado. Nem pode revogar a carta do administrador."

Levantei-me, recusando-me a acreditar nela, e fiquei andando em círculos num estado de agitação. Pedi mais detalhes de sua visão e da iminência da morte de Lachlan Broad, mas ela recusou. O destino do policial não era relevante em nossa situação.

De repente, Jetta pareceu terrivelmente cansada. Fechou os olhos e sua cabeça pendeu para a frente. Ajoelhei-me diante dela e segurei sua nuca. Eu não tinha acesso ao que lhe passava na cabeça, mas tinha um forte pressentimento do que tencionava fazer e não via uma alternativa para ela. Ela apertou minha mão na sua. Então abriu os olhos e disse-me que a deixasse. Lágrimas rolaram em meu rosto. Eu lhe dei boa-noite e a deixei lá, sentada no banquinho de ordenhar. Puxei rapidamente a porta atrás de mim, amarrando a corda no batente apodrecido. E foi assim que me despedi dela.

Sem vontade de voltar para casa, pus-me a caminho, atravessando o sítio em direção à costa. A tarde estava calma, e o céu acima das ilhas tinha assumido o matiz róseo dos fins de tarde. Naquela época do ano, em nossa parte do mundo, as horas de escuridão são curtas, tão curtas que ouvi dizer que visitantes, durante o sono, ficavam incomodados com isso. Fiquei observando uma garça que por alguns minutos esteve totalmente imóvel na praia, antes de alçar-se no ar silenciosamente com a falta de graça que é peculiar a essa espécie. Ela voou baixo atravessando a baía e parou no promontório em Aird-Dubh. Comecei a pensar no que Jetta me dissera. Ela não tinha o hábito de compartilhar suas visões comigo, mas muitas vezes eu via uma sombra passar por seu rosto e sabia que naquele momento experimentava alguma silenciosa comunhão com o Outro Mundo. Em certa medida, Jetta nunca tinha morado totalmente em Culduie, e sim esvoaçava entre os dois mundos. Se partisse agora, seria uma morte menor do que a nossa, que habitamos unicamente o mundo físico.

Foi quando estava sentado na praia olhando o lento movimento da maré que pensei pela primeira vez em matar Lachlan Broad. Descartei a ideia, ou tentei descartar, mas ela era obstinada, e quanto mais eu tentava voltar minha mente para outras coisas mais ela tomava conta de mim. O fato de eu saber que Lachlan Broad iria morrer logo afrouxava as restrições normais. Se a providência decretara que ele não ia ficar muito mais tempo neste mundo, que importância tinha o método pelo qual iria embora? A possibilidade de ele morrer por minhas mãos parecia justa a ponto de ser irresistível. A ideia me deixou excitado. Eu me tornaria o redentor ao qual o reverendo Galbraith tinha se referido no funeral de minha mãe. E isso com pleno conhecimento de que, conquanto eu pudesse ser o instrumento da morte de Lachlan Broad, estaria apenas apressando o que, seja como for, já estava determinado.

A visão que Jetta tivera da mortalha não dizia nada sobre como seria a morte de Lachlan Broad, ou, se dizia, ela não tinha me contado. Seria preciso muito esforço para pensar num indivíduo em nossa paróquia que tivesse uma saúde tão sólida e que fosse menos suscetível de ser acometido por alguma doença súbita. Tampouco era fácil imaginá-lo vítima de um infortúnio fatal. Seria, então, possível que Lachlan não só estivesse destinado a encontrar seu fim como também que esse fim estava em minhas mãos? Essa ideia ficou martelando insistentemente dentro de mim, e quando me levantei o sol já mergulhara atrás do horizonte, e fui envolvido pelo que, naquela época do ano, era tido como escuridão.

Quando voltei para casa, meu pai tinha ido para a cama. Os gêmeos dormiam profundamente em seu beliche, e invejei sua tranquilidade. Naquela noite meu sono foi intermitente, eu acordava frequentemente, e cada vez que isso acontecia os pensamentos atiçados pela visão de Jetta ardiam em minha mente. Esperava poder extingui-los dormindo, mas a luz da manhã me impediu.

Deixei a casa antes de meu pai sair de seu quarto. Por conta dos acontecimentos da tarde anterior, eu temia que estivesse de mau humor, e depois que ele tratou minha irmã daquela maneira eu não queria falar com ele. Levei dois *bannocks* até a beira do sítio e os comi lentamente. O *rig* estava coberto de ervas daninhas e, comparado com os de nossos vizinhos, era uma visão vergonhosa. O ar estava excepcionalmente parado, e tufos de nuvens pairavam baixo sobre a água, feito mechas de lã. Eu não avistei uma alma viva sequer, e os únicos sons eram as vozes das aves e os ruídos distantes do gado no pasto.

Eu tivera a esperança, como quem desperta de um sonho, de que a ideia de assassinar Lachlan Broad tivesse desvanecido, mas em vez disso ela estava mais densa em mim. No entanto, àquela altura, continuava não sendo mais do que uma especulação ociosa, em função da qual eu não tinha intenção de agir. Se eu estava considerando matar Lachlan Broad, era no espírito de um matemático abordando um problema de álgebra. Meu professor, sr. Gillies, explicara uma vez como um cientista deve proceder para resolver um problema, primeiro, concebendo uma hipótese, depois testando essa hipótese mediante observação ou experimento. Foi desse modo que segui adiante.

Com certeza, matar um homem grande e poderoso como Lachlan Broad não seria uma coisa simples. Quando repassei os vários meios pelos quais alguém pode causar a morte de um homem, cada um apresentava suas dificuldades. Seria possível, por exemplo, matar um homem com um golpe de machado na cabeça, mas para isso seria preciso ficar esperando em algum lugar oculto na esperança de que ele por acaso passasse por lá. Seria possível apunhalar um homem com alguma lâmina, mas eu não confiava em que pudesse me aproximar a tal ponto de Lachlan Broad, ou que tivesse força suficiente para causar uma lesão grave o bastante para fazer mais do que meramente feri-lo. Um homem poderia ser morto com uma arma de fogo. Isso tinha a vantagem de poder ser realizado à distância, mas, mesmo que eu conseguisse obter uma dessas armas — da Casa Grande, por exemplo —, eu não saberia como carregar ou disparar. Talvez pudesse envenenar minha vítima, mas isso envolveria consultar uma das velhas da paróquia que sabiam dessas coisas, e depois encontrar um meio de administrar a toxina. Considerando estes últimos métodos, dei-me conta de que eles não passavam num teste no qual eu, até aquele momento, não tinha pensado. Meu objetivo não era meramente remover Lachlan Broad deste mundo, coisa que, de qualquer maneira, ia acontecer sem minha intervenção. E sim que, no momento de sua morte, ele tivesse consciência de que era eu, Roderick Macrae, quem estava acabando com sua vida, e que estava fazendo isso como pagamento pelas atribulações que havia causado a minha família.

Meu pai saiu de dentro da casa. Não sei quanto tempo eu tinha ficado perdido em meus pensamentos. Vi que havia um *croman* a meus pés, e comecei a capinar as ervas daninhas que cresciam nos canteiros. Meu pai veio até o *rig* em que eu estava trabalhando e perguntou o que eu fazia. Seu rosto estava abatido e cinzento, e achei que caminhava mais encurvado do que o usual. Respondi que ainda havia uma colheita a ser feita, e se não cuidássemos adequadamente do sítio, não haveria comida bastante nem para os gêmeos, no inverno. Meu pai murmurou alguma coisa para dizer que se Deus quisesse nos prover Ele faria isso, mas falou sem convicção e deixou-me lá trabalhando sem nenhum outro comentário. Tenho toda a certeza de que nós dois sabíamos que não haveria nenhuma colheita naquele ano.

Àquela altura nossos vizinhos estavam saindo de suas casas e começando a rotina diária. A manhã deve ter lhes parecido totalmente comum, e não fosse o que logo iria ocorrer, provavelmente teriam dificuldade para se lembrar dela ou distingui-la de qualquer outra manhã. Na verdade, sob qualquer aspecto, fora os pensamentos sombrios que haviam se instalado em minha mente, o dia não era absolutamente digno de nota.

Mas ocorreu-me, quando olhei em volta para as casas espalhadas, que a remoção de Lachlan Broad tiraria um fardo que pesava havia muito tempo sobre nossa municipalidade.

Eu me ergui de minha posição ajoelhada e voltei na direção da casa. Meus pensamentos anteriores sobre os meios para matar Lachlan Broad não tinham sido mais do que procrastinação. Não importava o que eu tivesse em mente ou o que planejasse fazer. Se o destino de Lachlan Broad era morrer por minhas mãos, então seria assim. O sucesso ou não de meu empreendimento estava fora de meu controle. Com esse espírito, determinei que, se era para matar Lachlan Broad, eu tinha primeiro de ir até sua casa. Seria necessário, além disso, ir munido de alguma arma com a qual pudesse realizar a tarefa. O que melhor que o *croman* que a providência tinha acabado de me pôr nas mãos? Quando cheguei à beira do sítio, deparei com um *flaughter* encostado numa trave, e o peguei também. Depois saí caminhando ao longo da aldeia. Dizia a mim mesmo que não estava indo assassinar Lachlan Broad, e sim meramente descobrir o que aconteceria se eu fizesse uma visita a sua casa assim armado.

Continuei ao longo da trilha num passo normal. Carmina Smoke saiu de sua casa e cumprimentou-me. Como eu não queria despertar suspeitas, parei e devolvi o cumprimento. Ela viu o *flaughter* em minha mão e perguntou se não era um pouco tarde para revolver o terreno. Eu lhe disse, sem pensar, que estava indo limpar um terreno atrás da casa de Lachlan Broad, onde seria construída uma mureta de contenção. A facilidade com que essa mentira me aflorou nos lábios levou-me a acreditar que meu projeto estava destinado ao sucesso. Carmina Smoke disse que não tinha ouvido nada sobre uma nova mureta de contenção, mas não me fez mais perguntas. Eu lhe dei bom-dia e continuei a caminhar ao longo da aldeia. Sentia que ela estava me olhando, mas não olhei em volta, com medo de parecer furtivo. Não falei com mais ninguém enquanto passava pelas casas restantes. Senti um pouco da antiga ansiedade que eu sempre experimentava quando invadia o território dos Mackenzie. O incidente com a pipa lampejou em minha mente e meu coração começou a bater mais rápido. Parei do lado de fora da casa de Broad e apoiei-me no cabo de meu *flaughter*, como se estivesse avaliando o trabalho que tinha pela frente, o que, em certo sentido, era o que estava fazendo. Um corvo pousou na cumeeira da casa. O pequeno Donnie Broad estava brincando na areia suja a alguns metros da porta de entrada. Ele olhou de esguelha para mim e eu o cumprimentei normalmente. Ele então voltou à brincadeira inofensiva em que estava entretido. Olhei para trás, ao longo das casas. Carmina Smoke tinha desaparecido. Alguns aldeões estavam curvados, trabalhando em seus sítios, e alheios aos eventos que estavam na iminência de acontecer. Um fino filete de fumaça erguia-se da chaminé dos Broad. Passei por Donnie em direção à porta.

Lá dentro, a casa estava escura e levou algum tempo até meus olhos se acostumarem à penumbra. O sol projetava um retângulo de luz no chão de terra e minhas pernas formavam uma silhueta dentro dele. Flora estava à mesa raspando batatas e pondo-as numa vasilha com água. Quando entrei na casa ela ergueu os olhos do que fazia. Pareceu surpresa em me ver e perguntou o que estava fazendo lá. Havia um pouco de suor em sua testa e ela ergueu a mão direita para afastar uma mecha de cabelo que caíra sobre seu rosto. Não consegui pensar em nenhuma tarefa que me tivesse levado até lá, nem havia motivo para mentir, e respondi que tinha vindo matar o pai dela. Ela pôs na mesa a batata que estava raspando e disse que não era uma coisa muito engraçada de se dizer. Eu poderia, suponho, ter fingido que era brincadeira, mas não o fiz, e daquele momento em diante meu rumo estava traçado. Em vez disso perguntei onde estava o pai dela. Os olhos de Flora se arregalaram e sua respiração ficou alterada. Dei alguns passos dentro do recinto. Ela foi até a extremidade mais afastada da mesa, que agora estava entre nós. Disse-me que fosse embora antes que o pai dela chegasse ou eu ficaria numa encrenca terrível. Respondi que já estava numa encrenca terrível, toda ela causada por seu pai. Flora disse que eu a estava assustando. Eu disse que sentia muito, mas que mesmo se eu quisesse que as coisas fossem diferentes, elas não poderiam ser.

Então, subitamente, Flora lançou-se para a esquerda e saiu correndo para a porta. Quando passou pela extremidade da mesa, eu girei meu *flaughter* e com ele a atingi em torno dos joelhos. Ela desabou no chão como uma marionete cujas cordas tinham sido cortadas. O golpe deve tê-la emudecido, pois não gritou nem fez nenhum ruído a não ser soluçar baixinho. Larguei minhas ferramentas e ajoelhei-me junto a ela. Levantei suas saias e vi que seu joelho estava quebrado num ângulo não natural. Os olhos de Flora agitavam-se para todos os lados, como os de um animal numa armadilha. Eu acariciei seu cabelo por um momento para acalmá-la, depois, como não queria que ela sofresse, peguei meu *flaughter* e plantei meus pés dos dois lados de seus quadris. Ergui a ferramenta acima de minha cabeça e, lembrando o carneiro no charco de turfa, fiz cuidadosa pontaria. Flora não tentou se mover e eu baixei o dorso da lâmina com firmeza em seu crânio. O peso fez a ferramenta penetrar facilmente no osso, como se não fosse mais espesso do que uma casca de ovo. Os membros de Flora contorceram-se por alguns instantes até ela ficar imóvel e alegrei-me por não ter de desfechar mais golpes.

Dei um passo para trás do corpo e o examinei por um momento. As saias de Flora estavam desarranjadas em torno de suas pernas. Os braços jaziam em seus flancos, e não fosse pelo fato de seu crânio estar quebrado e aberto, poderia parecer que ela fora atingida por um relâmpago. Como seu corpo não estava iluminado pela luz que entrava pela janela, qualquer pessoa que entrasse poderia tropeçar nele. Para evitar que isso acontecesse, apoiei meu *flaughter* na parede e a carreguei até a mesa, onde estivera recentemente descascando batatas. Não era pesada, mas quando a ergui uma boa quantidade de substância derramou da parte traseira de seu crânio no chão. Eu a deitei de costas com as pernas penduradas na extremidade da mesa, derrubando a vasilha onde ela punha as batatas. A água escorreu e formou uma poça no chão. Recolhi as batatas e as repus na vasilha. Retomei o *flaughter* encostado na parede e com meu *croman* ainda na mão fui para a escuridão que havia no lado mais afastado da porta, para ficar oculto.

Após alguns minutos, Donnie Broad apareceu na soleira da porta. Chamou a irmã pelo nome, mas, é claro, não teve resposta. Entrou no recinto e viu as pernas de Flora penduradas na extremidade da mesa. Começou a andar em sua direção, mas ao fazer isso escorregou na substância do crânio dela e caiu de rosto no chão. Começou a chorar. Dei um passo à frente e o golpeei na parte lateral da cabeça com meu *flaughter*. Eu não tinha pretendido fazer nenhum mal ao garotinho, mas não podia permitir que ele desse o alarme. Eu então não sabia se o tinha matado ou somente atordoado, porque não lhe batera com muita força, mas ele estava caído e imóvel e após algum tempo concluí que devia estar morto. Deixei-o deitado lá onde tinha caído e voltei para as sombras.

Não sei quanto tempo se passou enquanto eu estava lá. O retângulo de luz solar no chão foi ficando lentamente mais comprido, como se seu canto estivesse sendo puxado por um fio invisível. Comecei a ficar ansioso. Ficaria triste se tivesse matado Flora e o menino por nada.

Ouvi então um cão latir perto da casa, o que se mostrou ter sido um augúrio da chegada de Lachlan Broad. Ele apareceu no umbral da porta, sua grande figura bloqueando totalmente a mancha de luz solar que vinha se arrastando pelo chão. Não sei se ele parou por causa da escuridão no ambiente ou porque tinha visto os corpos. Como estava de costas para a luz, não consegui discernir a expressão de seu rosto. Seja como for, após alguns instantes ele deu três ou quatro passos em direção ao lugar em que seu filho jazia na sujeira. Ajoelhou-se e inclinou-se sobre o corpo, e quando viu que o filho estava morto, seu olhar percorreu desesperadamente todo o recinto. Eu permaneci nas sombras, sem ousar sequer respirar. Ele então se levantou e foi até a mesa onde jazia o corpo de Flora. Ao ver que os dois tinham deixado este mundo, ele levou o punho à boca e soltou um grito abafado, algo parecido com o de um animal sendo abatido. Ele se firmou com ambas as mãos, o nó dos dedos sobre a mesa, os pés apartados. Um grande soluço percorreu seu corpo, mas ele se controlou e afastou-se da mesa. Virou-se e deu dois ou três passos em direção à porta. Nesse momento eu saí da sombra e ele se deteve. Estávamos a não mais que três passos um do outro. Seu tamanho me impressionou e tive sérias dúvidas quanto à minha capacidade de despachá-lo como tinha feito com os outros. Ele pareceu ter levado um tempo para registrar quem estava diante dele. Então aprumou-se em toda a sua altura e disse numa voz calma, "Isso é obra sua, Roddy Black?".

Eu respondi que era e que tinha vindo despachá-lo deste mundo em retribuição a todo o sofrimento que causara a meu pai. Ele não disse mais nada. Deu um passo à frente e se lançou sobre mim. Sem pensar, plantei meu pé direito atrás de mim e levei bruscamente o *flaughter* à minha frente. A lâmina atingiu Lachlan Broad nas costelas, mas seu peso o empurrou para a frente e os dois nos estatelamos no chão. Segurei firme minhas ferramentas e, girando meu *croman* na mão direita, eu o atingi na têmpora com a parte chata da lâmina. Ele levou a mão até o lugar em que eu o golpeei, depois se levantou e soltou um grande urro. Temi não ter feito mais do que enfurecê-lo e que não teria força para superá-lo. Recuei, arrastando-me pelo chão, e me levantei. Lachlan Broad olhou à sua volta, talvez esperando achar alguma arma que pudesse empunhar. Eu corri para ele, brandindo meu *flaughter*. Dessa vez, no entanto, ele se antecipou a meu golpe e ergueu o braço para apará-lo. Agarrou o cabo abaixo da lâmina e o torceu, para arrancá-la de mim. Ele me olhou com uma expressão selvagem por alguns momentos. Um fino filete de sangue escorria da ferida em sua têmpora. Ele segurava o *flaughter* em suas mãos imensas, a lâmina apontando em minha direção, e depois lançou-se à frente. Dei um passo para o lado, e seu impulso o fez passar por mim. Virou-se desajeitadamente, talvez atordoado com o golpe que eu lhe desfechara antes. Eu agora estava de costas para a porta e ciente de que poderia fugir, mas se não fiz isso foi porque não queria partir sem atingir meu objetivo.

Lachlan Broad fez uma segunda carga em minha direção. Lembrei-me do dia em que eu era um menino pequeno e quando o novilho de Kenny Smoke corria desenfreadamente pela aldeia, sendo preciso seis homens para subjugá-lo. Quando Broad balançou o *flaughter*, dei um passo dentro de sua trajetória e, levando minha mão esquerda a seu ombro, desfechei um golpe com meu *croman* em sua nuca. A lâmina não penetrou o crânio, mas o impacto foi suficiente para deixá-lo de joelhos. Ele deixou cair a ferramenta e ficou lá, atordoado, de quatro no chão. Eu me coloquei atrás dele e pus uma perna de cada lado, como se estivesse montado num *garron*. Ergui meu *croman* e, ansioso por acabar com aquilo sem mais demora, o desci com força, com ambas as mãos. O golpe o deixou estirado no chão, mas não penetrou no osso, e fiquei assombrado com a resiliência do corpo humano. Ele estava de bruços no chão, os olhos bem abertos, o peito latejando como o de um peixe em terra. Agora eu tinha tempo para dosar adequadamente meu golpe, e quando baixei novamente minha arma, a lâmina entrou em seu crânio com um som desagradável, como o de uma bota sendo sugada num charco de turfa. Foi com algum esforço que retirei a lâmina de sua cabeça. Suas mãos contorciam-se nos lados do corpo, mas não sei dizer se ainda estava respirando. Mesmo assim, desferi um golpe final com a parte de trás da lâmina do *croman*, dessa vez destruindo totalmente o crânio.

Afastei-me então do corpo e inspecionei o que havia feito. O sangue latejava em minhas têmporas e eu estava bastante aturdido, mas sentia certa satisfação pela realização bem-sucedida de meu projeto. Para um observador de fora, a cena na casa deveria parecer bem terrível, e confesso que tive de desviar os olhos do menino morto.

Foi então que percebi a velha sra. Mackenzie sentada numa cadeira estofada na penumbra da parte traseira do cômodo. Estava perfeitamente imóvel e me perguntei se ela também teria deixado este mundo. Seu rosto não tinha qualquer expressão, e me perguntei se ela tinha perdido a razão ou não reconhecia seu entorno. Eu tinha ouvido muitas histórias do pessoal mais velho que habitualmente chorava por pessoas que estavam mortas havia muito tempo, ou que se perdiam a alguns metros de sua própria porta. Aproximei-me dela, ainda com o *croman* na mão direita. Seus olhos aquosos se moviam rapidamente em todas as direções, talvez perturbados pela cena que ela acabara de testemunhar. Pus minha mão esquerda diante de seu rosto e a movi de um lado para outro, mas ela não teve nenhuma reação. Não havia motivo para lhe fazer mal. Fora ter trazido Lachlan Broad ao mundo, ela não me causara dano algum. Não era mais responsável pelas ações de seu filho do que meu pai era pelas minhas. Eu tinha feito o que me dispusera a fazer, e não tinha intenção de negar responsabilidade por nada daquilo, sua morte não serviria a nenhum propósito. Seja como for, causar a morte de uma velha indefesa seria algo impiedoso, e eu não tinha estômago para isso.

Glossário

ashet travessa grande.

bannock bolo de aveia.

brogues tipo de sapato usado na Irlanda.

byre estábulo.

caman bastão usado no jogo de *shinty*.

Càrn nan Uaighean traduzido significa "monte de lápides".

cas chrom termo em gaélico que designa um instrumento agrícola usado para revirar a terra (usando um pé para cravá-lo no solo) onde o arado não pode ser usado (p. ex., por haver muitas pedras).

ceilidh na Escócia e na Irlanda, reunião social com cantos e danças típicos.

croman instrumento agrícola na Escócia da época, semelhante a uma picareta com uma ponta só.

dwam espécie de estupor.

Erse irlandês.

fetch sósia, ou *doppelgänger* (segundo uma lenda alemã, monstro que assume as feições de uma pessoa).

flaughter espécie de pá, com uma lâmina triangular e pontuda.

garron pônei de uma raça criada nas Terras Altas da Escócia.

ghillie na Escócia, pessoa que conduz uma expedição de caça ou pesca.

gimcrack enfeite barato, bugiganga.

hurlie carrinho de mão.

laird lorde, proprietário de terras, parte das quais arrenda para pequenos agricultores.
quaich copo raso tradicional.
rig pedaço de terra cultivada, canteiro.
shinty espécie de hockey mais violento, ainda hoje praticado nas Terras Altas da Escócia.
sowens termo gaélico que se refere a um tipo de cuscuz salgado, feito de farelo ou casca de aveia fermentados.
stoor poeira, sujeira.
strupach um bule de chá, uma infusão.
swee panela pendurada numa corrente, acima do fogo.

Relatórios médicos

ref. às vítimas, realizados por Charles MacLennan, M.D., residente em Jeantown, e F. D. Gilchrist, cirurgião, de Kyle of Lochalsh

Applecross, 12 de agosto de 1869

Por solicitação de William Shaw esq.,* xerife, e John Adam esq., promotor público, examinamos nesta data o corpo de Lachlan Mackenzie, lavrador arrendatário e policial de Culduie, Ross-shire, trinta e oito anos de idade. O corpo nos foi mostrado no barracão externo de um vizinho, o sr. Kenneth Murchison, ao qual, pela declaração do sr. Murchison, ele tinha sido removido pouco depois de sua descoberta. O corpo estava estendido em uma mesa e coberto com aniagem.

O rosto da vítima estava muito lívido e coberto de muito sangue já coagulado. O lado direito do rosto, do malar até a têmpora, estava completamente afundado, e o nariz estava quebrado. A parte de trás do crânio estava completamente afundada e incompleta e muito da substância cerebral estava faltando. Fomos informados pelo sr. Murchison que fragmentos do crânio e da substância cerebral tinham sido recolhidos do chão da casa, na qual ocorrera a morte, e colocados numa bacia. Examinamos essa bacia e vimos que continha fragmentos de osso que correspondiam aos que estavam faltando no crânio. A orelha externa no lado direito estava quase totalmente arrancada. Nas partes restantes do crânio, fragmentos do osso

* *Esquire*, entre outras coisas, título atribuído a quem não tem outros títulos e a advogados. [N. T.]

despedaçado tinham sido forçados para dentro do tecido cerebral. É nossa opinião que esses ferimentos devem ter sido causados por golpes de um objeto ou ferramenta pesado e rombudo, desferido com grande força.

Havia muitas contusões no peito, em particular à esquerda do esterno. Uma ferida com quinze centímetros de comprimento havia penetrado a pele entre as costelas inferiores, das quais duas estavam quebradas. Os órgãos internos estavam intactos. Achamos que essa ferida foi causada por uma lâmina larga e rombuda, compatível com o *flaughter* retirado da cena e mostrado a nós.

Na parte externa do antebraço direito havia uma grande contusão, quinze centímetros abaixo do cotovelo. As palmas de ambas as mãos apresentavam algumas pequenas lacerações, nas quais haviam penetrado algumas lascas de madeira. O quarto dedo da mão esquerda estava quebrado.

Não vimos nenhuma outra lesão em qualquer outra parte do corpo.

Decididamente, nossa opinião é que o golpe ou os golpes desferidos na parte de trás do crânio foram suficientes para causar morte instantânea, e foram a causa da morte.

Atestado com alma e consciência,
Charles MacLennan, M.D.
J. D. Gilchrist

Applecross, 12 de agosto de 1869

Por solicitação de William Shaw esq., xerife, e John Adam esq., promotor público, examinamos nesta data o corpo de Flora Mackenzie, quinze anos de idade, filha de Lachlan Mackenzie, e residente em Culduie, Ross-shire. O corpo nos foi mostrado no barracão externo do sr. Kenneth Murchison, para o qual fora removido do local da morte. O corpo estava estendido numa maca e coberto com panos fúnebres.

A parte de trás do crânio estava totalmente afundada para dentro e fragmentos de osso tinham penetrado no tecido mole. O cabelo estava emaranhado com uma grande quantidade de sangue coagulado. As feições do rosto estavam intactas e em nossa opinião o dano no crânio foi causado por um único golpe de um objeto pesado desferido com grande força.

Observamos algumas lacerações e contusões na região púbica. As partes moles externas tinham sido pulverizadas e o osso púbico estava quebrado no lado esquerdo.

A perna direita estava fraturada no joelho e a parte externa do joelho estava muito machucada. Julgamos que essa lesão foi causada por um golpe pesado, de um objeto compatível com o *flaughter* que nos foi mostrado, e deve ter feito a vítima ficar incapacitada para caminhar.

Em nenhuma outra parte do corpo aparecia alguma lesão.

Decididamente, nossa opinião é que o golpe na parte traseira do crânio foi a causa da morte, embora não possamos dizer se foi instantânea ou não.

Atestado com alma e consciência,
Charles MacLennan, M.D.
J. D. Gilchrist

Applecross, 12 de agosto de 1869

Por solicitação de William Shaw esq., xerife, e John Adam esq., promotor público, examinamos nesta data o corpo de Donald Mackenzie, três anos de idade, filho de Lachlan Mackenzie e residente em Culduie, Ross-shire. O corpo nos foi mostrado no barracão externo do sr. Kenneth Murchison, para o qual fora removido do local de sua morte. O corpo estava estendido num berço e coberto com panos fúnebres.

O crânio apresentava uma grande contusão, da parte dianteira da têmpora até a orelha. Nessa parte o crânio tinha afundado para dentro, embora o osso não estivesse fragmentado. A pele tinha se rompido em torno das bordas da área contundida e algum sangue havia escorrido e coagulado.

Em nenhuma outra parte do corpo via-se qualquer lesão.

A lesão no crânio foi muito provavelmente causada por um golpe de objeto pesado e rombudo, compatível com o *flaughter* que nos foi mostrado, embora não desferido com tanta força quanto nas lesões de Lachlan Mackenzie e Flora Mackenzie. No entanto, uma lesão assim poderia também ter sido causada por uma queda violenta numa superfície dura. Decididamente, nossa opinião é que esta lesão foi a causa da morte, mas quanto ao que causou a lesão só podemos conjeturar.

Atestado com alma e consciência,
Charles MacLennan, M.D.
J. D. Gilchrist

VIAGENS
nas
REGIÕES LIMÍTROFES
da
LOUCURA

por J. Bruce Thomson

James Bruce Thomson (1810-73) foi cirurgião residente na Penitenciária Central da Escócia em Perth. Exercendo essa função ele examinou cerca de 6 mil prisioneiros e tornou-se uma reconhecida autoridade na então nascente disciplina da Antropologia Criminal. Em 1870, publicou dois influentes artigos: "A psicologia de criminosos: Um estudo" e "A natureza hereditária do crime", em The Journal of Mental Science. *Suas memórias,* Viagens nas regiões limítrofes da loucura, *foram publicadas postumamente em 1874.*

Cheguei a Inverness no dia 23 de agosto de 1869 e passei a noite num albergue, onde encontrei-me com o sr. Andrew Sinclair, advogado do jovem rendeiro acusado de ter assassinado três de seus vizinhos. O sr. Sinclair me escrevera manifestando seu desejo de ter minha opinião — como autoridade preeminente no país no que concerne a esses assuntos — quanto à sanidade mental ou não de seu cliente. Nenhum de nós está totalmente imune a esses apelos de nossa vaidade, e, como o caso tinha muitas características interessantes, em especial a alegada inteligência do perpetrador, consenti, e parti de Perth assim que meus deveres me permitiram.

Desde o começo, achei que o sr. Sinclair não era um homem do mais alto calibre, o que dificilmente era algo inesperado, considerando as limitadas oportunidades para o discurso instruído num lugar atrasado como Inverness. Ele era totalmente desinformado quanto ao pensamento atual no campo da Antropologia Criminal e passei grande parte da noite descrevendo-lhe algumas das inovações recentes nessa disciplina por parte de alguns de meus colegas no continente. Naturalmente, ele estava ansioso para conversar sobre seu cliente, mas eu fiz com que silenciasse, por querer chegar a minhas próprias conclusões, livre de pensamentos prévios, por mais desinformado que estivesse.

Na manhã seguinte, acompanhei o sr. Sinclair à prisão de Inverness para inspecionar o prisioneiro, e novamente instruí o advogado a não falar de seu cliente antes que eu tivesse a oportunidade de examiná-lo. O sr. Sinclair entrou na cela antes de mim para poder, disse, certificar-se de que seu cliente estava disposto a me receber. Achei tal procedimento dos mais irregulares, pois nunca tinha ouvido antes que um prisioneiro fosse consultado sobre quem poderia ou não entrar em sua cela, mas atribuí isso à falta de experiência do advogado em casos daquela natureza. O sr. Sinclair ficou alguns minutos dentro da cela antes de informar ao carcereiro que eu poderia ser admitido. Desde o primeiro instante, achei que as relações entre advogado e cliente eram bastante heterodoxas. Eles conversavam um com o outro não como um profissional e um criminoso, e sim à maneira de dois conhecidos em algum tipo de conluio. Não obstante, o diálogo entre eles ofereceu-me a oportunidade de observar o prisioneiro antes de começar propriamente o meu exame.

Minha impressão inicial de R M não foi de todo negativa. Em seu aspecto geral, ele era com certeza de pouca robustez física, mas não tinha feições repulsivas como a maioria das pessoas na classe dos criminosos, talvez por conta de não respirar o ar rançoso que respiram seus irmãos urbanos. Sua compleição, no entanto, era pálida, e os olhos, embora alertas, eram muito juntos e encimados por sobrancelhas espessas. Sua barba era rala, mas isso poderia ser devido a sua juventude e não a qualquer deficiência hereditária. Em sua conversa com o sr. Sinclair ele pareceu bastante lúcido, porém reparei que as perguntas do advogado eram frequentemente de natureza indutora, só exigindo do prisioneiro que confirmasse o que lhe estava sendo sugerido.

Eu dispensei o advogado e na presença do carcereiro orientei ao prisioneiro que se despisse. Ele fez isso sem protestar. Ficou diante de mim sem se envergonhar e comecei a fazer um exame detalhado de sua pessoa. Tinha 1,63 m de altura, era mais franzino que a média. Seu peito era desproporcionalmente proeminente — o que em termos leigos seria chamado de "peito de pombo" — e seus braços eram mais compridos do que a média. Braço e antebraço eram bem desenvolvidos, sem dúvida resultado de sua vida de trabalho físico. As mãos eram grandes e calosas, com dedos excepcionalmente longos, mas não havia evidência de quaisquer anormalidades. Seu torso era hirsuto dos mamilos até o púbis, mas não tinha pelos nas costas nem nos ombros. Seu pênis era grande, ainda que dentro das medidas normais, os testículos normalmente descidos. As pernas eram muito magras, e quando lhe pedi que caminhasse ao longo da cela (evidentemente uma pequena distância) sua marcha pareceu um tanto oscilante ou desequilibrada, sugerindo uma assimetria em sua postura. Poderia ser devido a alguma lesão sofrida há muito tempo, mas quando perguntei, o prisioneiro não foi capaz de me dar uma explicação.

Fiz uma inspeção detalhada de seu crânio e de sua fisiognomonia. A testa e o sobrecenho eram grandes e pesados, enquanto o crânio era achatado no topo e marcadamente saliente atrás. No todo, o crânio era disforme, não dessemelhante de muitos dos que tenho examinado em minha capacidade de cirurgião prisional. As orelhas eram consideravelmente maiores que a média, com lóbulos grandes e achatados.*

Quanto ao rosto: os olhos, como já observei, eram pequenos e fundos, mas alertas e penetrantes. O nariz era protuberante, embora admiravelmente reto; os lábios, finos e pálidos. Da mesma forma, os malares eram altos e proeminentes, como, de acordo com observações recentes, é muito comum na casta dos criminosos. Os dentes eram bastante saudáveis e os caninos não eram extraordinariamente desenvolvidos.

Assim, R M apresentava alguns traços semelhantes aos dos prisioneiros da Prisão Central (sendo estes, principalmente, o crânio disforme, feições de rosto não atraentes, peito de pombo, braços e orelhas alongados). Em outros aspectos, no entanto, era um saudável e bem desenvolvido espécime da raça humana, e se alguém o observasse num ambiente natural não o marcaria instintivamente como membro da classe criminosa. Desse ponto de vista ele se constituía num assunto interessante, que eu estava curioso por estudar mais.

Permiti que o prisioneiro se vestisse e fiz-lhe algumas perguntas simples. Foi inteiramente não responsivo. Às vezes parecia não ter ouvido minhas perguntas, ou fingia não ter ouvido. Suspeito que estava bem consciente do que tinha sido perguntado, mas recusava-se a responder, por opção pessoal. No entanto, essa estratégia sugeria que o sujeito não era

* Como ponto de interesse para o futuro desenvolvimento da Antropologia Criminal, poderia demonstrar ser de grande valor para um estudo a ser feito sobre as estruturas análogas na fisiologia de criminosos que não tiveram contato de miscigenação. [Nota de rodapé do original.]

totalmente imbecil, e era capaz de algum raciocínio, falho ou não. Entretanto, não vi propósito em prolongar minha inquirição, diante dessa atitude obstinada, e pedi que o carcereiro me abrisse a porta para sair da cela.

O sr. Sinclair estava esperando no lado de fora e, impacientemente, começou a me fazer perguntas assim que saí. Sua conduta era menos a de um homem profissional do que a de um pai ansioso por uma informação sobre a saúde de seu filho. Enquanto caminhávamos pela passagem eu lhe esbocei o que tinha achado.

"Mas e quanto a seu estado mental?", ele perguntou.

O advogado, eu sabia, estava ansioso para que eu me pronunciasse sobre a questão, permitindo-lhe alegar insanidade ao tribunal e com isso salvando o cliente da forca, e talvez, não por acaso, granjeando uma boa dose de fama para ele mesmo. Não obstante, àquela altura, recusei-me a arriscar uma opinião.

Expliquei que, como homem de ciência, não poderia me deixar guiar por especulação ou conjetura. O que interessa, eu lhe disse, são fatos — fatos e instâncias!

"Seu cliente apresenta algumas características fisiológicas da classe criminal com a qual meu trabalho me familiarizou. No entanto, apesar de ele poder compartilhar algumas dessas características, sem que eu tome conhecimento de sua origem familiar não posso arriscar uma opinião quanto a se adquiriu esses traços por hereditariedade. Se o copo de água de alguém está contaminado, é preciso primeiro verificar se o poço está envenenado. Se descobrirmos que o poço está realmente poluído, isso pode ter algum peso na constatação de se ele é ou não responsável por seus atos."

Tínhamos chegado ao fim do corredor malcheiroso ao longo do qual tínhamos caminhado e interrompemos nossa conversa enquanto nos abriam os portões. O sr. Sinclair, intimidado pela superioridade de meus conhecimentos e de meu intelecto, assumiu uma postura deferente. Continuamos em silêncio até chegar ao portão externo, e assim que saímos inalamos profundamente o ar tépido do verão.

Então, por sugestão minha, fomos até o albergue, onde eu queria fazer algumas perguntas ao advogado. Quando estávamos sentados à mesa comendo e bebendo alguma coisa, o sr. Sinclair perguntou-me o que eu pretendia fazer. Eu lhe disse que tornaria a visitar a prisão no dia seguinte, para continuar meu exame do prisioneiro.

"Depois", disse, "temos de verificar o poço."

O sr. Sinclair não captou o que eu quis dizer.

"Temos", expliquei, "de fazer uma visita ao antro esquecido por Deus de onde o desgraçado proveio."

"Entendo", disse o advogado, num tom pelo qual depreendia-se que a perspectiva dessa expedição não o atraía muito.

"O que", perguntei, "o senhor sabe quanto aos antecedentes de seu cliente?"

O sr. Sinclair tomou um grande gole de cerveja, evidentemente gratificado por eu estar lhe pedindo informações.

"O pai dele é um agricultor por arrendamento — um arrendatário — de bom caráter. Sua mãe foi uma mulher respeitável que morreu no parto há mais ou menos um ano. E há, ou havia, os irmãos, uma irmã mais velha e gêmeos muito mais novos."

"Você disse 'havia'?"

"A irmã foi achada num barracão, enforcada, na tarde dos assassinatos."

Por um momento, fiz uma pausa em minhas perguntas. Essa informação certamente tinha pertinência em minha investigação.

"E a irmã era mentalmente sã antes deste evento?", perguntei.

"Não sei dizer", ele respondeu. "Na confusão que se seguiu aos assassinatos, sua ausência não foi percebida por algum tempo. Foi feita uma busca e ela foi encontrada, como eu disse, no barracão. O legista não conseguiu estabelecer a hora exata da morte."

Eu assenti lentamente. A existência de um suicídio não dizia bem da constituição psicológica da família. Além disso, nos dias atuais, o fato de uma mulher morrer no parto é provável indicação de alguma debilidade congênita. Resumindo, o quadro que ia se formando não era de um círculo familiar robusto e saudável.

"E os gêmeos menores?"

"Deles não sei nada", replicou o advogado, balançando lentamente a cabeça. "São apenas crianças."

"E que evidência você tem de que o pai é um bom caráter?"

"Só o que depreendi de minha conversa com R."

"É exatamente o que digo", respondi. "Estou certo de que o senhor concordará que não podemos aceitar o que diz um indivíduo desonesto e violento como seu cliente. Temos de tentar estabelecer a verdade quanto a seus antecedentes de maneira objetiva. Fatos e instâncias, sr. Sinclair! É a isto que temos de nos ater."

Ele protestou, dizendo que não achava que seu cliente fosse nem um pouco desonesto, mas eu com um gesto descartei suas objeções.

"Temos de partir para Culduie depois de amanhã. Deixo as providências a seu cargo."

O sr. Sinclair perguntou se poderia jantar comigo naquela noite, mas, sabendo que nos dias seguintes estaríamos um bom tempo na companhia um do outro, recusei. Mandei um aviso à prisão em Perth de que estaria ausente por alguns dias e escrevi para minha mulher informando a mesma coisa. Depois folheei um dossiê com declarações de testemunhas e relatórios médicos que o sr. Sinclair tinha me fornecido, e compilei minhas anotações dos eventos do dia. Fiz a refeição noturna em meu quarto, não querendo estar na companhia dos habitués das áreas comuns, que me lembravam intensamente os internos de minha própria instituição. A refeição era bem razoável e bebi vinho suficiente para contrabalançar os efeitos do desconfortável colchão e os ruídos da baderna lá embaixo.

No dia seguinte instruí o sr. Sinclair a mandar entregar ao prisioneiro uma lauta refeição e uma garrafa de vinho de um albergue local. O advogado informou-me que tinha proposto várias vezes mandar entregar refeições a seu cliente, mas que essas ofertas, em todas as ocasiões, tinham sido recusadas. Isso não foi, eu disse a ele, porque o prisioneiro não quisesse a refeição; foi porque ele não queria ficar em dívida com o advogado. Atos de gentileza e honestidade são tão estranhos aos membros das classes criminosas que invariavelmente são recebidos com suspeita. No entanto, minha instrução, sou obrigado a admitir, não fora dada por delicadeza. Já é um fato estabelecido que a fome pode induzir o prisioneiro a um estado de inquietude, irritabilidade e até mesmo agressividade. Quando eu chegasse, esperava encontrar R M num estado de indolência, provocada pela boa comida que haveria consumido, e portanto num humor mais propício ao interrogatório. A refeição deveria ser entregue ao meio-dia e eu tinha combinado com o sr. Sinclair de nos encontrarmos na prisão à uma hora, à cuja altura, calculei, os alimentos já teriam causado seu efeito.

Cheguei à prisão um pouco mais cedo do que tinha combinado, pois queria primeiro fazer algumas perguntas ao carcereiro. Queria fazer isso sem a presença de meu associado legal, pois, segundo minha não desprezível experiência, essas pessoas cujas tarefas são tão subservientes tendem a formar uma aliança com o primeiro homem instruído com quem se deparam, muito à maneira de como um cordeiro órfão se apega à primeira mão que o alimenta.

O carcereiro correspondia exatamente ao tipo físico inferior que rotineiramente encontra-se empregado nas prisões e asilos do nosso país. Tinha estatura mediana, mas com ampla compleição e poderosos ombros e antebraços. Sua tez era rosada e escrofulosa; o crânio um tanto disforme com grandes e protuberantes orelhas. O cabelo era escuro e crespo, e começava no meio da testa. Densas costeletas cobriam suas faces. Sua fisionomia tinha o aspecto singularmente estúpido e insensato prevalente entre os que ficam no outro lado da porta da cela, e não me surpreenderia se o tivesse encontrado lá dentro. Ele era, *sans doute*, totalmente adequado a sua vocação, mas em minha missão atual eu não estava procurando sua perspicácia ou seu intelecto; ele tinha um par de olhos na cabeça, e era deles que eu queria fazer uso.

O carcereiro não demonstrou surpresa quando lhe disse que não queria entrar na cela do prisioneiro imediatamente. Esse tipo de ser existe quase que inteiramente no presente; pouco pensam no passado e não projetam seus pensamentos no futuro, por isso são incapazes de ficar surpresos seja lá com o que for. Da mesma forma, são incapazes de experimentar o tédio, e portanto adequam-se ao trabalho que não lhes exige muito e é repetitivo. Levei o brutamontes até a extremidade do corredor para que não fôssemos ouvidos por quem era objeto de nossa conversa. Certifiquei-me primeiro de que R M tinha estado sob a vigilância do carcereiro desde sua chegada; e que ele era o responsável por levar as refeições ao prisioneiro, retirar sua matéria fecal e periodicamente observá-lo pela abertura na porta. O carcereiro respondeu a tais questões com dificuldade e frequentemente tive de reformulá-las para me fazer entender.

Fiz então uma série de perguntas sobre o comportamento do prisioneiro, e relato aqui o conteúdo substancial de suas respostas:

O prisioneiro não dormia demais e o tempo todo estava alerta e ciente do que se passava em seu entorno. Comia com apetite e não tinha reclamado quanto à qualidade ou quantidade de sua comida. Da mesma forma, não reclamara de calor ou frio excessivos em sua cela, nem havia solicitado cobertores extras ou outros itens. Nunca perguntou como ia sua família ou expressou qualquer curiosidade quanto ao mundo lá fora. Em resumo, não houve nenhuma conversa significativa entre os dois homens. R M, durante todo o tempo que a luz diurna permitia, estava ocupado com os papéis que havia em sua mesa, mas o carcereiro não demonstrara interesse em seu conteúdo. O prisioneiro não tinha sido visto nem uma só vez delirando ou gritando como se fosse vítima de alguma alucinação. À noite, dormia profundamente e não parecia perturbado por pesadelos ou visões noturnas.

Ao final de nossa conversa, depositei um shilling na palma da mão do guarda. Ele olhou para a moeda com ar estúpido por alguns momentos, antes de enfiá-la sem uma palavra no bolso de seu gorduroso colete. Nesse momento o sr. Sinclair chegou e pareceu espantado ao me encontrar reunido com o abrutalhado carcereiro. Claramente não lhe havia ocorrido fazer uso daquele indivíduo, que — embora de limitado intelecto — ficava tão próximo do prisioneiro. Sem dúvida, em comum com a maioria de seus colegas na profissão legal, ele preferia a suposição e a conjetura à evidência. Não vi motivo para lhe dar explicações quanto a meus atos e ele não cometeu a temeridade de me questionar.

Quando entramos na cela, R M estava de pé, de costas para a parede oposta à porta, e suspeitei que, malgrado minhas precauções, a discussão no corredor o tinha alertado de nossa presença. Como o sr. Sinclair criara alguma ligação com o prisioneiro, deixei que entrasse na cela à minha frente e fiquei calado enquanto entabulavam uma ridícula troca de amabilidades. Notei imediatamente que a bandeja com comida que eu tinha encomendado no albergue estava largada no chão, junto à mesa em que ele escrevia. Uma tigela, que parecia ter contido algum tipo de caldo estava vazia, mas um prato com carne de carneiro e batatas não tinha sido tocado. Da mesma forma, a garrafa de vinho permanecia intacta.

Perguntei a R M, em tom amistoso, por que ele não tinha terminado tão substancial refeição, e ele respondeu que não estava acostumado a comidas tão boas, e que tinha comido o suficiente. Depois acrescentou que se eu estivesse com fome seria bem-vindo para comer o que tinha sobrado, oferecimento que recusei polidamente. O sr. Sinclair explicou que eu queria lhe fazer algumas perguntas e que lhe seria de grande benefício responder a elas de maneira completa e verdadeira. R M respondeu que não conseguia ver qualquer possível benefício para ele, mas, se isso era do agrado do sr. Sinclair, ele responderia a toda pergunta que lhe fizessem. Sentei-me na cadeira junto à mesa e pedi ao prisioneiro que sentasse em seu beliche, o que ele fez. O sr. Sinclair ficou de pé de costas para a porta, as mãos entrelaçadas sobre o abdome.

A evidência que eu tinha reunido até então — isto é, a de meu exame físico e a de minha conversa com o carcereiro — não era suficiente para tirar qualquer conclusão quanto à sanidade ou não do acusado, nem quanto a sua responsabilidade moral pelos crimes que havia cometido. Num grande número de itens ele correspondia à sombria procissão de obtusos que diariamente passava por meus cuidados, mas em outros, como sua vivacidade em geral e sua aptidão para se dedicar a uma tarefa, ele não correspondia. Nem por um momento acreditei que as páginas com as quais parecia ter se ocupado tão diligentemente contivessem outra coisa que não rabiscos e desvarios, mas o fato de ele ter se dedicado a isso era, em si mesmo, digno de nota. Em minha longa experiência com as classes criminosas, nunca encontrei um único indivíduo capaz de fazer alguma apreciação estética, muito menos a produção de qualquer obra literária ou artística. As ambições literárias de um prisioneiro médio não vão além de arranhar algumas expressões vulgares nas paredes de sua cela. Um homem da ciência tem de, por necessidade, manter-se a par das teorias e dos precedentes do campo que escolheu, mas não pode permitir que essas teorias ofusquem a evidência que veem seus próprios olhos, ou descartar, como insólito ou insignificante, o que não esteja de acordo com suas expectativas. Por mais nova e surpreendente que seja qualquer evidência, ela deve ser recebida honestamente. Como declarou o sr. Virchow, "Temos de ver as coisas como elas realmente são, e não como gostaríamos que fossem".*

Estava bastante claro que R M não era um maníaco delirante, o louco da imaginação popular, mas como foi bem estabelecido pelo sr. Prichard** e outros, existe outra categoria de loucura: a da *insanidade moral*, segundo a qual as maiores perversões dos impulsos naturais, das afeições e dos hábitos podem existir sem que haja concomitante distúrbio do intelecto ou das faculdades do raciocínio. Certamente, pelo que até então eu tinha observado, R M demonstrava ter algum grau de inteligência, uma inteligência que com toda a probabilidade só podia estar atrelada a fins de embuste e malignidade, mas que assim mesmo o distinguia do protótipo do degenerado. Foi, portanto, com a intenção de explorar a extensão das faculdades de raciocínio do prisioneiro que comecei meu interrogatório.

Para favorecer a ilusão de que éramos apenas dois homens mantendo uma conversa, não fiz anotações enquanto ela transcorria, e este relato é baseado no registro que compilei de memória após voltar para o albergue.

* Rudof Virchow (1821-1902) foi um cientista alemão conhecido como "o pai da patologia moderna". ** James Cowles Prichard, *Treatise on Insanity and Other Disorders Affecting the Mind* (1835).

Comecei dizendo a R M que estava curioso quanto ao projeto literário no qual havia embarcado. Ele respondeu que só estava escrevendo aquelas páginas porque o sr. Sinclair assim o instruíra a fazer. Eu retruquei que essa explicação não parecia combinar com a dedicação que ele demonstrava em relação à tarefa. A essa altura o prisioneiro fez um gesto que abarcava a cela e respondeu, "Como pode ver, senhor, há pouca coisa além disso com a qual eu possa me distrair aqui".

"Então você se diverte escrevendo essas páginas?", disse eu.

A isso ele não respondeu. Estava sentado ereto na cama, o olhar dirigido para a parede a sua frente, e não a seu interlocutor. Eu então lhe disse que gostaria de fazer algumas perguntas sobre as ações que o tinham trazido àquele lugar. Seus pequenos olhos cintilaram por um momento em minha direção, mas fora isso não houve mudança em sua postura.

"Pelo que o sr. Sinclair me disse, entendo que você não nega sua responsabilidade por esses crimes", eu disse.

"Não nego", ele respondeu. Seus olhos mantiveram-se firmemente fixos na parede a sua frente.

"Posso perguntar", disse eu, "o que levou você a cometer atos tão violentos?"

"Eu quis livrar meu pai das atribulações que vinha sofrendo recentemente."

"E qual era a natureza dessas atribulações?"

R M descreveu então uma série de conflitos triviais que tinham ocorrido num período de meses entre seu pai e o falecido.

"E você acha que teve justificativa, em vista desses incidentes, para causar a morte do sr. Mackenzie?"

"Não consegui ver outra linha de ação que eu pudesse adotar", disse R M.

"Você não poderia ter procurado alguma autoridade em sua comunidade para que agisse como intermediária nessas questões?"

"O sr. Mackenzie era a autoridade em nossa comunidade."

"Você parece ser um jovem inteligente", eu disse. "Você não poderia ter procurado resolver esses desentendimentos em uma conversa racional com o sr. Mackenzie?"

R M sorriu ante essa sugestão.

"Você fez alguma tentativa de argumentar com o sr. Mackenzie?"

"Não fiz."

"Por que não?"

"Se o senhor tivesse tido a oportunidade de conhecer o sr. Mackenzie, não me faria essa pergunta."

"Você matou o sr. Mackenzie por solicitação de seu pai?", perguntei.

R M negou com a cabeça, aparentando cansaço.

"Discutiu seu plano com outra pessoa?"

"Não diria que eu tinha um plano", ele respondeu.

"Mas você foi até a casa do sr. Mackenzie levando armas. Devia ter em mente fazer algum mal a ele."

"Sim, eu tinha."

"Isso então, com certeza, constitui um plano, não?" Eu disse essas palavras num tom afável, como se estivéssemos meramente envolvidos numa discussão amigável sobre algum assunto de interesse comum. Não queria predispor o prisioneiro contra mim, parecendo querer pegá-lo em uma armadilha.

"Fui até a casa do sr. Mackenzie com a intenção de matá-lo, mas não diria que tinha um plano."

Fingi alguma perplexidade com a minuciosa distinção que ele estava fazendo, e perguntei se poderia explicar o que queria dizer com aquilo.

"Simplesmente quis dizer que embora eu tivesse a intenção" — ele deu a esta última palavra uma ênfase especial, como se fosse ele, e não eu, quem estava conversando com alguém inferior — "de lhe fazer mal, eu não tinha formulado exatamente um plano. Fui até a casa do sr. Mackenzie assim armado só para descobrir o que aconteceria se eu fizesse isso."

"Então você acredita que não é de todo responsável pela morte do sr. Mackenzie — que ela foi, em alguma medida, uma questão de acaso."

"Seria possível dizer também que tudo que acontece é uma questão de acaso."

"Mas teria sido por acaso que você tinha um *croman* na mão quando entrou na casa do sr. Mackenzie?"

"Foi por acaso que eu tinha um *croman* na mão antes de me pôr a caminho."

"E esta segunda arma..."

"O *flaughter*", interveio o sr. Sinclair.

"Não foi", eu continuei, "o acaso que pôs o *flaughter* em sua mão."

R M respondeu num tom de enfado, "O *flaughter* estava apoiado no frontão da casa".

"Mesmo assim", insisti, "você o pegou. Não foi o acaso que o pôs em sua mão."

"Não."

"Porque você tinha planejado matar o sr. Mackenzie."

"É verdade que eu queria que o sr. Mackenzie morresse por minhas mãos. Se o senhor quer chamar isso de plano, é livre para fazê-lo. Eu meramente queria dar a meu empreendimento todas as chances de sucesso."

Eu assenti judiciosamente a essa paródia de lógica. "E você ficou satisfeito com este sucesso?"

"Não fiquei insatisfeito", disse R M.

"Mas você não pode estar satisfeito por estar preso nesta cela."

"Esta é uma questão sem importância", declarou ele.

"Você compreende que suas ações e suas declarações sobre elas provavelmente o levarão à forca?"

A isso, R M não respondeu. Se essa atitude retraída era fingida ou produto de alguma bravata fora de lugar, não sei dizer.

Nem poderia dizer àquela altura se as respostas práticas e factuais que tinha dado eram totalmente ingênuas ou deviam-se a alguma manobra para ele parecer estar mentalmente desorientado; se havia calculado que, ao admitir tão abertamente ações tão brutais, seria declarado fora de sua razão.

Então dirigi minha atenção para as outras vítimas do ataque de R M.

"Você declarou que queria assassinar o sr. Mackenzie e entendo que em sua própria mente se sentisse justificado para fazer isso, porém matar uma moça tão jovem e uma criança é uma questão totalmente diferente. Você também tinha algum ressentimento contra Flora ou Donald Mackenzie?"

"Não, não tinha."

"Então causar a morte deles foi algo bem monstruoso", eu disse.

"Só agi assim porque foi necessário", ele respondeu.

"Necessário?", repeti. "Um jovem vigoroso como você não poderia ter dominado uma moça jovem e um menininho?"

"Olhando em retrospectiva, pode parecer que sim. Talvez, se eu tivesse um plano, como o senhor o chama, isso fosse possível. Do jeito que foi, foi meramente a maneira como as coisas aconteceram."

"Então, para poder cumprir o objetivo de matar o sr. Mackenzie, você estava disposto a assassinar dois indivíduos que, até aos seus olhos, eram totalmente inocentes."

"Não era minha intenção matá-los", ele replicou, "mas não tive escolha quanto a isso."

"Você agiu apenas por necessidade?"

O prisioneiro deu de ombros como se estivesse cansando de me fazer a vontade. "Se o senhor quer colocar nesses termos, então, sim. Eu os matei porque foi necessário."

Àquela altura eu tirei de minha sacola os relatórios médicos, muito competentemente compilados pelo médico local, detalhando as lesões sofridas pelas vítimas. Li então para o prisioneiro um parágrafo que detalhava as lesões de Flora Mackenzie, obscenas demais para relatar nestas páginas. "O que está aqui descrito parece exceder de muito as demandas de uma necessidade", eu disse.

R M até aqui estivera sentado sem se mover em seu beliche, o olhar fixado na parede da cela. Ao ouvir esse relato das feridas que tinha infligido, no entanto, seus olhos começaram a vagar rapidamente em todas as direções, e as mãos, até então pousadas no colo, começaram a retorcer o tecido de seus calções.

"Pode me explicar por que sentiu necessidade de infligir essas lesões?", perguntei, mantendo um tom neutro e afável.

As faces do prisioneiro ficaram vermelhas. Ocorre frequentemente que até mesmo internos que são capazes de exercer controle sobre suas declarações verbais não conseguem suprimir as manifestações físicas de sua ansiedade. R M passou os olhos por toda a cela, como que buscando uma resposta para minha pergunta.

"Não me lembro de ter infligido essas lesões", ele respondeu após alguns momentos, numa voz mais baixa do que aquela com que vinha falando até então.

"Mas você deve ter feito isso", eu disse.

"Sim, eu devo ter feito", disse ele.

Não senti que fosse necessário pressionar mais o prisioneiro quanto a essa questão, já tendo atingido meu propósito de confrontá-lo. Devolvi os papéis à minha sacola e me levantei para indicar que a entrevista estava terminando. O sr. Sinclair afastou-se da parede em que estava encostado e ficou à espera. Eu indiquei que estávamos prontos para sair e ele nos fez sair da cela. Instruí o carcereiro a retirar a bandeja de comida trazida do albergue, com a certeza de que ele não teria o menor pudor de se servir dos restos da refeição.

O sr. Sinclair e eu chegamos a Applecross no início da noite de 26 de agosto, após uma árdua jornada. O albergue no qual íamos pernoitar era elogiavelmente limpo, com paredes caiadas de branco, mobília simples e um bom fogo ardendo na lareira. Recebemos hospitaleiras boas-vindas e nos foi servida uma refeição de guisado de cordeiro por uma moça de belas proporções e saudável compleição. Os homens locais eram geralmente morenos e de baixa estatura, mas fora isso eram robustos e não apresentavam quaisquer aparentes deformidades congênitas. Conversavam na língua bárbara da região, por isso não sou capaz de atestar qual era o conteúdo de suas conversas, mas apesar das grandes quantidades de cerveja que bebiam, seu comportamento não era dissoluto, nem parecia que houvesse prostitutas no recinto. Nossa presença não pareceu chamar especial atenção, e quando perguntei a nossa anfitriã quanto a isso, ela respondeu que, por conta do grande número de pessoas que vinham à Casa Grande para a temporada de caça, não era nada incomum que cavalheiros viessem se hospedar no albergue. Eu me retirei na primeira oportunidade, deixando o sr. Sinclair socializar com seu entorno, e dormi profundamente.

Acordamos cedo e nos foi servido um desjejum com chouriço e ovos, acompanhados de uma caneca de cerveja, que meu companheiro bebeu com entusiasmo. Como não havia nenhum veículo com que pudéssemos sair de Applecross, foram providenciados dois pôneis e partimos em direção a Culduie. A manhã estava clara e o ar puro e fresco. A aldeia de Applecross é das mais agradáveis, situada no litoral de uma baía protegida, e as casas de lá, embora primitivas, têm construção sólida. Apesar de ser muito cedo, várias mulheres idosas estavam sentadas em bancos do lado de fora de suas casas, boa parte delas, eu diria, com oitenta e muitos anos. Algumas pitavam pequenos cachimbos, enquanto outras ocupavam-se em tricotar. Todas nos olharam com curiosidade, mas nenhuma nos cumprimentou.

Depois de mais ou menos 1,5 quilômetro, passamos pela aldeia de Camusterrach, uma coleção de cabanas decrépitas dispostas em volta de um porto simples. Essa aldeia ostentava uma igreja de construção rudimentar, um belo presbitério de alvenaria e uma escola, e estas últimas construções emprestavam ao lugar um pouco de dignidade. Com certeza, nem Applecross nem Camusterrach — primitivas como eram — nos prepararam para a desventurada coleção de casebres que compunham o domicílio de R M. A curta jornada entre Camusterrach e Culduie oferecia, é preciso dizer, uma vista magnífica das ilhas de Raasay e Skye. O estreito que separava essas ilhas do continente brilhava agradavelmente ao sol. O contraste, quando entramos no caminho que levava a Culduie, não poderia ter sido maior, e só posso imaginar que os desafortunados nativos desse lugar devem, diariamente, desviar os olhos dessa beleza que está diante deles para não se lembrarem da miséria em que vivem. A maioria das casas, se é que podem ser chamadas assim, são de construção tão rudimentar que se poderia tomá-las como estábulos ou chiqueiros. Eram construídas com uma mistura de pedra e turfa, e encimadas por palha bruta, a qual, apesar do calor do dia, fumegava com fétida fumaça de turfa, e assim parecia que cada uma das casas estava ardendo suavemente. Quando avançávamos pela trilha, um homem que trabalhava em sua plantação fez uma pausa e olhou ostensivamente para nós. Tinha uma figura atarracada, uma barba espessa e um rosto repulsivo. Apenas uma casa, no único cruzamento da aldeia, ostentava um telhado de ardósia e parecia ser adequada como habitação humana. Foi aí que paramos para perguntar como chegar à casa do sr. M, o pai do acusado. Fomos recebidos, para minha grande surpresa, por uma mulher muito bonita, e que, antes que tivéssemos tido oportunidade de declarar o motivo de nossa visita, convidou-nos a entrar em sua casa. Admito que fiquei curioso para observar em primeira mão as condições de vida daquelas pessoas, e fiquei agradavelmente surpreso ao ver o interior da casa. Embora o chão consistisse em nada mais do que terra, fora recentemente varrido e a atmosfera geral era de uma higiene satisfatória. Havia alguns itens de mobília toscos mas usáveis, e fomos convidados a sentar em duas poltronas dispostas junto à lareira. O sr. Sinclair começou a explicar que não era necessário nos sentarmos, pois só queríamos perguntar qual era a casa da família M, mas eu o interrompi e disse que teríamos prazer em aceitar a hospitalidade de nossa anfitriã por alguns minutos. Como tínhamos viajado uma grande distância para aprender alguma coisa sobre a comunidade de onde provinha R M, seria negligência não aproveitarmos toda oportunidade para fazer isso. O estudo da classe criminal não deve focar-se exclusivamente em hereditariedade, e tem de prestar atenção também nas condições em que o indivíduo degenerado vive. A hereditariedade não pode, em si mesma, ser a explicação para a perpetração de um crime. O ar viciado das favelas, a fome e um ambiente geral de imoralidade podem ser admitidos também como fatores na fabricação de um criminoso. Foram feitos numerosos estudos em proles de degenerados que, depois de retiradas dos esquálidos antros de seus pais, tinham acabado por levar, dentro das limitações de seu intelecto, vidas bastante produtivas.

Assim, fiquei contente de ter essa oportunidade para conhecer um pouco sobre o poço do qual havia saído R M. Quando terminamos de nos apresentar, a sra. Murchison chamou duas de suas filhas para que nos servissem chá, e sentou conosco junto à lareira. A não ser por suas roupas simples, eu não me envergonharia de apresentar a sra. Murchison numa sala de estar em Perth. Tinha feições bonitas e inteligentes olhos castanhos. Comportava-se com uma dignidade que sugeria não estar desacostumada a conversar com homens instruídos. Suas filhas, que avaliei terem por volta de doze e treze anos de idade, movimentavam-se com a mesma graciosidade, e eram agradavelmente proporcionadas, de corpo e de semblante. A sra. Murchison explicou que seu marido, um pedreiro, estava naquele dia longe de casa. Perguntei como tinham se conhecido, e ela explicou que tinham se conhecido na cidade próxima de Kyle of Lochalsh, onde seu pai era um comerciante com uma boa posição. O sr. Murchison tinha assim evitado cometer a grande insensatez das tribos costeiras da Escócia, que através de incessantes casamentos entre parentes próximos perpetuavam suas peculiaridades e deficiências físicas. O chá foi servido em xícaras de porcelana, juntamente com bolinhos untados de manteiga. Eu cumprimentei a sra. Murchison por suas filhas tão bem-educadas. Ela respondeu que tinha mais quatro filhas, e eu ofereci minhas condolências por seu infortúnio de não ter sido contemplada com um filho.

Depois expliquei a natureza de nossa missão em Culduie, e pedi sua opinião sobre o acusado. A sra. Murchison esquivou-se de minha pergunta, comentando em vez disso a natureza trágica daqueles crimes recentes e o efeito que isso tivera em sua pequena comunidade.

Notei que empregara a palavra "trágica", e perguntei por que ela caracterizava os acontecimentos daquela maneira.

"Não consigo ver outra maneira com que descrever esses acontecimentos."

"Eu apenas estava curioso", respondi, "por ter a senhora chamado essas ações de 'trágicas', e não de, digamos, maléficas, ou perversas."

A sra. Murchison olhou então para nós dois, como que se certificando de que poderia falar conosco abertamente.

"Se quer a minha opinião, sr. Thomson", disse ela, "creio que já houve falatório demais sobre perversidade nestas paragens.

Pelo modo como as pessoas falam, poder-se-ia pensar que vivemos num perpétuo estado de devassidão."

"Posso ver que seria realmente uma visão errônea", disse eu, fazendo com a mão um gesto que abrangia todo o recinto. "Entretanto, alguém tem de tentar encontrar um modo de explicar as ações de seu vizinho."

Àquela altura, a sra. Murchison pediu às duas filhas que saíssem da casa, dizendo que cuidassem de suas tarefas. Depois ela respondeu que não cabia a ela arriscar uma opinião, mas só podia imaginar que, quando perpetrou esses terríveis crimes, R M não devia estar em seu juízo perfeito. Pediu então desculpas por estar emitindo uma opinião na presença de dois cavalheiros que deviam saber muito mais do que ela sobre como a mente funciona.

Eu afastei com um gesto seus protestos e disse-lhe que, embora tivesse estudado muitos criminosos, eu era um homem da ciência e como tal valorizava a evidência mais do que generalizações e especulação. Era exatamente porque queria saber as opiniões de quem conhecia o acusado que eu estava lá.

"Não tenho dúvida de que não faltarão ao senhor pessoas que estejam ansiosas para lhe oferecer uma opinião ruim sobre ele", disse ela, "mas eu nunca soube que ele tivesse voluntariamente feito mal a outra pessoa."

"A senhora não pensaria que ele fosse capaz de cometer tais atos?"

"Eu não pensaria que qualquer homem fosse capaz de cometer tais atos, sr. Thomson", ela respondeu.

Eu então lhe perguntei se ela tinha conhecimento de algum motivo para R M ter agido como agiu. Ela pareceu relutar em responder a essa pergunta.

"Com certeza houve alguns litígios entre o sr. Mackenzie e o sr. M", disse ela depois.

"E quem, em sua opinião, era o culpado por esses litígios?"

"Não creio que caiba a mim dizer", ela respondeu.

"Talvez a senhora não queira falar mal de alguém que já morreu", eu disse.

A sra. Murchison ficou olhando para mim por um momento. Ela era realmente uma criatura impressionante.

"Posso dizer com toda a certeza que Flora e Donald Mackenzie não tinham culpa de nada", disse então, começando a chorar.

Eu me desculpei por tê-la transtornado. Ela tirou um lenço de linho da manga e enxugou os olhos, numa imitação perfeita de uma mulher de boa educação. Eu imaginei, pelo fato de ela ter um lenço sempre consigo, que ela atualmente encontrava-se propensa a manifestações de emoção. Quando ela se recompôs, perguntei se poderia me falar do caráter de R M. Ela olhou para mim por alguns instantes com seus encantadores olhos castanhos.

"Geralmente ele manifestava um bom caráter", disse ela vagamente.

"Geralmente?"

"Sim."

"Mas nem sempre?", insisti.

"Todos os rapazes na idade de R às vezes são dados a alguma traquinagem, não são?"

"Sem dúvida", eu disse. "Mas a que tipo de traquinagem a senhora se refere?"

A sra. Murchison não respondeu e eu fiquei impressionado com sua estranha relutância em falar mal de uma pessoa que tinha cometido tão monstruosos atos. Por isso achei melhor fazer perguntas mais específicas.

"Ele era dado a roubar?"

A sra. Murchison riu dessa sugestão.

"Soube se ele alguma vez cometeu atos de crueldade com animais ou crianças pequenas?"

A sra. Murchison não riu dessa possibilidade, mas respondeu com uma negativa.

"Alguma vez ouviu dizer que ele tivesse delirado, ou agido sob alguma alucinação ou fantasia?"

"Eu não diria que o vi delirando", ela respondeu, "mas, ocasionalmente, quando caminhava pela aldeia ou trabalhava nos campos, ele talvez estivesse balbuciando algo consigo mesmo."

"Esses balbucios eram audíveis?"

A sra. Murchison balançou a cabeça. "Ele ficava com os lábios apertados" — ela aqui imitou o que queria dizer com isso, contraindo a boca — "como se não quisesse ser ouvido. Se alguém se aproximava dele, ou se percebia que estava sendo observado, ele parava."

"Então ele devia estar consciente do que estava fazendo", disse eu, mais para mim mesmo do que para os que estavam comigo. "Alguma vez a senhora falou com outra pessoa sobre essa tendência de R?"

"Meu marido também notou, e comentou isso comigo."

"E qual foi o conteúdo desse comentário?"

"Nada mais que declarar o que tinha observado. Não achamos que isso tivesse alguma importância."

"Assim mesmo era incomum o bastante para merecer um comentário."

"Obviamente", disse a sra. Murchison. Ela tomou um gole do chá que estava mantendo elegantemente em seu colo. "O senhor deve entender, sr. Thomson, a grande infelicidade que afligia R. Desde a morte de sua mãe, toda a família estava sob um manto de tristeza que era doloroso de se ver e imune à solicitude e solidariedade de seus vizinhos."

"Assim, a senhora acredita que a morte da sra. M acarretou alguma mudança no caráter de seu filho?"

"No de toda a família", disse ela.

Eu assenti.

"O senhor deve saber também que John M é um homem rígido que..." — ela então baixou a voz e fixou os olhos no chão, como se o que estava prestes a dizer a envergonhasse — "... que não demonstrava muita afeição por seus filhos."

Então ela acrescentou que não queria falar mal de um vizinho e eu lhe assegurei que seria discreto.

"A senhora ajudou muito", eu lhe disse. "Como mencionei, nossos motivos para essas investigações são totalmente profissionais." Fiz uma breve pausa antes de continuar. "Como a senhora, evidentemente, é uma mulher com alguma educação, eu poderia lhe fazer mais uma pergunta, uma pergunta cuja natureza é um tanto delicada?"

Ela sinalizou que eu podia.

"Perdoe-me", disse eu, "mas a senhora soube que R M tivesse cometido quaisquer atos indecentes?"

Uma ligeira cor surgiu nas faces da mulher, que tentou escondê-la levando a mão ao rosto. Minha suspeita ao ver isso não foi tanto de que ela tivesse ficado constrangida com aquilo a que eu fizera alusão, e sim que eu tinha tocado em algo sobre o qual ela preferia não conversar. Primeiro ela tentou se fazer de desentendida, querendo saber a que tipo de atos eu estava me referindo.

"Está claro", eu disse, "que se a resposta a minha pergunta fosse negativa a senhora não precisaria pedir esse esclarecimento. Peço que se lembre de que sou um homem de ciência e afaste esta sua natural reticência."

A sra. Murchison pousou sua xícara de chá e olhou em volta, certificando-se de que as filhas não estavam presentes. Quando falou, manteve os olhos o tempo todo grudados no chão sujo entre nós.

"Nossas filhas — a mais velha tem quinze anos — dormem num quarto na parte de trás da casa." Ela apontou então para um corredor que presumivelmente levava a esse quarto. "Em algumas ocasiões, meu marido surpreendeu R lá fora, na janela."

"À noite?", perguntei.

"À noite ou pela manhã bem cedo."

"Estava observando suas filhas?"

"Sim."

"Perdoe-me por minha indelicadeza, mas seu marido encontrou o menino em estado de ereção?"

O rubor assumiu agora um tom mais vívido nas faces da boa mulher.

"Ele estava em atividade onanística?"

A sra. Murchison assentiu fracamente, e depois, com timidez, dirigiu seus olhos a mim. Para desfazer seu embaraço, adotei um tom mais leve e perguntei que providência tinha tomado seu marido. Ela respondeu que o garoto recebera uma enérgica advertência, que eu interpretei como ele ter recebido um violento tapa nas duas orelhas.

"A senhora informou alguém sobre essas atividades?"

A sra. Murchison balançou a cabeça negativamente. "Nós instruímos nossas filhas a não se dar com o sr. R e a nos informar se ele se comportasse de maneira imprópria com elas."

"E ele fez isso?"

"Não que eu saiba."

"Ele persistiu com essas visitas?", perguntei.

"Por algum tempo", ela disse, "mas parece que elas cessaram alguns meses atrás. Suponho que ele tenha crescido e superado essas coisas."

Expressei minha admiração pela caridosa caracterização que a sra. Murchison tinha feito do comportamento de R M, e novamente desculpei-me por constrangê-la a falar sobre essas coisas. Depois agradecemos por sua hospitalidade e pedimos as orientações que tinham sido o principal motivo de nossa visita.

Deixamos nossos pôneis amarrados no lado de fora da casa dos Murchison e caminhamos o trecho restante na aldeia. A residência dos M era, de longe, a mais pobremente construída na municipalidade, parecendo menos uma casa do que um fumegante monte de esterco. O terreno da frente era malcuidado e coberto de mato. A porta estava aberta e espiamos o recinto lá dentro. À esquerda havia o que parecia ser um estábulo arruinado. Nas baias não havia animais, mas o fedor estava presente assim mesmo, e poucos considerariam esse lugar apropriado como habitação humana. Não havia fogo aceso, o quarto estava frio e quase no escuro.

O sr. Sinclair proferiu uma saudação, à qual não houve resposta. Ele entrou no recinto e repetiu a saudação em gaélico. Um par de galinhas, que estava ciscando na sujeira, fugiu passando por nossas pernas. Algo agitou-se à direita, e nossos olhos foram atraídos para uma figura sentada numa cadeira, junto a uma pequena abertura na parede.

"Sr. M?", perguntou meu companheiro.

A figura pôs-se de pé com alguma dificuldade e deu um ou dois passos em nossa direção, apoiada pesadamente num pedaço de pau retorcido. Disse algumas palavras na língua que lhe tinha sido dirigida.

O sr. Sinclair respondeu e o homem aproximou-se de nós. Raramente eu tinha visto um espécime da raça humana tão sombrio como aquele. Encurvado como estava, não teria muito mais do que um metro e meio de altura. A barba e os cabelos eram espessos e desgrenhados, a roupa, esfarrapada. Por sugestão minha, o sr. Sinclair perguntou se podíamos sair para conversar por alguns minutos. O homúnculo olhou para nós com alguma suspeita e balançou a cabeça negativamente. Indicou que, se quiséssemos falar com ele, poderíamos nos sentar à mesa, no centro da sala. Nós sentamos nos bancos em torno da mesa, cuja superfície estava manchada de pingos.

Quando meus olhos se acostumaram à penumbra, estudei o sr. M. Ele tinha as mesmas sobrancelhas espessas e os mesmos olhos penetrantes do filho. Suas mãos, que se ocupavam enchendo o cachimbo, eram grandes, com longos e retorcidos dedos, um tanto achatados nas pontas. Eu pensei que talvez ele estivesse dormindo quando chegamos, pois agora parecia ter superado em parte sua confusão inicial. Não obstante, a expressão em seu rosto era de desconfiança, se não de franca hostilidade. Não nos ofereceu nada para comer ou beber, e tampouco nós gostaríamos de consumir alguma coisa naquele casebre imundo.

O sr. Sinclair perguntou se ele poderia conversar conosco em inglês e continuamos nessa língua. O advogado explicou então a natureza de nossa missão em termos elementares. Fiquei chocado com o fato de que em nenhum momento o sr. M perguntou como estava o filho. O sr. Sinclair começou perguntando como iam os filhos menores do rendeiro. Ele respondeu que tinham sido levados para a família da mãe deles, em Toscaig.

O sr. Sinclair expressou então suas condolências pela morte da filha.

Os olhos do sr. M endureceram. “Eu não tenho filha”, disse.

“Refiro-me a sua filha Jetta”, disse o sr. Sinclair à guisa de explicação.

“Essa pessoa não existe”, disse o rendeiro através de lábios crispados.

As observações de meu associado, apesar de bem-intencionadas, não tinham contribuído para melhorar a atmosfera em torno da mesa.

“Então o senhor está aqui sozinho?”, eu disse.

O sr. M não respondeu a essa pergunta, o que talvez fosse razoável considerando que a resposta era autoevidente. Acendeu o cachimbo e deu algumas baforadas curtas para fazê-lo queimar, os olhos alternando-se de um a outro de seus não bem-vindos visitantes.

"Senhor M", comecei, "viajamos uma longa distância para falar com o senhor e espero que seja gentil o bastante para responder a algumas perguntas sobre o seu filho. É importante que tentemos compreender seu estado mental quando cometeu os atos dos quais é acusado."

A expressão do sr. M não se alterou e eu me perguntei se ele teria entendido alguma coisa do que tínhamos dito. Decidi fazer minhas perguntas da forma mais simples possível. Minhas expectativas de ouvir algo interessante não eram altas, mas pelo menos eu aprendera alguma coisa observando as lamentáveis condições em que R tinha vivido.

"O senhor se lembra, estou certo, do dia em que ocorreram os assassinatos?" Fiz aqui uma pausa em antecipação a algum sinal afirmativo, mas, ao não receber nenhum, continuei. "Poderia me descrever o estado mental de seu filho naquela manhã?"

O sr. M sugou ruidosamente a piteira de seu cachimbo.

"Um homem não é capaz de enxergar na mente de outro mais do que é capaz de enxergar dentro de uma pedra", disse ele por fim.

Decidi formular minha pergunta de uma forma mais direta: "Seu filho demonstrava geralmente estar em boa disposição?", perguntei. "Era um menino alegre?"

O rendeiro balançou a cabeça, menos por discordar, imaginei, do que expressando não ter opinião sobre o assunto. Não obstante, isso constituía um tipo de resposta, o que me encorajou um pouco.

"Seu filho falou ao senhor da intenção de matar Lachlan Mackenzie?", perguntei.

"Não, não falou."

"O senhor teve algum indício de que ele planejava fazer isso?"

Ele balançou a cabeça.

"É verdade que tinha havido algumas contendas entre o senhor e o sr. Mackenzie?", insisti.

"Eu não chamaria o que houve de 'contendas'", ele respondeu.

"De que o senhor chamaria?"

O sr. M olhou para mim por alguns momentos. "Eu não chamaria de nada."

"Mas se o senhor não as chamaria de 'contendas', necessariamente tem de chamar de outra coisa?", perguntei.

"Tenho? Por quê?", disse ele.

"Bem", eu disse no mais afável dos tons, "se o senhor quiser falar de alguma coisa, é necessário que lhe dê um nome."

"Mas eu não quero falar sobre isso. São os senhores que querem falar sobre isso", disse ele.

Não pude deixar de sorrir ante essa resposta. Talvez ele não fosse tão estúpido quanto eu tinha suposto no início.

O sr. Sinclair fez então sua tentativa de superar a obstinação do velho homem.

"Seria correto dizer que o sr. Mackenzie estava conduzindo algum tipo de *vendetta* contra o senhor?"

"Esta é uma pergunta que o senhor teria de fazer ao sr. Mackenzie", disse o velho.

O sr. Sinclair olhou para mim com uma expressão de derrota.

O sr. M então inclinou-se um pouco sobre a mesa em nossa direção. "O que quer que meu filho tenha feito, não pode ser desfeito. Nada do que os senhores ou eu tenhamos a dizer sobre isso tem qualquer importância."

"Mas, sr. M, temo que o senhor esteja muito enganado", disse o sr. Sinclair gravemente. Ele então explicou que a perspectiva de seu filho escapar da forca dependia em grande medida de se determinar qual era seu estado mental no momento em que cometeu os crimes, e não fora, portanto, por ociosa curiosidade que tínhamos vindo de Inverness para lhe fazer aquelas perguntas.

O rendeiro olhou para ele por algum tempo. Seu cachimbo tinha se apagado e ele despejou o conteúdo na mesa à sua frente e começou a vasculhar a bolsa de fumo buscando os restos que lá houvesse. Eu peguei minha própria bolsa e empurrei para o meio da mesa.

"Por favor...", eu disse, com um gesto convidativo.

Os olhos do sr. M passearam de mim para a bolsa e de volta, sem dúvida pesando a medida em que se sentiria meu devedor se aceitasse a oferta. Ele então pousou o cachimbo na mesa e disse, "Não creio que possa ajudá-lo em alguma coisa, senhor".

Eu lhe disse que ele já tinha sido de grande ajuda e pedi para fazer-lhe algumas perguntas sobre seu filho. Como não objetou, perguntei se o filho tinha sofrido de epilepsia; se era dado a mudanças violentas de humor, ou a delírios e alucinações; se era excêntrico em seus hábitos ou comportamento; ou se havia alguma história de distúrbio mental na família. A todas essas questões o rendeiro respondeu negativamente. No entanto, eu não pus muita fé em suas respostas, pois apesar das condições abjetas em que vivia, ele provavelmente teria achado vergonhoso admitir a existência de tais propensões em sua família.

Como não vi motivo para prolongar a entrevista, levantei-me e agradeci por sua hospitalidade. O sr. M levantou-se. Olhou para a bolsa de fumo que continuava na mesa entre nós. Sua mão projetou-se para ela e ele a guardou num bolso de sua jaqueta. Depois olhou para nós como se nada tivesse acontecido. Nós lhe desejamos um bom-dia e, com algum alívio, saímos para o ar não contaminado da aldeia.

Nenhum de nós dois falou enquanto caminhávamos de volta para nossos pôneis. Eu estava ciente de que a rota na qual caminhávamos repetia aquela que R M tomara duas semanas antes em seu projeto sangrento. E me perguntei se poderia haver alguma verdade involuntária na observação do rendeiro acerca da dificuldade de determinar qual era o conteúdo da mente de outrem. Naturalmente, se um homem está de posse de suas faculdades mentais, basta apenas perguntar-lhe, e supondo que suas respostas sejam verdadeiras, aceitar como verdadeiro o relato sobre o que poderia estar pensando neste ou naquele momento. O problema começa quando se está lidando com aquilo que existe nas regiões limítrofes da loucura, e com quem, por definição, não tem acesso ao conteúdo de sua própria mente. É para poder olhar dentro da mente desses infelizes que existe a disciplina da psiquiatria. Não tenho dúvida de que o sr. Sinclair gostaria de saber qual o conteúdo de *minha* mente, mas, não querendo precipitar uma opinião temerária, por enquanto mantive-me calado.

Refleti, enquanto caminhávamos a curta distância até a junção na estrada da aldeia, que esse lugar pareceria ser uma espécie de paraíso aos habitantes de nossas favelas urbanas, e que, não fosse a preguiça e a ignorância de seus habitantes, poderia ser mesmo.

Quando chegamos a nossos pôneis o sr. Sinclair aventou a ideia de que poderia ser benéfico fazer uma visita à casa do sr. Mackenzie, que ficava na outra extremidade da aldeia. Eu não vi propósito em interrogar os membros restantes da família da vítima, pois estava preocupado apenas com o perpetrador, mas o sr. Sinclair declarou que tal visita poderia ajudá-lo no tribunal, familiarizando-o com a cena do crime. A casa dos Mackenzie parecia razoavelmente bem construída e conservada. Na entrada estava uma mulher corpulenta, trabalhando vigorosamente com uma grande batedeira manual. Ela ergueu os olhos de seu trabalho quando nos aproximamos. Tinha uma compleição rosada e cabelos castanhos e espessos, amarrados num coque atrás da cabeça. Seus antebraços eram ásperos e musculosos e seus modos e comportamento um tanto masculinos. No entanto, não exibia traços discerníveis de uma natureza inferior, e parecia ser um espécime saudável, conquanto não atraente, da raça.

O sr. Sinclair, tendo se certificado de que ela era a viúva do falecido, ofereceu suas condolências e eu inclinei a cabeça para sinalizar que endossava esses sentimentos. Ele informou-a de que estávamos preocupados com a investigação do assassinato de seu marido (evitando, prudentemente, mencionar qual era seu papel nisso) e lhe perguntou se poderia entrar por um momento para "familiarizar-se com a geografia da casa". A senhora indicou com um gesto de mão que ele era bem-vindo e podia entrar, mas ela não veio atrás de nós. Um fogo ardia no canto mais afastado do recinto e a temperatura era bastante opressiva. Eu fiquei no lado de dentro da porta enquanto o sr. Sinclair fazia uma inspeção superficial da propriedade. A mobília da casa não seguia a moda, mas contrastava fortemente com o casebre que tínhamos deixado havia pouco. Em seu percurso pelo recinto, o sr. Sinclair chegou até uma grande mesa onde, sem dúvida, a família fazia suas refeições, e eu imaginei que estivesse tentando reconstituir mentalmente os horríveis acontecimentos que tinham ocorrido ali. Apenas quando chegou ao outro lado da mesa foi que seus olhos foram atraídos para uma mulher muito velha que, apesar do calor, estava envolta em cobertores, numa poltrona junto ao fogo. O advogado imediatamente desculpou-se pela intrusão, mas a mulher não respondeu. Ele repetiu suas desculpas em gaélico, mas os olhos aquosos da velha continuaram fixos a sua frente, e eu concluí que ela estava num estado avançado de demência.

Saí da casa e permiti que meu associado completasse sua inspeção privadamente. A sra. Mackenzie continuou trabalhando na batedeira, como se não houvesse nada de notável no aparecimento de dois cavalheiros naquela choupana remota. Eu a observei por alguns minutos e refleti, enquanto ela realizava seu estrênuo e repetitivo labor, que muito pouco a distinguia de uma ovelha ruminando. Era uma vergonhosa realidade que as castas mais baixas de nosso país continuassem a existir num estado não muito superior ao do gado, carente da vontade de se autoaprimorar que trouxera progresso às nossas regiões meridionais.

O sr. Sinclair surgiu do interior da casa, tendo um pouco de suor brotado na testa. Ele agradeceu à mulher por ter lhe permitido entrar, depois expressou admiração por sua capacidade de continuar na labuta tendo em vista os acontecimentos ocorridos. A sra. Mackenzie olhou para ele com um rosto quase inexpressivo.

"Ainda existem bocas para alimentar e colheitas para se tirar do solo, senhor", ela disse.

O sr. Sinclair assentiu ante a inegável verdade que havia nessa resposta e fomos embora, afastando-nos tanto dela quanto de Culduie, um lugar ao qual eu ficarei contente de nunca mais voltar. Como o dia já estava avançado demais para voltar a Inverness, regressamos ao albergue de Applecross. Recolhi-me ao meu quarto para compilar minhas anotações e refletir sobre o que tínhamos descoberto em nossa excursão, enquanto meu associado usufruía da hospitalidade lá embaixo.

O julgamento

O relato a seguir foi compilado da cobertura de jornais contemporâneos e do tomo Relato completo do julgamento de Roderick John Macrae, *publicado por William Kay, de Edimburgo, em outubro de 1869.*

Primeiro dia

O julgamento começou no tribunal itinerante de Inverness na segunda-feira, 6 de setembro de 1869. Às oito horas, Roderick Macrae foi tirado de sua cela na prisão de Inverness e levado ao tribunal, para uma sala de espera no porão do prédio. Foi transportado numa carruagem sem janelas, ladeado por policiais a cavalo, e a presença desse pequeno comboio nas ruas provocou grande comoção entre os transeuntes. Segundo John Murdoch, que cobria o caso para o *Inverness Courier*, alguns dos que testemunharam sua passagem "gritavam palavras ofensivas, enquanto outros atiravam na carruagem o que lhes estivesse à mão". O interesse no caso era tanto que uma multidão de várias centenas de pessoas tinha se reunido fora do tribunal, e vendedores cheios de iniciativa montaram barracas para fornecer comida e bebida à turba. Quando a procissão chegou, houve grande gritaria, e os guardas a cavalo não conseguiram evitar que a multidão avançasse e começasse a bater nas laterais da cabine. O avanço da carruagem foi bloqueado e várias pessoas ficaram feridas quando a polícia lutou contra a turba usando seus cassetetes. Uma mulher idosa, Mary Patterson, foi pisoteada e teve de ser atendida por médicos. Nos dias subsequentes foram erguidas barreiras e aumentada a presença da polícia, para garantir a passagem segura do comboio.

Na sala do tribunal tinham sido providenciadas acomodações especiais para o grande número de repórteres que desejavam assistir ao julgamento, e eles eram admitidos, mediante arranjos prévios, por uma entrada lateral. A entrada do público na galeria foi organizada com a emissão de ingressos especiais, os quais, descobriu-se depois, trocavam de mãos por quantias consideráveis. Às nove e meia o público já enchia a galeria, e o Lord Justice-Clerk, lorde Ardmillan, e lorde Jerviswoode ocuparam seus lugares na bancada. Na corte, a Coroa estava representada pelo procurador-geral sr. Gifford, um sr. William Crichton, com a assistência do sr. Gordon Frew, agente da Coroa.* Na defesa, Andrew Sinclair era assistido por seu colega, Edward Smith. O juiz começou fazendo uma séria advertência ao público na galeria. Não seria permitido que ninguém entrasse ou saísse do recinto do tribunal durante a apresentação de evidência e qualquer pessoa que perturbasse os procedimentos seria peremptoriamente expulsa, e seu ingresso confiscado.

O juiz dirigiu-se então ao conselho. Estava ciente, ele disse, da existência das "assim chamadas memórias" escritas pelo prisioneiro. Como o relato não fora produzido com as precauções adequadas e continha admissões que o prisioneiro talvez não quisesse fazer no decurso de sua defesa, "nem o documento nem qualquer porção dele" seriam admitidos entre as evidências. Depois advertiu gravemente os dois lados a não fazer referência ao documento no decurso de seu exame das testemunhas. O caso seria decidido com base na evidência ouvida

* No original, os "lordes" são Lord Justice-Clerks, como são chamados, na Escócia, os membros da segunda hierarquia de juízes que atua nos tribunais de primeira instância. Toda menção em seguida ao Lord Justice-Clerk será traduzida simplesmente como "juiz". A "bancada", *bench*, é o local onde fica o conjunto de advogados e juízes, separados do público por um *bench*, ou divisória. A corte é o *bar*, constituído pelos juízes e causídicos que vão participar do julgamento. [N.T.]

no tribunal e somente nela. Nem o procurador-geral nem a defesa apresentaram objeção a essa regra, que sem dúvida revelava a intenção do juiz de se antecipar a qualquer discussão posterior na presença do júri.

Às dez horas e cinco minutos, acompanhado de um "grande tumulto que as repetidas batidas do martelo do juiz não conseguiram acalmar", o prisioneiro foi trazido para o banco dos réus. James Philby, em seu relato para o *The Times*, descreveu o momento:

> Os que esperavam o aparecimento de um monstro ficaram penosamente desapontados. Quando o tumulto inicial arrefeceu, a observação mais frequente foi no sentido de que o prisioneiro não era senão um menino. E, na verdade, era uma observação das mais exatas. Roderick Macrae não corresponderia à ideia que ninguém tivesse de um assassino e certamente não parecia ser capaz de cometer os atos monstruosos dos quais era acusado, sendo de baixa estatura, embora bem formado nos ombros e no peito. Seus cabelos estavam desleixados e sua pele, sem dúvida por conta das semanas passadas na cela, era pálida. Ao entrar, seus olhos escuros percorreram a sala do tribunal, debaixo de suas espessas sobrancelhas, mas ele parecia estar lúcido e não manifestou reação à algazarra do público na galeria. Seu advogado, o sr. Andrew Sinclair, estava ao lado do banco dos réus e o instruiu a tomar seu assento ali, ao que ele obedeceu, adotando uma postura respeitosa, as mãos no regaço e a cabeça encurvada. Ele manteve geralmente essa atitude durante os procedimentos.

O meirinho leu então a acusação:

> Roderick John Macrae, atual ou recentemente arrendatário em Culduie, Ross-shire, e agora ou recentemente prisioneiro em Inverness, o senhor está indiciado e é acusado

por instância de James Moncreiff, esq., advogado de Sua Majestade e no interesse de Sua Majestade: que não obstante, e em virtude das leis deste e de qualquer outro reino bem governado, o assassinato é um crime de natureza hedionda, e punível com severidade: e ainda sendo verdade, e a bem da verdade, que o senhor, o dito Roderick John Macrae, é culpado do dito crime, sendo autor ou cúmplice:* na medida em que, (I.) Na manhã do 10º dia de agosto de 1869, no interior da casa de residência de Lachlan Mackenzie em Culduie, Ross-shire, perversa e criminosamente atacou o dito Lachlan Mackenzie e, com um *croman* e um *flaughter*, golpeou o dito Lachlan Mackenzie várias vezes no peito, no rosto e na cabeça, fraturando seu crânio, e por tudo isso, ou parte disso, o dito Lachlan Mackenzie ficou mortalmente ferido e morreu imediatamente, tendo sido assim assassinado pelo dito Roderick Macrae.

A acusação continuou, detalhando similarmente os ataques a Flora e Donald Mackenzie.

O juiz instruiu então o prisioneiro a levantar-se e dirigiu-se a ele:

"Roderick John Macrae, o senhor está sendo acusado, com este indiciamento, pelo crime de assassinato. Qual é o seu pronunciamento: o senhor é culpado ou não culpado?"

Roddy pôs-se de pé com as mãos nos lados do corpo e, depois de olhar para seu advogado, respondeu numa voz clara e tranquila: "Não culpado, senhor".

Tornou a sentar-se, e Andrew Sinclair levantou-se para entregar a Alegação Especial de Insanidade. Ela foi lida pelo meirinho da corte. "O réu declara-se genericamente não culpado. Alega, além disso, que no momento em que as ações apresentadas na

* No original, *art and part*, fórmula específica da lei escocesa. [N. T.]

acusação foram supostamente cometidas ele estava agindo em estado de insanidade."

O sr. Philby escreveu, "Para um jovem que, anteriormente, nunca se afastara mais do que alguns quilômetros de sua aldeia, ele não parecia estar indevidamente perturbado com todas as fisionomias severas que agora o escrutinavam na bancada. Se isso era devido à insanidade alegada pela defesa, ou meramente indicava um certo *sang froid*, àquela altura não era possível arriscar uma opinião".

O júri, formado por quinze homens, ocupou então seu lugar. O juiz instruiu os jurados a apagar da mente tudo que pudessem ter lido ou ouvido sobre o caso, e lembrou-os de sua obrigação de considerar apenas a evidência que seria apresentada no tribunal. Perguntou depois aos jurados se algum deles tinha estabelecido uma opinião sobre o caso ou alimentava algum preconceito em relação a ele. Os jurados responderam por sua vez que não, e às dez e meia o caso foi aberto pela acusação.

A primeira testemunha a ser chamada foi o dr. Charles MacLennan, que realizara o exame post mortem dos corpos. O médico vestia um terno de tweed e um colete amarelo, e ostentava bigodes caídos que lhe emprestavam um ar adequadamente grave. Era improvável que, como médico rural, ele alguma vez tivesse sido chamado para participar em procedimentos como aquele, e o doutor parecia estar nervoso ao subir ao banco das testemunhas. Quando começou seu depoimento, escreveu o sr. Murdoch para o *Courier*, "a atmosfera festiva que cercava o público na galeria rapidamente se dissipou, e a gravidade da ocasião tomou conta do recinto".

Para uma corte que agora se calara, o sr. Gifford conduziu o dr. MacLennan por um minucioso relato, que durou cerca de trinta minutos, das lesões sofridas por cada uma das vítimas. Na conclusão de seu testemunho, foram mostrados ao médico os elementos de prova nº 1 e nº 2, um *flaughter* e um *croman*.

O aparecimento das armas do assassino provocou suspiros e arquejos na galeria. A lâmina do *flaughter* estava muito entortada, atestando "a grande força com que o golpe fora desferido".

O procurador-geral perguntou então à testemunha, "O senhor tinha visto anteriormente estes itens?".

Dr. MacLennan: "Não, senhor".

"Pode nos dizer o que são?"

"São um *flaughter* e um *croman*."

"E qual seria seu uso normal?"

"Seria usá-los para revolver o solo ou trabalhar na lavoura."

O sr. Gifford, um homem alto e distinto, impecavelmente vestido num terno preto, fez aqui uma pausa para dar maior peso à pergunta que ia fazer.

"Então", ele disse, "em sua opinião como profissional, e considerando que o senhor examinou cuidadosamente as três vítimas neste caso, seriam as lesões que apresentavam compatíveis com estas armas?"

"Com toda a certeza", respondeu o doutor. "Se fossem usadas com bastante força."

O sr. Gifford assentiu solenemente.

"Se posso fazer-lhe mais uma pergunta", disse, "como o senhor caracterizaria as lesões nas vítimas, isto é, em comparação com outros casos que examinou?"

O dr. MacLennan deu um suspiro profundo, como se a resposta fosse evidente por si mesma. "Sem dúvida foram as mais brutais que já tive a infelicidade de encontrar", disse ele.

O sr. Gifford sinalizou então haver terminado a inquirição. Se sua intenção fora que os jurados não tivessem dúvidas quanto à gravidade do caso diante deles, certamente obtivera sucesso. Vários deles, assim se relatou, mostravam-se muito lívidos.

O sr. Sinclair não tinha perguntas a fazer ao médico, e a testemunha foi dispensada.

Roddy tinha ouvido o testemunho com alguma atenção, mas sem demonstrar emoção, "como se", escreveu o sr. Philby, "não fosse mais do que um espectador interessado".

A testemunha seguinte foi Carmina Murchison. Ela usava um vestido de tafetá verde e, observou o jornal *The Scotsman*, "não estaria fora de contexto nos salões da George Street". Nem um único jornal deixou de mencionar a aparência impressionante da sra. Murchison, e o sr. Philby foi até mesmo levado a observar que "nenhum jurado com sangue nas veias poderia duvidar de uma só palavra que surgisse de tais lábios".

Conduzida pelo sr. Gifford, a sra. Murchison relatou como tinha se encontrado com Roderick Macrae na manhã de 10 de agosto e trocado com ele algumas palavras, quando ele passou por sua casa. Um mapa de Culduie fora desenhado e encontrava-se exposto num cavalete na sala do tribunal, e a sra. Murchison indicou a posição de sua casa, a do prisioneiro e a de Lachlan Mackenzie.

"A senhora achou", perguntou o sr. Gifford, "que o prisioneiro estivesse num estado de agitação?"

"Não, senhor."

"Não parecia estar nervoso ou ansioso?"

"Não."

"A senhora acreditou nele quando ele disse que estava indo revolver a terra na propriedade do sr. Mackenzie?"

"Eu não tinha motivo para não acreditar nele."

"E ele estava levando algumas ferramentas para essa finalidade?"

"Sim."

Então foram mostrados à sra. Murchison os elementos de prova. Ela cobriu os olhos à vista das armas, e estas logo foram retiradas.

O elegante sr. Gifford desculpou-se com uma pequena reverência, antes de perguntar. "Estas são as ferramentas que o prisioneiro carregava?"

Sra. Murchison: “Sim”.

“E estas seriam as ferramentas normais para fazer o trabalho que foi mencionado?”

“Sim.”

“Mas não era a época do ano adequada para revolver a terra, era?”

“Não se a finalidade era plantar.”

“E isso não fez soar nenhum alarme em sua mente, de que não seria esta a verdadeira intenção do prisioneiro?”

“Roddy estivera recentemente fazendo uma boa quantidade de trabalhos para Lachlan Broad.”

Juiz: “Lachlan Broad é o nome pelo qual o sr. Mackenzie era conhecido em sua comunidade?”.

“Sim, meritíssimo.”

Sr. Gifford: “Por que o prisioneiro estivera fazendo trabalhos para o falecido?”.

Sra. Murchison: “Era em pagamento a uma dívida que o pai de Roddy tinha com o sr. Mackenzie”.

“E qual era a natureza dessa dívida?”

“Era uma compensação por um carneiro que Roddy tinha matado.”

“Um carneiro que pertencia ao sr. Mackenzie?”

“Sim.”

“Qual era o montante da dívida?”

“Trinta e cinco shillings.”

“E o sr. Macrae — o pai do prisioneiro — não tinha como pagar essa quantia?”

“Assim creio.”

“Então, tendo em vista esse arranjo, não havia nada de insólito em sua conversa com o prisioneiro?”

“Não.”

“Nada que pudesse alertá-la quanto ao que estava prestes a acontecer?”

"Nada, em absoluto."

A sra. Murchison relatou então como, algum tempo depois — ela estimou em meia hora — viu Roderick Macrae voltar, caminhando pela aldeia, agora coberto de sangue da cabeça aos pés. Pensando que tivesse sofrido um acidente, ela correu para ajudar. Quando perguntou o que havia acontecido, ele respondeu que havia matado Lachlan Mackenzie. Não fez menção às outras vítimas. A sra. Murchison descreveu então a grande comoção na aldeia, e como Roderick Macrae tinha sido preso na construção anexa à casa dos Murchison.

Sr. Gifford: "Como a senhora descreveria o comportamento do prisioneiro nesse momento, sra. Murchison?".

"Ele estava bem calmo."

"Fez qualquer tentativa de se evadir?"

"Não."

"Não lutou com seu marido ou com os outros homens que o prenderam?"

"Não."

"Expressou algum remorso pelo que tinha feito?"

"Não."

O sr. Gifford passou então a abordar o tema da motivação.

"Como", perguntou, "a senhora descreveria as relações entre o falecido, sr. Mackenzie, e o prisioneiro?"

"Não saberia dizer."

"Eram amigos?"

"Eu não diria isso."

"Inimigos, então?"

A sra. Murchison não respondeu a essa pergunta.

O sr. Gifford expressou alguma surpresa pelo fato de que, numa aldeia com apenas cinquenta e seis almas, o estado das relações entre dois membros da comunidade pudesse ser ocultado.

Sra. Murchison: "Nunca ouvi Roddy expressar qualquer sentimento de animosidade em relação a Lachlan Broad".

"A senhora não tinha ciência de alguma *vendetta* entre o sr. Mackenzie e a família Macrae?"

"Eu tinha ciência de que tinha havido algumas rixas entre eles."

"Qual era a natureza dessas rixas?"

"Havia a questão do carneiro morto."

"Mais alguma coisa?"

"Havia a questão do arrendamento de terras na aldeia."

O sr. Gifford pediu à sra. Murchison que explicasse melhor.

"Em sua função de policial da aldeia, o sr. Mackenzie alocou uma parte do arrendamento do sr. Macrae para seu vizinho, o sr. Gregor."

"A senhora está se referindo ao sr. John Macrae, o pai do prisioneiro?"

"Sim."

"Qual foi o motivo dessa realocação?"

"A mulher do sr. Macrae havia morrido e o sr. Mackenzie alegou que a família, uma vez reduzida, precisava de menos terra."

"E isso foi tido como injusto?"

"Sim."

"Então havia a questão da matança do carneiro e a questão da realocação de terras de cultivo. Alguma outra coisa?"

"É difícil pôr em palavras."

"É difícil pôr em palavras porque não existia mais nada ou porque a senhora não é capaz de explicar?"

A sra. Murchison ficou em silêncio durante algum tempo e o juiz teve de ordenar que respondesse.

"Havia um ambiente geral de opressão", disse ela então. "O sr. Mackenzie agia frequentemente de maneira arrogante, particularmente em relação ao sr. Macrae."

"Compreendo. Talvez, se a senhora tem dificuldade de pôr em palavras as relações entre o sr. Mackenzie e o prisioneiro, poderia nos dar sua opinião sobre o falecido?"

"Eu não gostava dele."

"Diga-nos, por favor, por que a senhora não gostava dele."

"Ele era tirânico e molestador."

"Molestador?"

"Sim."

"O que a senhora quer dizer com isso?"

"Ele tinha prazer em exercer seu poder sobre as pessoas à sua volta, especialmente sobre o sr. Macrae e sua família."

"Ele os atormentava?"

"Eu diria isso, sim."

O sr. Gifford encerrou com isso seu interrogatório, e o sr. Sinclair levantou-se para a defesa, parecendo, de início, muito afobado. "Deve ser", escreveu o sr. Philby, "um evento muito incomum para um chicaneiro estar envolvido num caso de tanta notoriedade, ou talvez ele estivesse meramente deslumbrado com a encantadora mulher no banco das testemunhas." Seja como for, depois de algumas obsequiosas perguntas quanto ao conforto da sra. Murchison, ele começou seu interrogatório.

"Há quanto tempo a senhora vive em Culduie, sra. Murchison?"

"Há dezoito anos. Desde o meu casamento."

"Então a senhora conheceu o prisioneiro durante toda a vida dele?"

"Sim."

"E como descreveria suas relações com ele?"

"Eram bem normais."

"Eram amigáveis?"

"Sim."

"Antes dos atos dos quais ele é aqui acusado, a senhora alguma vez o viu ser violento?"

"Não."

"E a senhora estava em bons termos com a família dele?"

"Geralmente, sim."

"Geralmente?"

"Sim."
"Pode explicar melhor?"
"Eu era muito próxima de Una Macrae."
"A mãe do prisioneiro?"
"Sim."
"E do pai dele?"
"Menos."
"Havia algum motivo para isso?"
"Não nos dávamos mal, só que eu tinha pouco a ver com ele, e ele comigo."
"Mas não havia nenhuma razão específica para isso?"
"Não."
"Mas a senhora era íntima da mãe do prisioneiro?"
"Sim, éramos muito chegadas uma à outra."
"E quando ocorreu sua morte?"
"Na primavera do ano passado."
"Deve ter sido um acontecimento bastante traumático."
"Foi uma coisa terrível."
"Para a senhora?"
"Para mim e para os filhos dela."
"Como a senhora descreveria o efeito da morte dela sobre os filhos?"
"Eles mudaram muito."
"Como assim?"
"Jetta..."
"A irmã do prisioneiro?"
"Sim. Ela ficou taciturna e terrivelmente envolvida com encantamentos e coisas do outro mundo."
"Coisas supersticiosas?"
"Sim."
"E o prisioneiro?"
"Ele parecia ter se retirado para dentro dele mesmo."
"A senhora pode explicar o que quer dizer com isso?"

A sra. Murchison olhou para o centro da corte, como a buscar ajuda. O juiz indicou com um gesto que ela continuasse.

"Não tenho certeza de que seja capaz de explicar isso adequadamente", disse ela. "Apenas que, talvez, Roddy às vezes parecia estar bem desligado do mundo."

"Bem desligado do mundo", repetiu o sr. Sinclair significativamente. "E essa mudança", ele continuou, "aconteceu depois da morte da mãe?"

"Creio que sim."

"A senhora já notou no prisioneiro algum sinal de insanidade?"

"Não sei se é um sinal de insanidade, mas várias vezes eu o vi falando sozinho."

"De que maneira?"

"Como se estivesse falando consigo mesmo ou com uma pessoa invisível."

"Quando a senhora viu isso?"

"Frequentemente, quando ele estava trabalhando no sítio ou caminhando pela aldeia."

"E qual era o conteúdo dessas conversas?"

"Não sei dizer. Quando chegávamos perto, ele parava."

"Alguma vez a senhora ouviu dizer que ele teve de ser contido porque era um perigo para si mesmo ou para outras pessoas?"

"Não."

"A senhora não achava que ele tivesse um caráter perigoso?"

"Não."

"Ele não era considerado na aldeia como alguém que tinha um caráter perigoso?"

"Creio que não."

"Então foi uma surpresa para a senhora ele ter cometido os atos que o trouxeram hoje a este tribunal?"

"Oh, misericórdia, sim, foi um choque terrível", respondeu a sra. Murchison.

"Então esses atos não combinavam com o caráter dele?"

"Eu diria isso."

O sr. Sinclair agradeceu à testemunha e encerrou seu interrogatório. Antes de Carmina Smoke deixar o banco das testemunhas, o procurador-geral levantou-se para uma segunda rodada de perguntas.

"Se me permite esclarecer uma questão", começou, "na manhã dos assassinatos a senhora viu o prisioneiro balbuciar assim consigo mesmo?"

"Não, senhor."

"E quando conversou com ele, ele parecia estar sendo racional?"

"Perfeitamente racional, sim."

"Ele parecia estar — e este é um ponto de suma importância — alienado, fora de seu juízo perfeito?"

"Acredito que não."

"Isto não é, a senhora vai me perdoar, uma questão de acreditar. Ou ele parecia, ou não parecia."

Nesse ponto o juiz interveio, declarando que a testemunha tinha respondido satisfatoriamente à pergunta e não cabia à Coroa induzir a testemunha a dar as respostas que ela desejava. O sr. Gifford desculpou-se com o juiz e a sra. Murchison foi dispensada "com os cavalheiros do júri", observou o sr. Philby, "observando atentamente sua saída".

A testemunha seguinte a ser chamada foi Kenny Smoke. Conduzido pelo sr. Gifford, o sr. Murchison descreveu os acontecimentos da manhã de 10 de agosto. Confirmou que o prisioneiro estava bem calmo, admitira francamente o que tinha feito e não oferecera nenhuma resistência nem tentara fugir.

O sr. Gifford pediu-lhe então que descrevesse a cena que tinha encontrado na casa de Lachlan Mackenzie. Foi nesse momento, de acordo com o sr. Murdoch, que a atmosfera no tribunal chegou a seu ponto mais sombrio: "O sr. Murchison, um sujeito dos mais vigorosos e calorosos, teve de fazer visível esforço para descrever os horrores que tinha presenciado, e deveria ser condecorado pela sobriedade do relato que conseguiu fornecer ao tribunal".

"O corpo de Lachlan Mackenzie", atestou o sr. Murchison, "estava de bruços no chão, um pouco à esquerda da porta. Sua nuca estava totalmente despedaçada e pedaços do crânio tinham sido lançados a alguma distância do corpo. Seu cérebro se derramara para um lado da cabeça. O rosto jazia numa grande poça de sangue. Eu tomei seu pulso para ver se havia alguma pulsação, mas não havia."

Sr. Gifford: "O corpo estava quente?".

"Bem quente, sim."

"E depois?"

"Eu me levantei e vi o menino estendido no chão entre a porta e a janela. Fui até ele. Não vi nenhuma lesão, mas ele estava morto."

"O corpo estava quente?"

"Sim."

"E depois?"

"Vi o corpo de Flora Mackenzie estendido sobre a mesa."

"O senhor diz 'estendido'. O senhor teve a impressão de que o corpo tinha sido colocado lá intencionalmente?"

"Não parecia que tivesse caído ali."

"Por que o senhor diz isso?"

O sr. Murchison hesitou aqui por um instante. "Não era uma postura natural. Os pés não chegavam ao chão, e achei que o corpo tinha sido levantado e colocado sobre a mesa."

"Por favor, descreva, se puder, o que viu."

"Havia muito sangue. As saias estavam levantadas e as partes íntimas haviam sido mutiladas. Eu a examinei procurando sinais de vida, mas estava totalmente sem vida. Foi então que notei que sua nuca tinha sido aberta. Baixei as saias para cobrir sua decência."

"O que o senhor fez depois?"

"Fui até a porta, pensando em impedir que alguém entrasse."

O sr. Murchison descreveu então as providências tomadas para retirar os corpos para o anexo a sua casa e como, nesse processo, Catherine Mackenzie, a mãe do falecido, fora descoberta na escuridão da parte de trás do recinto. Fora levada para a casa dos Murchison, "completamente abilolada", e fora cuidada por sua mulher.

O sr. Gifford passou então à motivação para os assassinatos. Kenneth Murchison descreveu a reunião na qual ficara decidida a indenização pela morte infligida ao carneiro de Lachland Mackenzie.

Sr. Gifford: "E o montante foi de trinta e cinco shillings?".

Sr. Murchison: "Sim".

"Por que foi estabelecida essa quantia?"

"Seria o preço que se conseguiria pelo animal no mercado."

"E foi o falecido, o sr. Mackenzie, quem pediu essa quantia?"

"A quantia foi proposta por Calum Finlayson, que naquela época servia como policial de nossas aldeias."

"O sr. Mackenzie concordou com essa quantia?"

"Concordou."

"E o sr. Macrae, o pai do prisioneiro, também concordou com essa quantia?"

"Sim."

"E o sr. Mackenzie exigiu que essa quantia fosse paga imediatamente?"

"Não."

"O que se combinou quanto ao pagamento dessa indenização?"

"Ficou combinado que a quantia seria paga à razão de um shilling por semana."

"Isso foi em consideração à situação financeira da família Macrae?"

"Sim."

"E o sr. Macrae cumpriu suas obrigações no tocante a esses pagamentos?"

"Creio que ele tentou fazer isso, mas pode ser que não tenham sido feitos com regularidade."

O juiz: "O senhor sabe se os pagamentos foram feitos, ou não?".

"Eu não sei, mas sei que o sr. Macrae não tinha uma boa receita, e que os pagamentos devem ter sido uma grande carga para ele."

O sr. Gifford continuou: "Mas chegou-se ao acordo amigavelmente?".

"Eu não diria amigavelmente."

"Mas o senhor declarou que tanto o sr. Macrae quanto o sr. Mackenzie aceitaram a proposta do policial."

"Ela foi aceita, sim, mas Lachlan Broad deixou claro que não estava satisfeito."

"Como assim?"

"Ele achou que deveria haver alguma punição adicional ao rapaz."

"Sendo que o 'rapaz' é o prisioneiro aqui?"

"Sim."

"E ele propôs em que deveria consistir essa punição?"

"Não consigo me lembrar, mas ele deixou claro que gostaria de ver o rapaz punido."

"Mesmo a indenização tendo sido aceita pelos dois lados?"

"Sim."

O sr. Gifford fez aqui uma pausa e ergueu o sobrecenho de modo interrogativo, mas a testemunha não acrescentou nada.

"Seria justo dizer que o sr. Mackenzie e o sr. Macrae não eram os melhores amigos?"

"Seria justo."

"E essa animosidade entre os dois, se é que se pode chamar assim, era anterior a esse incidente com o carneiro?"

"Sim."

"Como surgiu essa animosidade?"

O sr. Murchison, num gesto, levantou as mãos. "Não sei dizer." Inflou as bochechas e soltou um "suspiro perplexo". "O sr. Macrae vivia numa extremidade da aldeia e o sr. Mackenzie na outra."

O sr. Gifford pareceu estar contente em não explorar essa questão. "Entretanto, foi feito um acordo que deixou o sr. Macrae endividado com o sr. Mackenzie?", disse.

"Sim."

O sr. Gifford levou a testemunha a falar sobre o processo da eleição de Lachlan Broad ao cargo de policial da aldeia.

Sr. Gifford: "Seria razoável dizer que esse papel não era popular em sua comunidade?".

Sr. Murchison: "Em que sentido?".

"No sentido de que não era um cargo ao qual os membros de sua comunidade aspiravam?"

"Eu diria isso, sim."

"Então o senhor deve ter ficado contente por ter o sr. Mackenzie assumido o ônus?"

O sr. Murchison não respondeu.

Sr. Gifford: "Não ficou contente?".

"Não fiquei contente nem descontente."

"Mas não é verdade que o senhor e alguns outros membros de sua comunidade fizeram grandes esforços para achar um candidato alternativo para se opor ao sr. Mackenzie?"

"Foram feitos alguns esforços."

"Por que o senhor achou que isso fosse necessário?"

"Não parecia correto o sr. Mackenzie ser eleito sem que houvesse oposição."

"Este foi o único motivo?"

Kenny Smoke hesitou por um momento, antes de responder, "Havia uma percepção de que o sr. Mackenzie poderia usar seus poderes para beneficiar seus próprios interesses".

"O senhor se refere aos poderes inerentes ao cargo de policial da aldeia?"

"Sim."

"E ele fez isso?"

"Em certa medida."

"Em que medida?"

"Ele gostava de exercer seu poder sobre a comunidade."

"O senhor pode ser mais específico?"

"Ele instituiu um esquema de trabalho pelo qual os homens da comunidade eram obrigados a servir como mão de obra num certo número de dias."

"E qual era o propósito desse esquema de trabalho?"

"Melhorias gerais nas estradas e drenagem em torno das aldeias."

"Eram esses esquemas, como o senhor os chama, em benefício de seus próprios interesses?"

"Não especificamente."

"Não especificamente?"

O sr. Murchison não respondeu.

O sr. Gifford continuou: "Essas melhorias beneficiavam a comunidade em geral?".

"Beneficiavam, sim."

"Então o sr. Mackenzie instituiu um esquema de melhorias que beneficiava a comunidade e os homens da comunidade contribuíam com seu trabalho para esse esquema?"

"Sim."

"E o senhor descreve isso como sendo em benefício dos próprios interesses do sr. Mackenzie!" O sr. Gifford a essa altura dirigiu para o júri um olhar que expressava indignação.

"Agora", ele continuou, "se me permite voltar a outro incidente, seria correto dizer que em sua aldeia não há uma grande extensão de terras cultiváveis."

"Elas não são abundantes."

"E como essa terra é alocada?"

"Cada família tem seu *rig*."

"'Cada família tem seu *rig*'", repetiu ele. "E o *rig* é sua porção da terra cultivável?"

"Sim."

"E essa terra é alocada numa base anual, ou de cinco anos, ou por quanto tempo?"

"Na prática, cada família cultiva a terra que fica entre sua casa e a estrada para Toscaig."

"E esta porção é considerada, para todos os fins e propósitos, como sua terra?"

"Sim."

"Assim, efetivamente, cada faixa de terra pertencia à propriedade a qual é adjacente?"

"Efetivamente, sim."

"Sem levar em conta a população ou a constituição da família?"

"Geralmente, sim."

"Pouco após a eleição do sr. Mackenzie ao cargo de policial da aldeia, alguma terra de Culduie foi realocada, não foi?"

"Sim."

"Por que foi realocada?"

"Como a família do sr. Gregor era mais numerosa do que a do sr. Macrae, foi decretado que ela precisava de mais terras."

"Compreendo. E quantas pessoas havia na família do sr. Macrae?"

"Cinco, incluindo os dois pequenos."

"Seriam, então, o próprio sr. Macrae, o prisioneiro, sua filha e as duas crianças menores, com três anos de idade?"

"Sim."
"E a família do sr. Gregor?"
"Oito."
"E como era constituída a família?"
"O sr. Gregor e sua mulher, a mãe do sr. Gregor e cinco filhos."
"Então eles precisavam de mais terras do que a família Macrae?"
"Sim, mas..."
"O sr. Mackenzie beneficiou-se pessoalmente dessa redistribuição de terras?"
"Não."
"Então, foi bastante justo redistribuir as terras de acordo com a maior necessidade da família Gregor?"
"Pode-se dizer que foi justo."
"Estou perguntando se o senhor diria que foi justo, sr. Murchison."
Antes de responder, o sr. Murchison passou a mão nos bigodes e os olhos pela sala do tribunal.
"Não foi correto", ele disse.
"Mas o senhor declarou que a família Gregor precisava mais das terras do que a família dos Macrae."
"Pode ter sido legalmente justo", disse o sr. Murchison, agora demonstrando claramente estar agravado, "mas isso nunca fora feito. Os sítios não estão divididos dessa maneira. Cada família trabalha sua porção de terra, e ela passa de uma geração à outra."
"Entendo. Então o que o sr. Mackenzie fez era sem precedente?"
"Foi vingativo."
"Ah!", disse o sr. Gifford, como se finalmente tivesse conseguido chegar ao cerne da questão. "'Vingativo' é uma palavra forte, sr. Murchison. Então, a percepção foi de que, em vez

de usar seus poderes para o bem geral, o sr. Mackenzie estava perseguindo uma espécie de *vendetta* contra o sr. Macrae?"

"Isso mesmo."

O sr. Gifford dirigiu um olhar significativo para o júri, depois agradeceu à testemunha e concluiu seu interrogatório. *The Scotsman* observou que o sr. Murchison "parecia ser um bom sujeito, mas sua desconcertante adesão à ideia de que a terra deveria ser alocada com base em tradição e não em sua utilização era mais um exemplo de como as intransigências dos povos das Terras Altas está levando a seu próprio fim".

O sr. Sinclair pôs-se de pé para sua defesa.

"Há quanto tempo o senhor conhece o prisioneiro?"

"Durante toda a vida dele."

"E como o senhor caracterizaria seu relacionamento com ele?"

"Eu gosto bastante dele."

"O senhor o descreveria como um débil mental?"

"Débil mental? Não."

"Então como o senhor o descreveria?"

O sr. Murchison inflou as bochechas e olhou para Roddy, que devolveu o olhar com um débil sorriso.

"Bem, sem dúvida ele tem um cérebro dentro da cabeça. É um rapaz sensato, mas..."

"Sim, sr. Murchison?"

A testemunha fixou seu olhar no teto, como à procura das palavras certas. Balançou a cabeça e disse, "Ele é um sonso".

"'Sonso'?", repetiu o sr. Sinclair. "O senhor poderia explicar ao que se refere?"

Novamente o sr. Murchison pareceu estar em dificuldade para se expressar. "Às vezes ele parecia estar num mundo só dele. Sempre foi um garoto solitário. Nunca o vi brincando com outras crianças. Ele era capaz de ficar sentado entre pessoas, mas, para todo mundo, era como se não houvesse ninguém ali. Você nunca sabia o que se passava em sua cabeça."

"E ele sempre foi assim?"

"Creio que sim."

O sr. Sinclair esperou alguns momentos antes de fazer a pergunta seguinte. "O senhor alguma vez observou o prisioneiro falando consigo mesmo ou parecendo estar conversando com outra pessoa que não estava lá?"

O sr. Murchison assentiu. "Sim, várias vezes eu o vi balbuciando consigo mesmo."

"Era frequente?"

"Não era infrequente."

A essa altura o juiz interveio. "A que frequência o senhor se refere quando diz 'não infrequente'?"

"Acontecia muitas vezes."

O juiz: "Todo dia, toda semana ou uma vez por mês?".

"Não todo dia, mas com certeza toda semana."

"Então para o senhor era normal observar esse comportamento?"

"Sim, meritíssimo."

Sr. Sinclair: "E alguma vez o senhor ouviu o que ele estava dizendo a si mesmo?".

"Não."

"Por que não?"

"Ele parava sempre que alguém se aproximava dele. E, de qualquer maneira, era mais um balbucio do que uma fala em voz alta."

"Entendo. E o prisioneiro sempre se comportou dessa maneira?"

"Não sei dizer."

"O senhor o viu falar consigo mesmo dessa maneira quando era criança?"

"Creio que não."

"O senhor se lembra de quando o viu comportar-se assim pela primeira vez?"

O sr. Murchison balançou a cabeça e foi instruído pelo juiz a responder.

"Não consigo me lembrar."

"Foi dez anos atrás, cinco anos atrás ou um ano atrás?"

"Mais do que um ano atrás."

"Mas não cinco anos atrás?"

"Não."

"O senhor viu alguma vez o prisioneiro se comportar assim antes da morte de sua mãe?"

"Não sei dizer com certeza."

"Em conclusão, seria razoável dizer que o senhor não acha que o prisioneiro seja completamente normal?"

"Seria razoável, sim."

O sr. Sinclair concluiu então seu interrogatório, e Kenny Smoke foi dispensado. A testemunha seguinte a ser chamada foi Duncan Gregor. O sr. Gifford começou interrogando-o sobre a manhã dos assassinatos, mas o juiz interveio, dizendo-lhe que uma vez que os acontecimentos em questão não estavam sendo contestados, não era necessário perder tempo repisando um terreno que já fora estabelecido. O sr. Sinclair não se opôs e pelo resto do dia os procedimentos avançaram em ritmo mais rápido. Um padrão começou a se formar enquanto a Coroa buscava estabelecer que havia motivos racionais para os assassinatos, enquanto o sr. Sinclair, com diferentes graus de sucesso, tentava retratar o réu como alguém que não estava em seu juízo perfeito. Ironicamente, os melhores momentos para a defesa vieram no testemunho de Aeneas Mackenzie. O sr. Philby o descreveu como um "sujeito porcino que não parecia perceber que suas declarações depreciativas sobre o acusado favoreciam mais à defesa do que à Coroa".

Quando lhe perguntaram qual era sua opinião quanto ao estado mental do prisioneiro, ele respondeu obtusamente, "Ele era um lunático".

"Um lunático?", repetiu suavemente o sr. Sinclair. "O senhor pode explicar à corte o que quer dizer com isso?"

"Apenas isso. Todo mundo sabia que ele não era bom da cabeça."

"'Todo mundo' quer dizer quem?"

"Todo mundo na paróquia."

"O senhor quer dizer que ele tinha mais ou menos o status de 'idiota da aldeia'?"

"Positivo, e mais do que isso."

"Mais o quê?"

"Ele estava sempre com esse sorriso imbecil no rosto. Estava sempre rindo de alguma coisa quando não havia nada do que rir."

"Entendo. Então o senhor diria que ele não era mentalmente são?"

"Sim, com certeza diria. Houve muitas vezes em que eu teria gostado de apagar esse sorriso de seu rosto, e eu o faria agora se tivesse a oportunidade."

Quando o sr. Sinclair concluiu seu interrogatório, levou algum tempo até o sr. Mackenzie compreender que tinha sido dispensado, e ele deixou o banco das testemunhas "balbuciando consigo mesmo, o que sugeria ser a sanidade mental dele que podia ser posta em dúvida".

A última testemunha do dia foi o professor, sr. Gillies, que o sr. Philby, dessa vez claramente se divertindo, descreveu como tendo "mãos de dama e um rosto que seria preciso esforçar-se para descrever ou lembrar". O sr. Gifford extraiu do professor um brilhante testemunho sobre as aptidões de Roddy. Depois o interrogou sobre sua visita ao pai do prisioneiro para sugerir que ele continuasse com seus estudos.

"E qual foi o resultado dessa visita?"

"Infelizmente, Roddy foi requisitado pelo pai para trabalhar no sítio da família."

"O senhor costumava fazer essas propostas?"

"Foi a única ocasião em que fiz isso."

"E por que o senhor fez uma exceção com o prisioneiro para agir dessa maneira?"

"Ele foi sem dúvida o aluno mais talentoso a quem já ensinei."

O sr. Gifford passou então para o comportamento e os modos de Roddy em geral. "Ele foi um aluno indisciplinado?"

"Pelo contrário, era bem-comportado e prestava atenção."

"O senhor está ciente, sr. Gillies, que meus colegas da defesa apresentaram uma alegação de insanidade neste caso?"

"Sim."

"O senhor alguma vez detectou quaisquer sinais de insanidade no prisioneiro?"

O sr. Gillies pareceu considerar seriamente a pergunta antes de responder que não.

"O senhor alguma vez o viu delirando ou falando sozinho?"

O sr. Gillies balançou a cabeça. "Nunca", disse.

Após uma breve consulta a sua equipe, o sr. Gifford sinalizou que não tinha mais perguntas.

O sr. Sinclair levantou-se para a defesa.

"O prisioneiro era popular entre seus colegas?", perguntou.

"Não especialmente."

"O que o senhor que dizer com 'não especialmente'?"

"Simplesmente isso", disse o sr. Gillies, parecendo estar um tanto confuso.

"Ele brincava ou socializava com seus colegas de maneira normal?"

"Penso que ele era um garoto bem solitário, feliz com sua própria companhia."

"Um tanto distante de seus colegas?"

"Eu diria que sim, mas não vi nada de anormal nisso. Algumas crianças são de natureza gregária, outras menos."

O sr. Sinclair pareceu estar inseguro quanto a continuar em sua linha de interrogatório, depois decidiu que tinha pouco a ganhar concedendo uma plataforma àquela testemunha, que parecia ter seu cliente em tão alta conta.

Como já eram quatro e meia, os trabalhos foram encerrados para aquele dia. O juiz informou aos membros do júri que eles seriam acomodados num hotel durante a noite e os aconselhou a abrir mão de conversar sobre as particularidades do caso e de formar opinião quanto a ele.

Tudo isso, escreveu o sr. Philby, "serviu como grande entretenimento, e cada palavra foi seguida atentamente pelos felizardos que tinham conseguido um ingresso. Na verdade, como a corroborar o palavroso testemunho de Aeneas Mackenzie, a única pessoa que pareceu não estar fascinada com o espetáculo foi o próprio prisioneiro".

Segundo dia

O julgamento foi reiniciado às nove e meia da manhã seguinte. Roddy foi trazido sob aplausos e vaias do público da galeria, cujos ocupantes, escreveu o sr. Murdoch para o *Courier*, "pareciam acreditar que estavam num teatro, e não num tribunal de justiça, e que o desafortunado prisioneiro não era mais do que um vilão de pantomima, trazido ali para seu divertimento". Roddy não olhou uma só vez na direção daqueles que o atormentavam. O sr. Sinclair cumprimentou-o com um tapinha amigável no ombro, enquanto ele tomava seu lugar no banco dos réus. O juiz permitiu que o alarido continuasse por alguns minutos, talvez achando prudente permitir que os espectadores extravasassem sua excitação antes de chamar o tribunal à ordem. E de fato, quando ele bateu o martelo, a sala do tribunal rapidamente silenciou.

No entanto, esse silêncio respeitoso durou pouco, até o sr. Gifford pôr-se de pé para chamar John Macrae como primeira testemunha do dia. O sr. Philby, do *The Times*, descreveu o sr. Macrae como uma "figura minúscula, encurvada, com a aparência de um homem com o dobro de seus quarenta anos. Apoiava todo o seu peso num bastão retorcido, e olhava, do banco das testemunhas, com uma expressão de perplexidade em seus olhos pequenos e escuros. O prisioneiro manteve a cabeça baixa durante o testemunho de seu pai, e o rendeiro não olhou para seu filho". O juiz então advertiu gravemente as pessoas na galeria a ficarem em silêncio, sob pena de serem trazidas para baixo por desacato. Foi acertado que, como ele era mais versado na "antiga língua das Terras Altas", o interrogatório do sr. Macrae seria conduzido em gaélico com o devido uso de um intérprete. O sr. Gifford, em deferência à aparente enfermidade da testemunha, começou a interrogá-la num tom ameno.

Iniciou perguntando sobre o relacionamento da testemunha com a vítima. O sr. Macrae parecia estar confuso quanto às perguntas que lhe eram feitas e houve murmúrios divertidos na galeria, rapidamente silenciados pelo juiz. O sr. Gifford reformulou então sua pergunta, o que, com o processo de tradução, levou um bom tempo: "Os termos de suas relações com o sr. Mackenzie eram amigáveis?".

Sr. Macrae: "Conheço vários Mackenzie".

O sr. Gifford sorriu pacientemente. "Estou me referindo a seu vizinho Lachlan Mackenzie, ou Lachlan Broad, como era conhecido."

"Ah, sim", disse o sr. Macrae. A resposta trouxe uma nova onda de riso da galeria. O juiz ordenou então que os meirinhos retirassem um dos culpados, ato que, apesar do distúrbio que causou, parece ter tido o efeito desejado.

O sr. Gifford repetiu então a pergunta.

"Eu não diria que éramos amigos", respondeu o sr. Macrae.

"E por quê?"

"Não sei dizer."

"Houve algum motivo para que o senhor e Lachlan Mackenzie não fossem amigos?"

O sr. Macrae não respondeu. O juiz então perguntou, por intermédio do intérprete, se o sr. Macrae estava tendo dificuldade para compreender as perguntas do advogado. Então, diante da resposta de que não, lembrou à testemunha que era obrigada a responder à pergunta ou seria acusada de desacato.

O sr. Gifford inquiriu então o sr. Macrae sobre a redução de seu sítio. Após laboriosa sequência de perguntas a respeito desse incidente, ele perguntou, "O senhor sentiu-se agravado por causa dessa providência?".

"Não."

"Não se sentiu agravado por lhe ter sido tirado um pedaço de seu sítio, do qual o senhor obtinha o alimento que sustentava sua família?"

"Havia outros que precisavam de mais terras."

"Seu filho sentiu-se agravado por causa dessa providência?"

"O senhor teria de perguntar a ele."

"Ele demonstrou algum sinal de ter se sentido agravado devido a isso?"

Não houve resposta.

"O senhor discutiu o incidente com seu filho?"

"Não."

O sr. Gifford parecia estar um tanto exasperado e apelou ao juiz para que obrigasse a testemunha a dar respostas mais completas a suas perguntas. O juiz respondeu que cabia aos membros do júri decidir se as respostas dadas eram satisfatórias.

O procurador-geral passou então a um incidente que ainda não tinha sido mencionado.

"O senhor se lembra", perguntou, "de uma certa manhã em abril ou maio deste ano, quando estava recolhendo algas no litoral de Culduie?"

“Lembro.”

“Poderia contar à corte o que aconteceu naquela manhã?”

“Foi como o senhor disse”, respondeu o sr. Macrae, para o riso abafado da galeria.

“O senhor estava recolhendo algas?”

“Sim.”

“Com seu filho?”

“Sim.”

“Com que finalidade o senhor estava recolhendo algas?”

“Para espalhá-las nas terras do sítio.”

“O senhor falou com o sr. Mackenzie naquela manhã?”

“Ele falou comigo.”

“E o que ele disse?”

“Ele me disse que devolvesse as algas que tínhamos recolhido na praia.”

“Ele lhe deu algum motivo para essa instrução?”

“Que nós não tínhamos permissão para retirá-las de lá.”

“É preciso ter permissão para retirar algas da praia?”

“Parece que sim.”

“De quem era a permissão que o senhor precisava ter?”

“A permissão de lorde Middleton, a quem pertenciam as algas.”

“Sendo que lorde Middleton é o proprietário das terras de seu distrito?”

“Sim.”

“O senhor já tinha recolhido algas da praia anteriormente?”

“Sim.”

“Frequentemente?”

“Todo ano.”

“E nessas ocasiões anteriores o senhor pediu permissão para isso?”

“Não.”

“Mas dessa vez o sr. Mackenzie pediu-lhe que devolvesse as algas que tinha recolhido?”

"Sim."

"Por que o senhor acha que ele fez isso?"

"Seu papel era fazer valer os regulamentos."

"E o senhor aceitou isso?"

"Sim."

"O senhor não se sentiu agravado com as ações do sr. Mackenzie?"

O sr. Macrae não respondeu.

"O senhor foi obrigado a devolver uma grande quantidade de algas, que tinha passado algumas horas recolhendo, de acordo com uma prática estabelecida havia muito tempo, e ainda assim não se sentiu agravado?"

O rendeiro olhou para o advogado durante alguns momentos, depois respondeu, "Não fiquei satisfeito com isso".

Aqui o sr. Gifford suspirou teatralmente e foi repreendido pelo juiz por ter feito isso. Ele se desculpou, mas não foi capaz de resistir e lançou um olhar significativo na direção do júri.

"E é verdade", continuou, "que no dia seguinte a aldeia inteira recolheu algas para espalhá-las nas terras de seus sítios?"

"Não sei qual foi o propósito."

"Mas recolheram algas?"

"Sim."

"E o senhor não?"

"Não."

"O senhor sabe dizer por que a eles foi permitido recolher algas e ao senhor não?"

"Eles tiveram permissão para isso."

"E o senhor não pediu permissão para se juntar a eles?"

"Não quero me apoderar do que não me pertence."

Houve algum riso na galeria. O sr. Macrae manteve os olhos fixos em sua mão esquerda, que estava agarrada à beirada do banco das testemunhas. O sr. Gifford deixou passar alguns momentos antes de prosseguir.

"Então, se posso resumir", ele disse, "seu testemunho é que o senhor não se sentiu ressentido com o falecido, um homem que reduziu o tamanho de seu sítio, que lhe ordenou que devolvesse as algas à praia, e a quem, por conta do incidente com o carneiro, o senhor devia considerável quantia?"

O sr. Macrae não respondeu.

O sr. Gifford pressionou, pedindo uma resposta.

"Não cabia a mim ter ressentimento do sr. Mackenzie."

O juiz àquela altura lembrou ao sr. Gifford que não era a testemunha que estava sendo julgada, e a questão de ele ter ou não ressentimento com o falecido era imaterial. No entanto, claramente, para a estratégia da Coroa era importante, a fim de provar que o réu tinha agido racionalmente, estabelecer a existência de um ressentimento com a vítima. Foi, pois, um enfurecido sr. Gifford que concluiu seu interrogatório. Um alegre resumo, no exemplar do dia seguinte do *Inverness Courier*, descrevia como a "melhor cabeça legal da Coroa tinha sido derrotada por um simples rendeiro".

O sr. Sinclair ergueu-se para a defesa e, dirigindo-se à testemunha em gaélico, perguntou se estava confortável.

"Agora", disse, "tenho de lhe perguntar sobre seu filho, que está aqui acusado dos crimes mais terríveis. Antes dos acontecimentos que nos trouxeram a este tribunal, o senhor alguma vez soube de seu filho ter sido violento?"

O sr. Macrae não respondeu.

"Seu filho alguma vez o atacou ou ameaçou atacá-lo?"

O sr. Macrae não respondeu e o juiz o lembrou de que era obrigado a isso.

"Não."

"Alguma vez atacou sua mulher ou algum de seus irmãos?"

"Não."

"Alguma vez atacou um de seus vizinhos?"

"Não."

"Então, o senhor não diria que ele era dado à violência?"

"Não."

"Então, se ele cometesse os atos pelos quais está sendo acusado aqui, o senhor diria que isso era estranho a seu caráter?"

O sr. Macrae parecia não ter compreendido a pergunta.

Sr. Sinclair: "O senhor descreveria seu filho como uma pessoa violenta?".

"Eu nunca tive motivo para descrevê-lo."

O sr. Sinclair sorriu "numa clara tentativa de esconder sua irritação" e reformulou sua pergunta: "Se lhe pedissem para descrever seu filho, o senhor o descreveria como uma pessoa violenta?".

"Não creio", respondeu a testemunha.

"O senhor alguma vez foi violento com ele?"

"Não fui."

"Nunca bateu nele?"

"Eu já bati nele."

"Quando teve uma ocasião para bater nele?"

"Quando foi necessário."

"Entendo. E o senhor pode me dar um exemplo de quando achou que foi necessário bater nele?"

"Quando ele me desobedecia ou causava problemas."

"'Causava problemas' — então seu filho às vezes causava problemas? Pode descrever para o tribunal uma ocasião em que seu filho causou problemas e o obrigou a bater nele?"

O sr. Macrae não respondeu.

"Ouvimos o testemunho de um incidente no qual seu filho matou um carneiro pertencente ao sr. Mackenzie. O senhor bateu em seu filho naquela ocasião?"

"Bati."

"Pode dizer à corte por que fez isso?"

"Ele tinha causado problemas."

"Entendo. E o senhor bateu nele uma vez ou repetidamente?"

"Repetidamente."

"E com que o senhor bateu nele?"

"Com meu bastão", e ele o mostrou.

"E em que parte de seu corpo?"

"Nas costas."

"O senhor bateu nele repetidamente nas costas com seu bastão?"

"Sim."

"O senhor sempre batia nele com seu bastão?"

"Nem sempre."

"Batia nele com os punhos?"

"Sim."

"E quando batia nele com os punhos, onde batia?"

"Em todo o corpo."

"Na cabeça e no rosto?"

"Provavelmente lá também."

"E isso ocorria frequentemente?"

O juiz pediu ao sr. Sinclair que fosse mais preciso na pergunta.

"O senhor batia em seu filho numa base diária, numa base semanal ou menos frequentemente que isso?"

"Numa base semanal."

"E achava que isso era necessário?"

"O garoto precisava ser disciplinado."

"E essa disciplina melhorou seu comportamento?"

"Não melhorou."

O sr. Sinclair examinou os papéis que tinha diante de si e, após algumas consultas com seu assistente, abriu mão de fazer mais perguntas.

A essa altura o sr. Gifford pediu que se fizesse uma alteração na ordem de chamada das testemunhas. O juiz não fez objeção, e Allan Cruikshank foi chamado.

O sr. Gifford começou a interrogar a testemunha. "Por favor, diga qual é sua ocupação, sr. Cruikshank."

"Sou administrador para lorde Middleton, de Applecross."
"E a aldeia de Culduie é parte da propriedade de lorde Middleton?"
"Sim, é."
"E como tal, é sua responsabilidade a administração dessa aldeia?"
"Sou responsável pela administração da propriedade. Não são a mim concernentes as questões da vida diária nas aldeias."
"Estas seriam questões afeitas ao policial da aldeia, não seriam?"
"Isso mesmo."
"E no caso de Culduie, este era o sr. Lachlan Mackenzie?"
"Correto. Ele atuava como policial para Culduie, Camusterrach e Aird-Dubh."
"Estas são as aldeias vizinhas?"
"Sim."
"Assim, o senhor tinha motivo para se encontrar com o sr. Mackenzie, em sua capacidade de policial dessas comunidades, e discutir questões de sua administração?"
"Nós nos encontrávamos, mas não frequentemente."
"O senhor o instruía quanto aos detalhes de como as aldeias deviam ser gerenciadas?"
"Discutíamos a direção das aldeias em termos gerais, mas eu não me preocupava com minúcias."
"'Termos gerais' significando o quê?"
"A manutenção geral de estradas e caminhos, cuidar para que os arrendatários não atrasassem o pagamento dos arrendamentos, esse tipo de coisas."
"E o senhor achava o sr. Mackenzie competente?"
"O sr. Mackenzie foi inquestionavelmente o melhor policial que já serviu à propriedade em minha gestão."
"O senhor tinha confiança em suas aptidões?"
"Uma grande confiança, sim."

"Agora, o senhor se lembra de uma ocasião no final de julho deste ano, quando o sr. John Macrae e seu filho — o prisioneiro aqui — o visitaram?"

"Eu me lembro."

"Antes desse encontro, o senhor conhecia o sr. Macrae?"

"Não."

"E o senhor é visitado frequentemente pelos arrendatários da propriedade?"

"Não sou. Isso é muito irregular."

"Por que é irregular?"

"Se um arrendatário quiser discutir uma questão relativa ao gerenciamento de sua aldeia, ele deve fazê-lo com seu policial."

"Neste caso, o sr. Mackenzie?"

"Correto."

"O senhor explicou isso ao sr. Macrae?"

"Expliquei."

"E o que ele respondeu?"

"Ele me disse que o sr. Mackenzie era a razão de sua visita."

"Pode explicar melhor?"

"Parece que existia alguma animosidade entre os dois, ou ao menos o sr. Macrae sentia que estava sendo abusado pelo sr. Mackenzie."

"O senhor perguntou por que o sr. Macrae sentia isso?"

"Perguntei. Ele relatou alguns incidentes insignificantes, mas temo não me lembrar dos detalhes."

"Não obstante, pareceu-lhe, com ou sem razão, que o sr. Macrae guardava algum ressentimento em relação ao sr. Mackenzie?"

"Assim parecia."

"E que medidas o senhor tomou?"

"Não tomei medida alguma. Era uma questão que não me dizia respeito."

"O senhor informou ao sr. Mackenzie o que tinha ocorrido?"

"Não consigo me lembrar."

"O senhor viu o sr. Mackenzie entre esse encontro e a ocasião de sua morte?"

"Sim."

"Quando o senhor o viu?"

"Eu o vi no dia do Encontro de Verão."

"Quando foi isso?"

"Creio que no dia 31 de julho."

"O senhor falou com ele nesse dia?"

"Sim. Tomamos uma cerveja no albergue, em Applecross."

"Entendo. E o senhor consegue se lembrar se mencionou esse incidente — o encontro com o sr. Macrae e seu filho — a ele?"

"Creio que mencionei."

"Em que termos o senhor mencionou isso?"

"Como um incidente divertido."

"O sr. Mackenzie o achou divertido?"

"Pareceu que sim."

O sr. Gifford encerrou então o interrogatório. A defesa não tinha perguntas para essa testemunha.

O sr. Macrae foi então novamente convocado para testemunhar, e foi interrogado sobre o depoimento do administrador.

"Se, como declarou, o senhor não alimentava ressentimento em relação ao falecido", perguntou o sr. Gifford, "por que sentiu que eram necessárias essa visita ao administrador e as reclamações contra ele?"

Naquele momento, os ocupantes da galeria, alguns dos quais, escreveu o sr. Murdoch, "devem ter sentido profundamente a humilhação a que seria submetido o rendeiro", ficaram bem silenciosos. Os olhos do sr. Macrae percorreram a sala do tribunal como a procurar ajuda. O juiz achou necessário o instar a responder.

"Eu queria apenas conhecer melhor os regulamentos sob os quais vivíamos."

"E o senhor não achou que esta era uma questão que deveria dirigir diretamente ao falecido?"

"Não."

"Por que não?"

Após alguns momentos de silêncio, ele respondeu, "Eu não estava em bons termos com o sr. Mackenzie".

"E o senhor achava que ele estava agindo de maneira vingativa em relação ao senhor?"

O sr. Macrae não respondeu.

O sr. Gifford, talvez por sentir que havia demonstrado o que desejava, continuou. "Na segunda-feira 9 de agosto, um dia antes de ocorrerem os assassinatos, o senhor recebeu uma carta?"

"Recebi."

"De quem era a carta?"

"Do administrador."

"E qual era o conteúdo da carta?"

"Era uma comunicação de despejo."

"O senhor estava sendo posto para fora de sua casa?"

"Sim."

"Como o senhor reagiu a essa carta?"

O sr. Macrae fez um gesto com a mão que não se agarrava ao bastão.

O sr. Gifford reformulou a pergunta. "O que o senhor se propôs a fazer depois dessa notificação?"

"Não me propus a fazer nada."

"O senhor tencionava concordar com a notificação?"

O sr. Macrae olhou para o advogado por um momento.

"Não me cabia concordar ou não com a notificação", disse ele.

"Isso cabia a quem?"

"Às autoridades."

"O senhor discutiu essa situação com seu filho?"

"Não discuti."

"O senhor alguma vez expressou a opinião de que seria melhor se o sr. Mackenzie estivesse morto?"

"Não."

"O senhor disse a seu filho que ele deveria matar o sr. Mackenzie?"

"Não."

"O senhor lamenta que o sr. Mackenzie esteja morto?"

"Esta é uma questão que não me diz respeito."

Quando a troca de perguntas e respostas acabou, houve um suspiro coletivo na sala do tribunal. O sr. Macrae foi dispensado do banco de testemunhas pela segunda vez, e como depois foi relatado, recusou-se a aceitar um quarto no albergue que lhe fora oferecido, preferindo passar a noite na estação ferroviária, esperando o trem no qual começaria a viagem de volta para casa.

Allan Cruikshank foi então chamado novamente. Antes de reiniciar o interrogatório da testemunha, o sr. Gifford pediu-lhe que relembrasse ao júri qual era seu emprego.

"Ouvimos antes", ele começou, "que o senhor encontrou-se com o falecido, Lachlan Mackenzie, no albergue de Applecross no dia 31 de julho, e que no decurso de sua conversa mencionou a visita que lhe fizeram o sr. John Macrae e seu filho, o prisioneiro aqui."

"Correto."

"O senhor viu o falecido em alguma outra ocasião depois disso?"

"Sim, vi."

"Em que circunstâncias?"

"O sr. Mackenzie veio me ver em minha casa na noite de 7 de agosto."

"Três dias antes de sua morte?"

"Sim."

“E qual foi o motivo dessa visita?”

“Ele solicitou-me que ordenasse o despejo de John Macrae de seu sítio.”

“Com base em quê?”

“Havia vários motivos.”

“E quais eram?”

“A família Macrae estava em grande atraso no pagamento de seu arrendamento. E, além disso, em dívida com a propriedade por conta de várias multas que lhe tinham sido impostas...”

“Tendo sido essas multas impostas pelo sr. Mackenzie?”

“Sim.”

“O senhor consegue se lembrar do motivo pelo qual ele impôs essas multas?”

“Não consigo. Creio que eram em grande número.”

“Houve mais motivos?”

“O sr. Macrae tinha sido negligente no dever de conservar sua moradia e sua terra em condições adequadas. Percebeu-se ainda que a presença continuada dos Macrae não era conducente a uma boa administração da aldeia.”

“De que maneira?”

O sr. Cruikshank não soube responder a essa pergunta. Após alguns momentos ele balbuciou, “Eram percebidos como uma má influência”.

“O senhor tomou alguma medida para verificar isso?”

“Não tomei.”

“Por que não?”

“Eu tinha plena confiança no sr. Mackenzie e em seu discernimento.”

“Não é fato que um grande número de rendeiros na propriedade está em atraso em seus arrendamentos?”

“Infelizmente, sim.”

“Então por que o sr. Macrae foi particularizado dessa maneira?”

"Suas dívidas eram de tal monta que tinham ficado inadministráveis. Não havia nenhuma perspectiva de ele conseguir saldá-las."

"A corte ouviu que no ano anterior a extensão do sítio do sr. Macrae havia sido reduzida. Caso ele dispusesse de mais terras, por hipótese, não poderia vender o excedente de suas colheitas e assim saldar suas dívidas?"

O sr. Cruikshank respondeu, "Eu não estava ciente de qualquer redução, mas", acrescentou, "teria sido necessário vender uma grande quantidade de batatas ou o que quer que essas pessoas cultivavam, para tirar esses atrasos".

"O senhor não estava ciente da redução no tamanho do sítio do sr. Macrae?"

"Não, senhor."

"Então ela foi feita sem o seu consentimento?"

"Bem, sem meu conhecimento. Não tenho dúvida de que o sr. Mackenzie agiu com os melhores motivos."

"O senhor esperaria ser consultado num assunto dessa natureza?"

"Como eu disse, estou certo de que o sr. Mackenzie agiu por bons motivos."

"Não foi isso que perguntei. Perguntei se o senhor não esperaria ser consultado num assunto dessa natureza."

"Eu esperaria ser consultado se fosse uma questão de realocação geral de terras nas aldeias, mas era o caso de uma pequena porção num único sítio, e estou certo de que poderia ser resolvido entre os próprios aldeões. Eles não são crianças."

"O sr. Mackenzie lhe relatou o incidente no qual o sr. Macrae recolheu algas da praia sem uma autorização adequada?"

O sr. Cruikshank soltou uma risada a essa sugestão, e respondeu que não.

"O senhor estava ciente de que o sr. Macrae também estava endividado pessoalmente com o sr. Mackenzie, como indenização pelo carneiro morto pelo prisioneiro?"

"Não estava."

"Se o senhor estivesse ciente dessas coisas", sugeriu o sr. Gifford, "poderia ter suspeitado que havia um componente de malícia na proposta do sr. Mackenzie de despejar o sr. Macrae?"

O sr. Cruikshank ponderou sobre sua resposta por alguns momentos, antes de responder, "Só posso dizer que até onde eu sei o sr. Mackenzie cumpriu admiravelmente seus deveres de policial. Não tenho razões para questionar seus motivos, e a evidência que ele apresentava dava suporte a sua proposta".

"Então o senhor concordou com a avaliação do sr. Mackenzie de que ele deveria ser despejado?"

"Não consegui ver a possibilidade de qualquer outra medida."

"E o senhor preencheu os papéis necessários?"

"Sim."

"Imediatamente?"

"Por respeito ao Shabat a carta foi escrita e entregue na segunda-feira seguinte."

"Que foi a segunda-feira 9 de agosto, um dia antes da morte do sr. Mackenzie?"

"Correto."

O sr. Gifford agradeceu ao administrador por seu depoimento, e como o sr. Sinclair não tinha perguntas, ele foi dispensado.

O reverendo James Galbraith foi então chamado. Ele era, relatou o sr. Murdoch, "em cada centímetro o ferrenho homem de Deus que habita as partes mais remotas de nosso país e comanda seu rebanho com sua inflexível vontade. Estava vestido com a indumentária completa de sua estirpe, e era manifesto em seu semblante sisudo que não era tentado pelos prazeres mundanos. Ele olhou para o sr. Gifford com o desdém que reservava aos dândis metropolitanos, e até mesmo aquele advogado famoso pareceu estremecer um pouco sob seu olhar".

Sr. Gifford: "O senhor é o ministro na paróquia de Applecross?".

O sr. Galbraith, com a "expressão de um professor corrigindo um aluno atrasado", respondeu, "Minha paróquia compreende as aldeias de Camusterrach, Culduie e Aird-Dubh".

"E, sendo assim, John Macrae e sua família estavam entre seus paroquianos?"

"Sim."

"Na verdade, John Macrae era presbítero em sua igreja?"

"Era."

"Agora, é verdade que o sr. Macrae mandou chamá-lo na tarde de 9 de agosto?"

"Mandou. Ele enviou sua filha para me perguntar se eu poderia ir vê-lo naquela tarde."

"E o senhor foi?"

"Fui."

"E qual foi o motivo para ele ter pedido?"

"Ele tinha recebido uma notificação de despejo do administrador."

"E como o senhor encontrou o sr. Macrae naquela tarde?"

"Ele estava angustiado."

"Ele pediu sua ajuda?"

"Ele perguntou se eu poderia intervir a seu favor."

"E o senhor concordou em fazer isso?"

"Não, não concordei."

O sr. Gifford fingiu uma expressão de surpresa ante essa resposta. "O senhor poderia dizer à corte por que não concordou?"

O sr. Galbraith fitou o advogado com um olhar mordaz. "Não era uma questão na qual eu pudesse me envolver."

"Certamente o bem-estar de seus paroquianos é uma preocupação sua."

"Minha preocupação é com o bem-estar espiritual de meus paroquianos. Não me cabe intrometer-me na administração da propriedade."

"Entendo. O senhor deu alguma orientação ao sr. Macrae?"

“Eu lembrei-o de que as atribulações na vida nos ocorrem como justo pagamento por nossos pecados e que ele tinha de aceitá-las como tal.”

“Mas o senhor não lhe deu nenhum conselho prático de como lidar com a situação na qual se encontrava?”

“Eu o conduzi numa oração.” Isso provocou uma onda de riso na galeria, que foi rapidamente silenciada com um olhar sério do pregador.

O sr. Gifford agradeceu à testemunha e voltou a seu assento.

O sr. Sinclair então levantou-se para a defesa.

“O prisioneiro, Roderick Macrae, estava presente durante sua visita?”

“Ele chegou quando eu estava indo embora.”

“O senhor conversou com ele?”

“Muito brevemente.”

“O prisioneiro frequentava sua igreja?”

“Não.”

“Alguma vez ele frequentou?”

“Quando era pequeno.”

“E quando deixou de frequentar?”

“Não sei dizer com certeza.”

“Um ano atrás ou cinco anos atrás?”

“Cerca de um ou dois anos atrás.”

“Seria por volta da época em que a mãe dele morreu?”

“Mais ou menos naquela época.”

“E como o senhor declarou que se preocupa com o bem-estar espiritual de seus paroquianos, pode dizer a corte que medidas tomou para persuadir o prisioneiro a voltar a frequentar?”

“Não é meu papel obrigar paroquianos a frequentar. Não sou um inspetor de ensino.”*

* Um inspetor de ensino (*whipper-in*) era um funcionário que percorria os distritos para garantir que as crianças frequentassem a escola.

"Então o senhor não estava preocupado com sua ausência da igreja?"

"Um pastor tem de se preocupar com o bem-estar de seu rebanho como um todo. Se o rebanho contém ovelhas negras, elas têm de ser postas para fora."

"E Roderick Macrae é uma ovelha negra?"

"Não estaríamos reunidos neste tribunal se ele não fosse."

Essa observação foi, observou o irônico sr. Philby, "provavelmente o mais perto que o severo presbiteriano jamais chegou de uma piada".

"De fato", replicou o sr. Sinclair. "Mas se me permite que o confronte um pouco, o que foi que deixou Roderick Macrae tão marcado?"

"O garoto é um indivíduo malévolo."

"'Malévolo' é uma palavra forte, sr. Galbraith."

O ministro não respondeu a essa observação. O sr. Sinclair tentou mais uma vez: "Como se manifestava essa malevolência?".

"Mesmo quando criança, o garoto não tinha respeito pela Casa do Senhor. Era matreiro e não prestava atenção às orações. Uma vez o surpreendi se aliviando no terreno da igreja."

O juiz teve de bater seu martelo para fazer parar o riso que veio da galeria.

"Entendo", disse o sr. Sinclair. "O senhor diria que via sinais de insanidade no prisioneiro?"

"Eu diria que via nele sinais de perversidade."

"Que sinais eram esses?"

O sr. Galbraith aparentemente não achou que a pergunta era digna de resposta. O juiz ordenou que respondesse.

"Basta apenas observá-lo. Se isso não estiver absolutamente aparente para o senhor, eu sugeriria que é tão incréu quanto ele, meu caro", ele respondeu num tom devastador.

O sr. Sinclair sorriu levemente para a testemunha. "Estou apenas buscando seus comentários, como homem instruído que é, sobre o temperamento do prisioneiro", disse.

"Minha observação é que o garoto está dominado pelo Diabo, e se é preciso uma prova disso basta olharmos para os atos que cometeu."

O sr. Sinclair assentiu com ar de cansaço, e a testemunha foi dispensada.

Dificilmente poderia haver contraste maior com o clérigo do que foi a testemunha seguinte. O aparecimento de Archibald Ross na sala do tribunal causou um grande júbilo na galeria. Estava vestido no estilo de um cavalheiro rural, num "terno de tweed amarelo, muito obviamente adquirido para aquela ocasião". Calçava sapatos muito polidos com grandes fivelas quadradas e tinha, em volta do pescoço, uma gravata de seda verde. Ele era, escreveu o sr. Philby, "em cada centímetro um dândi, e sua aparência poderia levar um observador a concluir que aquela tão longínqua aldeia de Applecross, onde ele morava, devia estar realmente *à la mode*".

Após algumas perguntas preliminares concernentes ao lugar de nascimento e à ocupação de Ross, o sr. Gifford perguntou como conhecera o prisioneiro. Ross descreveu então como tinha conhecido Roddy no pátio exterior aos estábulos da casa de lorde Middleton.

"E qual era a tarefa do prisioneiro naquele dia?"

"Carregar um baú montanha acima."

"E o que continha o baú?"

"Comida e bebida para o grupo de caçadores."

"E o prisioneiro cumpriu com seus deveres com competência?"

"Essa parte de seus deveres, sim."

"Depois daquele dia o senhor encontrou-se com o prisioneiro novamente?"

"Sim."
"Quando foi isso?"
"Algumas semanas atrás, no dia do Encontro de Verão."
"Isso foi no dia 31 de julho?"
"Se o senhor está dizendo", respondeu Ross com um sorriso.
"Conte-nos por favor o que aconteceu."
Ross descreveu como tinha se encontrado com o prisioneiro no lado de fora do albergue em Applecross e como tinham entrado e bebido cerveja. Depois tinham ido até a Casa Grande para assistir a uma partida de *shinty* entre as aldeias.
"O senhor estava embriagado?"
"Talvez, mas pouco."
"O prisioneiro estava embriagado?"
"Eu diria que sim."
"O prisioneiro contou-lhe coisas íntimas?"
"Ele me disse que queria ir para Glasgow para fazer fortuna, mas que estava relutante quanto a isso porque tinha se ligado a uma garota local."
"E quem era essa garota local?"
"Flora Mackenzie."
"Flora Mackenzie, a filha do falecido Lachlan Mackenzie?"
"Sim."
"E o prisioneiro disse-lhe mais alguma coisa a respeito de seu relacionamento com a falecida srta. Mackenzie?"
"Ele me disse que ela o tinha rejeitado, e que, de qualquer maneira, havia uma animosidade entre as duas famílias, e seus pais nunca consentiriam que se casassem."
Isso provocou mais exclamações na galeria.
"Vocês depois assistiram à partida de *shinty*?"
"Sim."
"E depois?"
"Tomamos um pouco de uísque e depois Roddy avistou essa garota..."

"Flora Mackenzie?"

"Sim. E a avistou caminhando nos terrenos da Casa Grande com uma amiga."

"E o que vocês fizeram?"

"Eu expressei minha opinião de que ele devia comunicar abertamente seus sentimentos a essa garota, para saber exatamente qual era sua situação em relação a ela."

"E ele concordou?"

"Não exatamente, mas eu insisti, e nós alcançamos as garotas e nos apresentamos a elas."

A esta altura, relatou o sr. Philby, o prisioneiro, que em geral mostrava-se desinteressado, demonstrou alguns sinais de agitação, inclinando-se sobre os próprios joelhos, como se estivesse esperando encontrar uma moeda no chão do banco dos réus.

"O que aconteceu então?"

"Caminhamos juntos alguma distância."

"Aonde vocês foram?"

"Até uma pequena ponte entre algumas árvores."

"Um lugar isolado?"

Nesse momento Archibald Ross deu uma "piscadela obscena" dirigida ao advogado e respondeu, provocando muito riso, "Imagino que o senhor não é um calouro nesse tipo de aventura".

O sr. Gifford ignorou a observação.

"E o que aconteceu lá?"

"Para que Roddy pudesse estar sozinho com o objeto de suas afetações [sic], levei a companheira de Flora até a ponte e sinalizei a ele que continuasse caminhando na trilha."

"E depois, o que houve?"

"Eu estava conversando com a garota e então, pouco depois, Flora Mackenzie voltou pela trilha."

"Estava caminhando ou correndo?"

"Ela estava correndo."

"E estava sozinha?"
"Sim."
"Quanto tempo tinha passado?"
"Questão de minutos."
"E o que ela fez?"
"Pegou a amiga pelo braço e a levou embora."
"Em que direção?"
"A da Casa Grande."
"E ela parecia estar aflita?"
"Talvez, não tenho certeza."
"Estava chorando?"
"Não sei dizer."
"Estava com o rosto corado?"
"Sim, mas minha experiência diz que há muitas razões para o rosto de uma garota estar corado", disse Ross com um sorriso.

O juiz a essa altura chamou a atenção da testemunha para a gravidade dos procedimentos e ameaçou tirá-lo do banco das testemunhas se fizesse mais observações daquela natureza. Ross fez uma reverência ao juiz e apresentou obsequiosas desculpas.

O sr. Gifford continuou a interrogar a testemunha: "Então, a srta. Mackenzie entrou no bosque com o prisioneiro e voltou — correndo — alguns minutos depois, e levou sua amiga com ela de volta à Casa Grande?".

"Sim, senhor."
"E onde estava o prisioneiro enquanto isso?"
"Ele estava no bosque."
"E ele reapareceu?"
"Sim."
"Quantos minutos depois?"
"Não muitos, um ou dois."
"E como se comportou?"
"Parecia um tanto perturbado."

"Como é que o senhor sabe?"
"Ele estava chorando."
"Ele contou-lhe o que tinha acontecido?"
"Sim, senhor."
"O senhor faria a gentileza de compartilhar com a corte o que ele lhe disse?"
"Ele disse apenas que seus avanços tinham sido rejeitados e ele estava com o coração despedaçado."
"'Seus avanços' — foram estas as palavras que ele usou?"
"Não me lembro."
"Mas o senhor entendeu que ele tinha feito alguns 'avanços'?"
"Sim."
"E o prisioneiro demonstrou algum outro sinal de perturbação?"
"Seu rosto estava vermelho em um dos lados."
"E qual foi a causa disso?"
"A garota tinha batido nele."
"O senhor viu a garota bater nele?"
"Não."
"Então como sabe que ela bateu nele?"
"Roddy me contou."
"O que aconteceu depois?"
"Eu tentei relativizar o que tinha acontecido, mas ao ver que meu amigo estava realmente magoado propus um copo de cerveja para animá-lo."
"E ele concordou?"
"Concordou."
"E vocês voltaram para o albergue?"
"Sim."
"E lá beberam mais cerveja?"
"Bebemos."
"E como estava seu amigo — o prisioneiro — naquele momento?"

“Ele melhorou muito no estado de espírito.”

“Aconteceu mais alguma coisa digna de nota naquele dia?”

“Quando estávamos tomando um copo de cerveja, um homem grande e abrutalhado foi para cima de Roddy e lhe deu uma terrível surra.”

“Por que esse homem foi para cima de seu amigo?”

“Por nenhum motivo que eu tivesse notado.”

“O senhor ouviu quaisquer palavras que eles tenham trocado?”

“Não, senhor.”

“E quem era esse ‘homem grande e abrutalhado’?”

“Soube depois que era Lachlan Mackenzie.”

“O falecido sr. Lachlan Mackenzie?”

“Sim.”

“E o que aconteceu em seguida?”

“Levei Roddy para fora e o pus no caminho de volta para sua aldeia.”

O procurador-geral concluiu seu interrogatório, e o sr. Sinclair levantou-se para a defesa. Explicou que queria que a testemunha se concentrasse no dia da caçada ao veado.

“Aquele dia de caça foi bem-sucedido?”

“Com certeza não foi”, respondeu Ross, rindo.

“Por que não?”

Archibald Ross descreveu então como Roddy “tinha se precipitado na direção do veado agitando os braços como se fosse uma grande ave e cacarejando como uma alma penada”.*

“Fez isso para espantar o veado?”

“Sim.”

“O que o senhor achou desse comportamento?”

Para a grande risada da galeria, Archibald Ross, com uma expressão cômica no rosto, bateu com um dedo na lateral da

* No original, *banshee*, figura do folclore gaélico, espírito feminino que grita para anunciar morte iminente. [N. T.]

cabeça. Foi severamente repreendido pelo juiz e instruído a se limitar a respostas verbais.

Ross disse então, "Acho que foi a coisa mais doida que jamais vi".

Sr. Sinclair: "E o prisioneiro tinha dado alguma indicação, antes disso, do que pretendia fazer?".

"Absolutamente não."

"Foi bem súbito?"

"Foi de repente, do nada."

"E antes desse ato, qual tinha sido sua impressão sobre o prisioneiro?"

"Não tinha tido nenhuma impressão em particular."

"Não havia nada de estranho em seu comportamento?"

"Não."

"No que ele dizia?"

"Não."

"Era bem racional?"

"Sim."

"Até aquele momento em que espantou o veado?"

"Sim."

"Agora, o senhor declarou ao sr. Gifford que após o incidente no bosque com Flora Mackenzie o prisioneiro estava muito perturbado?"

"Sim."

"Estava ou tinha estado chorando?"

"Sim."

"E muito pouco tempo depois, o senhor testemunhou que...", aqui ele consultou algumas anotações diante dele, "... ele 'melhorou muito no estado de espírito'?"

"Sim."

"E o que estava fazendo imediatamente antes que o sr. Mackenzie foi para cima dele?"

"Estava dançando uma jiga, ao som de um violino."

"Dançando uma jiga?"
"Sim."
"E quanto tempo havia passado desde o incidente na floresta, que aparentemente tanto tinha perturbado o prisioneiro, até ele dançar essa jiga?"
Aqui Ross hesitou um pouco.
"Talvez uma hora."
"Mais de uma hora ou menos de uma hora?"
"Menos de uma hora."
"E o senhor não achou que era de certo modo estranho que num instante o prisioneiro estivesse chorando e no instante seguinte dançando uma jiga?"
"Eu apenas pensei que ele tinha se animado com o copo de cerveja."
"O senhor não pensou que, assim como na montanha, quando o prisioneiro num momento era perfeitamente racional e no momento seguinte fazia a coisa mais doida que o senhor jamais viu, ele estava sujeito a mudanças muito bruscas de comportamento?"
"Eu não pensei sobre isso", disse Ross. E com isso o sr. Sinclair concluiu seu interrogatório e o sr. Ross foi dispensado do banco de testemunhas, não antes, escreveu o sr. Philby, de "acenar exuberantemente para a galeria, como se fosse um ator concluindo uma atuação teatral, o que em certo sentido ele realmente era".
A Coroa chamou então Ishbel Farquhar, uma moça que o *The Scotsman* descreveu como "representando as melhores virtudes femininas das Terras Altas, em sua aparência recatada e um tom rosado nas faces". Vestia um avental escuro e seu cabelo estava bem arrumado em tranças. Seu aparecimento pareceu causar alguma angústia em Roddy. Os olhos dele começaram a percorrer a sala do tribunal "detendo-se em tudo menos na garota que ocupava o banco das testemunhas".
Após algumas perguntas preliminares, o sr. Gifford perguntou, "Pode dizer à corte como conheceu Flora Mackenzie?".

"Ela veio trabalhar nas cozinhas da Casa Grande."
"Onde a senhorita também estava empregada?"
"Sim, senhor."
"E as duas ficaram amigas?"
"Sim."
A srta. Farquhar respondeu numa voz tão baixa que o juiz lhe pediu que falasse de modo que os membros do júri pudessem ouvir suas respostas.
"E a senhorita estava com Flora Mackenzie na tarde do Encontro de Verão, em Applecross, no dia 31 de julho?"
"Sim, senhor, estava."
À menção do nome da amiga, a srta. Farquhar começou a chorar e o sr. Gifford galantemente tirou um lenço do bolso e o ofereceu a ela. Quando ela se recompôs, o procurador-geral desculpou-se por ter lhe causado aflição.
"No entanto, temos aqui uma questão das mais sérias", ele continuou, "e é necessário que a senhorita esclareça quanto a partes da narrativa que podem ter importância neste caso."
"Farei o melhor que puder, senhor", respondeu a srta. Farquhar.
"Flora lhe falou a respeito do prisioneiro?"
"Sim, senhor, falou."
"E o que ela disse?"
"Que tinha caminhado com ele uma ou duas vezes e que gostava dele, mas ele tinha algumas ideias estranhas e às vezes dizia coisas estranhas também."
"Que tipo de ideias estranhas?"
"Eu não sei."
"Ela não lhe contou?"
"Não."
"A senhorita pode nos contar o que estavam fazendo imediatamente antes de encontrarem o prisioneiro e seu amigo, Archibald Ross, na tarde em questão?"
"Estávamos dando uma volta nos terrenos da Casa Grande."

"E foram abordadas por Archibald Ross e pelo prisioneiro?"

"Sim."

"E em que condições eles estavam?"

"Estavam embriagados."

"Os dois?"

"Roddy estava mais."

"O quanto ele estava embriagado?"

"Tinha dificuldade para falar e andava cambaleando."

"Assim mesmo, vocês concordaram que eles as acompanhassem?"

"Sim."

"E foram com eles para o bosque, junto ao riacho?"

"Sim. Não parecia haver nenhum mal nisso." A testemunha recomeçou a chorar.

"Então vocês não achavam que o prisioneiro tivesse um caráter perigoso; alguém que pudesse fazer mal à senhorita, ou a Flora?"

"Eu não o conhecia."

"Por favor, relate à corte o que aconteceu no bosque."

"Quando chegamos ao riacho, o sr. Ross pegou meu braço e disse que queria me mostrar uma coisa, e me levou para a ponte."

"E o prisioneiro e Flora acompanharam vocês, indo até a ponte?"

"Eles continuaram pelo caminho ao longo do riacho."

"O que aconteceu então?"

"O sr. Ross debruçou-se na ponte e começou a falar sobre a truta e o salmão no rio, apontando para a água, mas eu não vi nenhum peixe."

"Sim?"

"E então ele tentou me beijar."

"Onde ele tentou beijá-la?"

A srta. Farquhar não respondeu, mas tocou no pescoço com a mão.

"E a senhorita deixou o sr. Ross beijá-la?"

"Não deixei."

"O que a senhorita fez?"

"Eu me afastei dele, mas ele segurou meu braço e não me largou, e então fez..."

"Por favor, continue, srta. Farquhar."

"Ele me fez uma sugestão imprópria."

"Uma sugestão de natureza sexual?"

"Sim, senhor."

"Entendo. E depois?"

"Eu estava assustada porque ele estava segurando o meu braço. Então Flora voltou pelo caminho e ele me largou, e nós duas fomos embora juntas."

"Ela estava correndo ou andando?"

"Estava correndo."

"E Flora Mackenzie lhe contou o que tinha acontecido quando esteve sozinha com o prisioneiro?"

"Ela me contou que Roddy tinha dito a ela algumas coisas grosseiras e posto as mãos nela e que ela o tinha esbofeteado."

O sr. Gifford desculpou-se por a estar pressionando e depois perguntou, "Ela disse onde o prisioneiro tinha posto as mãos?".

Naquele momento, relatou o sr. Philby, o prisioneiro "ficou mais agitado do que em qualquer outro ponto no julgamento. Suas faces ficaram quase escarlates, ele retorcia as mãos no colo e parecia ter encolhido dentro da própria pele. Se não sentia remorso pelo assassinato de três pessoas, certamente parecia ter algum pelos avanços que fizera sobre a desafortunada srta. Mackenzie".

A testemunha manteve os olhos baixos e por alguns momentos recusou-se a responder.

"Flora disse, srta. Farquhar, que ele tinha posto as mãos nas partes íntimas de seu corpo?"

Ela assentiu, o juiz ordenou que se registrasse que sua resposta fora afirmativa.

"Mais alguma coisa?"

"Não, senhor."

O sr. Gifford agradeceu-lhe e concluiu seu interrogatório. O sr. Sinclair declinou de contrainterrogar a testemunha e ela foi dispensada.

A testemunha final chamada pela Coroa foi Hector Munro, M.D., "um homem pequeno e gorducho, com longas e espessas costeletas e um rosto sempre corado". Ele dava toda impressão, escreveu o astuto sr. Philby, "de ser muito próximo de um certo sr. J. Walker, esq.".

O dr. Munro disse que sua profissão era de clínico geral e declarou que tinha um emprego permanente como médico oficial da prisão de Inverness.

Sr. Gifford: "E quais são seus deveres nesse emprego?".

Dr. Munro: "Cuidar da saúde geral dos prisioneiros".

"E nesta capacidade o senhor foi requerido a examinar o atual prisioneiro, Roderick Macrae?"

"Fui."

"E o senhor fez isso?"

"Fiz."

"E examinou o prisioneiro com a única intenção de avaliar sua condição física?"

"Não. O promotor público requereu que eu avaliasse o estado mental do prisioneiro."

"Para se certificar de que o prisioneiro era mentalmente sadio?"

"Sim."

"O senhor pode relatar à corte algo sobre a condição física do prisioneiro?"

"Eu o achei gozando de boa saúde em geral, embora sofrendo um pouco de escorbuto, sem dúvida causado por uma dieta ruim."

"Mas fora isso ele gozava de boa saúde?"

"Sim. Era bem vigoroso."

"Agora, quanto a sua condição mental, o senhor pode nos dizer de que meios dispôs para avaliá-lo?"

"Conversei com ele durante algum tempo."

"Sobre os crimes pelos quais tinha sido acusado?"

"Sobre esses crimes, sim, e sobre suas circunstâncias em geral."

"E o prisioneiro conversou com o senhor de maneira civilizada?"

"De maneira muito civilizada, sim."

"E qual foi sua avaliação quanto à condição mental do prisioneiro?"

"Eu achei que ele estava em plena posse de suas faculdades mentais."

"'Plena posse de suas faculdades mentais'", repetiu o sr. Gifford, pondo grande ênfase nessas palavras. "E com que fundamento o senhor chegou a essa conclusão?"

"O prisioneiro estava ciente de onde estava e do motivo de estar lá. Respondeu a minhas perguntas de modo claro e deliberado, e não demonstrou sinais de ilusão ou distúrbio de raciocínio. Eu me arriscaria a dizer que ele está entre os prisioneiros mais articulados e inteligentes que já encontrei."

"'Entre os prisioneiros mais articulados e inteligentes que o senhor já encontrou' — é uma declaração e tanto, dr. Munro."

"É minha opinião sincera."

"E o senhor fez perguntas ao prisioneiro especificamente sobre os crimes dos quais é acusado?"

"Fiz."

"E qual foi sua resposta?"

"Ele admitiu livremente sua responsabilidade por eles."

"De que maneira?"

"Eu lhe disse que tinha ouvido falar dos crimes que ocorreram em sua aldeia e perguntei se ele sabia alguma coisa sobre eles."

"E qual foi sua resposta?"

"Ele admitiu sem hesitação ser o responsável."

"E o senhor lhe perguntou por que tinha cometido esses crimes?"

"Perguntei. Ele respondeu que tinha cometido esses crimes para livrar o pai dele das atribulações que lhe tinham sido causadas pela vítima."

"A vítima, Lachlan Mackenzie?"

"Sim."

"E foram essas as suas palavras, 'livrar seu pai das atribulações que lhe tinham sido causadas'?"

"Creio que sim, mais ou menos isso."

"E o senhor perguntou-lhe sobre as outras vítimas?"

"Não especificamente."

"E o senhor acha que ele foi verdadeiro nas respostas?"

"Não vi motivos para não acreditar nele."

"O senhor fez ao prisioneiro mais alguma pergunta relativa a esses crimes?"

"Perguntei se ele sentia algum remorso pelo que tinha feito."

"E como ele respondeu?"

"Respondeu que não sentia."

"Não sentia remorso pelo assassinato de três pessoas?"

"Não, senhor."

"Isso não lhe bateu como algo incomum? Talvez até mesmo como um sinal de que não estava totalmente de posse de suas faculdades mentais."

"Em minha experiência, prisioneiros raramente expressam remorso pelo que fizeram. Qualquer arrependimento que possam sentir geralmente fica restrito ao fato de terem sido apanhados."

Esta última observação aliviou a atmosfera na corte por um momento, e o juiz permitiu que a onda de riso se extinguisse por si mesma.

"Essa ausência de remorso, então, não é, em sua opinião de médico, um sintoma de perda da razão?"

"Nem um pouco, senhor."

"O senhor está ciente de que o prisioneiro apresentou uma Defesa Especial por Insanidade, segundo a qual ele estava, no momento de cometer esses atos, alienado de sua razão?"

"Estou ciente."

"O senhor achou que o prisioneiro estivesse agindo sob um estado de insanidade?"

"Não achei."

"É possível que quando ele cometeu esses atos estivesse agindo num estado de insanidade?"

"Considerando o relato de seus crimes como ele me apresentou e a maneira racional com que falou, não creio que estivesse insano no momento desses atos."

O sr. Gifford agradeceu então à testemunha e concluiu seu interrogatório. O sr. Sinclair levantou-se para a defesa.

"Há quando tempo", perguntou, "o senhor está empregado na capacidade de médico oficial da prisão de Inverness?"

"Cerca de oito anos."

"O senhor deve ter examinado um grande número de prisioneiros durante esse tempo."

"Realmente, examinei."

"E que proporção dos prisioneiros que o senhor examinou o senhor consideraria ser insana?"

"Não tenho certeza para poder responder com exatidão."

"Metade? Mais da metade? Menos da metade?"

"Muito menos da metade."

"Podia ser mais específico?"

"Uma proporção muito pequena."

"Dez em cada cem? Cinco em cada cem?"

"Talvez um em cada cem."

"Um em cada cem! Isso é realmente uma proporção pequena", exclamou o sr. Sinclair. "E os outros noventa e nove, o que os levou à prisão?"

"Eles cometeram um ou outro crime, ou foram acusados de tê-los cometido."

"E por que esses homens — esses noventa e nove por cento — cometeram seus crimes?"

O doutor pareceu ficar um tanto confuso com essa linha de interrogatório. Olhou na direção do juiz, que simplesmente indicou que respondesse às perguntas que tinham lhe sido feitas.

"Se me pressionassem a emitir uma opinião, diria que eles estão lá porque não conseguiram controlar seus instintos mais básicos."

"Seus instintos para roubar ou agredir seus camaradas?"

"Sim, por exemplo."

"Mas essa incapacidade de controlar os instintos não é, em sua opinião, um indicador de perda da razão?"

"Não, senhor."

"Simplesmente, são homens maus."

"Se o senhor quer expressar isso assim."

"Como expressaria o senhor?"

"Eu diria que são criminosos, senhor."

O sr. Sinclair fez uma pausa bem teatral e, olhando para os membros do júri perguntou, "Assim, em noventa e nove por cento dos homens que o senhor examinou em sua capacidade de médico oficial da prisão desta cidade, não descobriu sinais de insanidade".

"Correto."

"Seria correto dizer que em geral, quando o senhor examina prisioneiros na prisão, não está procurando sinais de insanidade?"

"Meus exames são geralmente limitados à parte física dos prisioneiros, sim."

"O senhor se considera um especialista no campo da Antropologia Criminal?"

"Na medida em que tenho examinado prisioneiros durante oito anos, eu consideraria que tenho certa especialização."

"O senhor se consideraria um especialista em Psicologia Criminal?"

"Sim."

"O senhor pode explicar à corte o significado do termo 'insanidade moral'?"

"Não estou familiarizado com esse termo."

"Poderia explicar à corte o significado do termo 'mania sem delírio'?"

O dr. Munro balançou a cabeça negativamente.

"O senhor tampouco está familiarizado com esse termo. Está familiarizado com as obras de monsieur Philippe Pinel?"*

"Não estou."

"Está familiarizado com a obra do dr. James Cowles Prichard?"

"Ouvi falar dele."

"Então o senhor deve ter lido seu livro *A Treatise on Insanity and Other Disorders Affecting the Mind*?"

"Não me lembro."

"O senhor testemunha que não se lembra de ter lido um livro da maior significância no pensamento atual sobre a psicologia de criminosos; um campo no qual o senhor alega ser um especialista?"

"Minha especialização baseia-se em minha experiência examinando membros da população criminal."

"Uma população que, segundo suas próprias estimativas, abrange uma proporção minúscula de pessoas que agem sob distúrbios mentais."

"Sim."

"Considerando que o senhor foi chamado aqui hoje para testemunhar, no mais solene dos procedimentos, não acha que,

* Philippe Pinel (1745-1826) foi pioneiro da psicologia criminal. Ele cunhou o termo "*mania sans délire*" em sua *Nosographie philosophique ou méthode de l'analyse appliquée à la médecine* (1798-1818).

como professado especialista, é de sua responsabilidade ter conhecimento do pensamento atual nesse campo?"

"Não creio que qualquer médico, se chamado a examinar o prisioneiro, chegaria a uma conclusão diferente daquela a que cheguei."

"Se me perdoa, dr. Munro, não foi isso que lhe perguntei. A pergunta que fiz é a seguinte: não é de sua responsabilidade, como um assim chamado especialista em Psicologia Criminal — cuja aplicação é de importância crucial para este caso —, informar-se totalmente do pensamento concernente a esse campo?"

O bom médico estava àquela altura, escreveu o sr. Philby, "ficando agitado e olhava em volta como se esperasse encontrar uma garrafa de uísque escondida no compartimento das testemunhas".

O sr. Sinclair não o pressionou por uma resposta, sem dúvida levando em conta que seu silêncio era mais comprometedor do que qualquer coisa que pudesse dizer. Em vez disso, adotou um tom conciliatório: "Talvez eu não esteja sendo razoável", começou. "Seria mais útil se o senhor pudesse dizer ao júri qual foi o treinamento ou educação que recebeu no campo da Psicologia Criminal."

O dr. Munro olhou suplicantemente para o juiz, que com um gesto de mão o instruiu a responder.

"Não recebi tal treinamento."

O sr. Sinclair, que estava claramente saboreando este renascer das chances de sua estratégia de defesa, dirigiu uma expressão de grande espanto aos membros do júri.

"Seria então mais exato descrever o senhor como um autodidata nesse campo?"

"Seria mais exato, sim", respondeu o doutor.

"Neste caso, talvez, como o senhor não leu nem as obras do dr. Prichard nem as de monsieur Pinel, poderia mencionar para o júri alguns dos livros com os quais se instruiu."

O dr. Munro pareceu estar dando a essa pergunta alguma reflexão, antes de responder que não conseguia, naquele momento, se lembrar de nenhum título específico.

"Não consegue se lembrar de um único livro que tenha lido acerca do assunto sobre o qual, quando antes interrogado, professou ser um especialista?"

"Não."

"Devemos compreender então, dr. Munro", aqui ele fez um amplo gesto na direção do júri, "que o senhor é totalmente desqualificado para fazer qualquer pronunciamento sobre o estado mental do prisioneiro?"

"Eu acredito que sou qualificado."

"Mas o senhor não tem qualificações!"

A testemunha não pareceu ter vontade de se defender desse ataque do advogado, e com um significativo sacudir de cabeça o sr. Sinclair concluiu seu interrogatório.

O dr. Munro, claramente aliviado por seu martírio ter terminado, fez menção de sair do banco das testemunhas, mas foi repreendido pelo juiz, por ainda não ter sido dispensado. O sr. Gifford levantou-se então para reinterrogar a testemunha. Desculpou-se por estar retendo o doutor, antes de lhe pedir que lembrasse à corte há quanto tempo estava engajado em sua prática na prisão de Inverness. Perguntou então ao doutor quantos prisioneiros tinha examinado no decurso de seu emprego.

O dr. Munro, claramente apreciando a oportunidade que estavam lhe dando para se redimir, respondeu que, embora fosse impossível atribuir um número exato, deve ter sido na ordem de "muitas centenas".

"E em sua longa experiência somente uma pequena proporção dos que passaram por seus cuidados poderiam ser considerados insanos?"

"Esta é minha opinião, sim."

"Sua opinião como médico?"

"Sim."

"O senhor reconhece os sinais, ou sintomas, de insanidade, dr. Munro."

"Sim, reconheço."

"Poderia enumerar para nós esses sinais?"

"Primeiramente, um prisioneiro deveria estar agindo sob alguma forma de ilusão..."

O sr. Gifford aqui pediu desculpas por interromper a testemunha. "Poderia, por favor, explicar o que quer dizer com o termo 'ilusão'?"

"Quero dizer simplesmente que o prisioneiro estaria acreditando em coisas falsas. Talvez ouça vozes em sua cabeça, tenha visões, ou acredite ser alguém que não é."

"Obrigado. Por favor, continue."

"Um prisioneiro pode ter um distúrbio no processo de seu pensamento; isto é, pode falar de maneira ostensivamente racional, mas um pensamento não se segue a outro de maneira normal. Da mesma forma, suas declarações podem simplesmente não ter relação com a realidade."

"Mais alguma coisa?"

"Já encontrei prisioneiros que ficavam falando coisas incompreensíveis; cuja fala não era mais do que um fluxo de palavras ininteligíveis, sem conexão uma com a outra, ou nem mesmo de uma língua reconhecível.* Há também prisioneiros que são incapazes de compreender as mais simples declarações que lhes são feitas, ou respondem de modo inadequado ou irrelevante. Depois há aqueles que poderiam ser chamados de imbecis, e que são simplesmente, por um ou outro motivo, deficientes ou infantis em seu desenvolvimento."

O sr. Gifford incentivou o doutor a continuar.

* Um perverso esquete no *The Scotsman* sugeriu que os prisioneiros aos quais o dr. Munro se referia estavam simplesmente falando em gaélico.

"Num número pequeno de casos, há prisioneiros que não reagem de todo a seu entorno, que ficam sentados ou deitados num canto de sua cela e não reagem a nenhum estímulo, muitas vezes balbuciando consigo mesmos ou repetindo a mesma ação *ad nauseam*."

"Esta é uma enumeração bem abrangente", disse o sr. Gifford. "E este conhecimento das várias formas de insanidade, como o senhor adquiriu?"

"De minha experiência ao lidar com prisioneiros na prisão de Inverness."

"Mas o senhor deve ter encontrado alguns casos que apresentaram dificuldades para um diagnóstico?"

"Sim, encontrei."

"E o que o senhor fazia nessas circunstâncias?"

"Eu debatia com um colega ou consultava um ou outro compêndio."

"Compreendo. E o senhor diria que esse processo de consulta e sua longa experiência de lidar com criminosos o qualificam a se pronunciar sobre a sanidade ou não de um determinado indivíduo?"

"Sim, diria."

"Agora, antes de deixar o banco das testemunhas, peço licença para lhe fazer mais uma pergunta. Durante seu exame do prisioneiro aqui, ele demonstrou quaisquer dos sinais de insanidade ou teve alguns dos comportamentos que o senhor acabou de descrever?"

"Não, não demonstrou."

"Ele parecia estar tendo ilusões?"

"Não."

"Seu raciocínio estava desordenado?"

"Não."

"Ele reconhecia o seu entorno e as circunstâncias que o tinham levado até lá?"

"Reconhecia."

"E em sua opinião como médico, ele pode ser considerado insano ou privado de sua razão?"

"Não."

Nesse momento o sr. Gifford lançou um olhar fulminante na direção da bancada da defesa e, sem mais gestos teatrais, concluiu o interrogatório. O dr. Munro foi dispensado, e com um olhar de agradecimento ao procurador-geral, "bateu em retirada, sem dúvida em busca de um refúgio na estalagem mais próxima".

Ao se concluir o caso da acusação, como era costume na Lei Escocesa da época, a Declaração do Prisioneiro foi lida pelo oficial de justiça. Consistiu nisso a única interferência permitida ao acusado:

> Meu nome é Roderick John Macrae, e tenho dezessete anos. Sou natural de Culduie, em Ross-shire, e resido na morada mais setentrional dessa aldeia com meu pai, John Macrae, agricultor arrendatário. E, tendo sido lida a acusação de ter causado a morte de Lachlan Mackenzie, de trinta e oito anos, de Flora Mackenzie, de quinze anos, e de Donald Mackenzie, de três anos, por meio de golpes administrados com um *flaughter* e um *croman*, em sua casa, no dia 10 de agosto do presente ano, declaro... Admito por livre vontade ser o responsável pelas mortes das pessoas mencionadas. Na manhã em questão fui até a casa de Lachlan Mackenzie, armado com essas armas, com a intenção de matá-lo. Matei Lachlan Mackenzie em retribuição ao sofrimento que ele causou a meu pai e a minha família como um todo. Não era minha intenção matar Flora Mackenzie ou Donald Mackenzie. Suas mortes foram necessárias devido à sua presença na casa e ao meu desejo de impedi-los de dar o alarme. Creio que o sucesso de meu empreendimento

deve ser atribuído à Providência, e da mesma forma aceito qual for o destino que a Providência ditar para mim. Estou em meu pleno juízo e faço esta declaração livremente, sem estar sob qualquer coação. Declaro que tudo isso é verdade.

[Assinado]
Roderick John Macrae

A acusação havia terminado. Como já eram então por volta de quatro horas, seguiu-se uma discussão sobre se os procedimentos deveriam ser interrompidos naquele dia. O sr. Sinclair, sem dúvida ansioso para que o júri não passasse a noite com a declaração de Roddy quanto à própria sanidade ressoando em suas orelhas, solicitou que continuassem. O sr. Gifford contrapôs que, como não havia possibilidade de o julgamento terminar naquele dia, deveriam retomá-lo na manhã seguinte. A discussão, pelo menos por parte do sr. Sinclair, ficou quente, mas após uma breve e sussurrada consulta a seus colegas, o juiz declarou que a sessão estava encerrada. O sr. Sinclair, relatou *The Scotsman*, "ficou com o rosto vermelho e ouviu-se ele murmurar sobre uma conspiração contra seu cliente, declaração que lhe valeu uma reprimenda do juiz e pela qual imediatamente se desculpou".

Independentemente dos sentimentos do sr. Sinclair quanto à condução perfeitamente razoável do juiz, essa demonstração de petulância na presença do júri dificilmente poderia ser considerada benéfica para os interesses de seu cliente. O juiz repetiu aos membros do júri os cuidados que deviam tomar, e a corte se esvaziou. Os que estavam na galeria foram embora numa atmosfera "um tanto semelhante à de quando os alunos de uma escola vão embora para as férias de verão".

Os jornais vespertinos publicaram vivos relatos sobre as conversas entre os advogados e o dr. Munro, e o *Inverness Courier* reportou que "não se discutia outra coisa nas tabernas e nas esquinas da cidade. Os que tinham tido a sorte de estar presentes no julgamento assumiram ares de grandes entendidos e durante a noite inteira grassaram discussões quanto a se o infeliz prisioneiro iria para a forca".

Entre os repórteres, da mesma forma, a opinião estava dividida. O relato do *The Scotsman* sobre os procedimentos do dia concluiu que "o vislumbre de uma esperança advindo da brilhante demolição por seu advogado do testemunho do dr. Munro se extinguira imediatamente com a declaração, dos lábios do próprio prisioneiro, de que estava realmente em seu perfeito juízo. Seria necessário agora uma reversão espantosa para convencer o júri de que o desgraçado rendeiro não tinha culpa nos crimes dos quais era acusado".

Para John Mordoch, escrevendo no *Courier*, no entanto, o caso não estava tão claramente definido: "Conquanto não se possa questionar a competência com que o sr. Gifford apresentou o caso da Coroa, o júri teria ouvido o tempo todo sobre o comportamento peculiar do réu o bastante para semear algumas sementes de dúvida quanto a sua sanidade mental".

Na edição do *The Times* na manhã seguinte o sr. Philby escreveu:

> É uma ocorrência muito irregular, num caso como este, a defesa basear-se numa única testemunha, mas deve-se admitir que o julgamento de Roderick Macrae não é um evento comum. O que está em questão não são os fatos do caso, mas o que ia na mente do perpetrador e, até agora, isso é algo que poucos podem, se é que alguém pode, verdadeiramente supor que sabem. O prisioneiro comportou-se o tempo todo de modo respeitoso e recatado, a tal ponto que é difícil imaginá-lo executando os crimes brutais dos quais é acusado. Porém, sim, ele os executou, e o fato de que alguém capaz de tal fúria possa ficar sentado quieto

como um camundongo durante dois dias, diz, a este observador, de um tipo de loucura não enumerado pelo dr. Hector Munro. Um grande peso, portanto, está sobre os ombros do eminente James Bruce Thomson, em cujas mãos repousa o destino de Roderick Macrae.

Terceiro dia

O sr. Philby não foi o único a ter percebido a importância do depoimento do sr. Thomson. Sua chegada à sala do tribunal foi antecipada com mais excitação do que qualquer outro momento desde a chegada do próprio prisioneiro. O sr. Thomson, vestido num bem ajustado terno preto, com a corrente de um relógio de bolso de ouro atravessando seu abdome, assumiu seu lugar no banco das testemunhas com ar de grande solenidade. Segundo o repórter do *The Times*, ele "lançou um olhar arrogante para o público da galeria e depois fixou-se, respectivamente, nos juízes, na Coroa e na defesa, com ar não menos superior. O renomado alienista deixou bem claro que se considerava ator principal naquela particular peça de teatro".

O juiz trouxe ordem à corte, e uma vez completadas as formalidades, o sr. Sinclair começou seu interrogatório pedindo à testemunha que declarasse qual era sua profissão.

Sr. Thomson: "Sou cirurgião residente na Penitenciária Central da Escócia, em Perth".

"E há quanto tempo o senhor está nesse cargo?"

"Cerca de catorze anos."

"E durante esse tempo quantos prisioneiros o senhor examinou?"

"Cerca de seis mil."

"E o senhor examinou as condições físicas e também mentais desses prisioneiros?"

"Examinei."

"E seria correto dizer que o senhor tem dado atenção particular ao estado psicológico dos prisioneiros sob seus cuidados?"

"Seria correto."

"E o senhor diria que tem alguma expertise no estudo da condição mental de criminosos?"

"Modéstia à parte, diria que sim."

"Com que base o senhor se atribui essa expertise?"

"Em acréscimo a minha experiência de examinar prisioneiros, fiz um estudo extensivo da literatura existente sobre esse assunto. Fui eleito membro da Associação Médico-Psicológica e fui convidado por essa instituição a ler um trabalho sobre os efeitos psicológicos da prisão nos internos. Meu artigo sobre epilepsia entre prisioneiros foi publicado no *Edinburgh Monthly Journal* e brevemente publicarei mais trabalhos sobre aspectos psicológicos e hereditários do crime no *Journal for Mental Science*."

"Isso é muito respeitável, senhor", disse o sr. Sinclair. "E também seria correto dizer que esses criminosos considerados incapacitados para serem julgados, devido a sua insanidade, são acomodados na instituição em que o senhor trabalha?"

"É correto."

"Então, além de sua grande experiência com o que pode ser chamado de população geral da prisão, o senhor tem muito contato com criminosos insanos."

"De fato."

"E o senhor faria alguma distinção entre a população geral da prisão e os que são considerados criminosos insanos?"

"Existe uma semelhança no fato de que criminosos dos dois tipos carecem, em grande medida, de senso moral. No entanto, o criminoso mais comum geralmente é propenso ao crime por hereditariedade, e isso na maioria das vezes é incurável. Existe agora uma classe de criminosos que mora nas favelas superpovoadas de nossas cidades. Essas pessoas nascem em meio ao crime, são criadas, alimentadas e instruídas nele. Poder-se-ia alegar que esses criminosos não podem, na verdade, ser considerados responsáveis por suas ações, uma vez que nasceram para elas e são impotentes para resistir à tirania das circunstâncias."

Havia, observou o sr. Murdoch, "no ritmo e na entonação do discurso do alienista algo da qualidade encantatória de um pregador da Igreja Livre".

"E seria possível", perguntou o sr. Sinclair, "identificar membros dessa classe de criminosos hereditários à qual o senhor se referiu?"

"Com toda a certeza."

"Como?"

"Devido às condições imundas nas quais essas colônias são criadas, e por não levarem em consideração as regras de consanguinidade, encontram-se frequentemente entre eles casos de anormalidade, como deformidades na espinha, tartamudez, imperfeição dos órgãos da fala, pernas tortas, fendas palatinas, lábios leporinos, surdez, cegueira congênita, epilepsia, escrófula etc. Isso tudo comumente acompanhado de debilidade mental ou imbecilismo. Esses nascidos no crime são tão diferentes de um trabalhador honesto quanto uma ovelha blackface é de uma da raça Cheviot."*

"Agora, é verdade que o senhor viajou para Inverness a fim de examinar o acusado do presente caso?"

"A seu pedido, sim, eu viajei."

"E o senhor examinou o prisioneiro?"

"Examinei."

"E quais foram os resultados de seu exame?"

* Blackface (ovelhas de cara preta) e Cheviot (ovelhas de cara branca) são raças de ovelhas escocesas. [N. T.]

"Descobri que em certos aspectos ele exibia as baixas características físicas da classe de criminosos hereditários."

"Que aspectos?"

"Tem estatura abaixo da média; seu crânio é disforme; suas orelhas são anormalmente grandes e pendentes. Os olhos são pequenos e juntos um do outro e, como qualquer observador pode ver, suas sobrancelhas são espessas e protuberantes. A tez é pálida e doentia, embora eu possa atribuir isso a uma dieta deficiente, e não a qualquer fator hereditário."

"E em sua investigação quanto a se o prisioneiro poderia ser considerado um criminoso por hereditariedade, o senhor fez pesquisas além do exame físico?"

"Fiz. Em sua companhia, viajei para o domicílio do prisioneiro, na aldeia de Culduie, em Ross-shire."

"E por que o senhor achou necessário fazer essa jornada?"

"Como creio que declarei então, se alguém achar que um copo de água está contaminado, ele tem de verificar o poço."

O juiz interveio aqui para pedir que o psiquiatra explicasse o que queria dizer com essa figura de linguagem.

"Quis dizer simplesmente", disse o sr. Thomson, "que não se pode garantir que as características de um indivíduo tenham lhe sido passadas por hereditariedade meramente por meio de um exame físico. Também é preciso verificar a origem da qual ele provém."

Sr. Sinclair: "E o que descobriu em sua visita a Culduie?".

"Os habitantes de lá têm geralmente estrutura física pequena, são de baixa estatura e geralmente de aparência não muito atraente, sem dúvida devido à prevalência de casamentos consanguíneos, o que é atestado pela alta incidência dos mesmos sobrenomes na área. Achei as condições de vida do prisioneiro e de sua família muito inadequadas para a habitação humana, seu casebre — eu hesitaria muito em chamá-lo de lar — era carente de ventilação ou saneamento e era compartilhado com animais domésticos. Achei que o pai, com quem conversei por alguns minutos, era parvo no limite da idiotice. A mãe do prisioneiro morreu num parto, indicador provável, em nossa era moderna, de alguma debilidade congênita. A irmã do prisioneiro tinha cometido suicídio, o que é sugestivo de alguma doença mental inerente a este clã infeliz. Não tive oportunidade de examinar os irmãos menores do acusado, pois tinham sido enviados para serem criados em outro lugar. Em resumo, eu diria sem hesitação que o prisioneiro deriva de um tronco familiar de um padrão inferior."

"Então o senhor concluiria que ele pertence à classe de criminosos hereditários que o senhor descreveu antes tão eloquentemente?"

"Tenho plena consciência, considerando o argumento de defesa que o senhor está apresentando neste caso, que deseja que eu responda afirmativamente. No entanto, apesar de o prisioneiro apresentar certa semelhança com a raça criminal urbana, e isso é sem dúvida devido a sua baixa origem, eu não o classificaria como membro das classes criminosas; isto é, essas classes que nasceram no crime e para as quais o crime exerce uma atração irresistível."

A essa altura, o sr. Sinclair "manifestou clara indicação de que tinham lhe puxado o tapete debaixo dos pés". De modo um tanto vacilante, ele pediu ao sr. Thomson que explicasse sua conclusão.

"É bem claro, sr. Sinclair. É preciso considerar as causas do crime não apenas no material hereditário do criminoso, mas também em seu meio ambiente. Embora, para homens instruídos como nós, as condições de vida nas Terras Altas possam parecer esquálidas e miseráveis, elas são um paraíso em comparação com as favelas habitadas pelos vilões urbanos. O ar é puro e circula livremente, e, apesar de a população viver na pobreza, a grande maioria das pessoas trabalha honestamente na terra ou em outros pequenos labores. Pequenos roubos e trapaças são em grande medida desconhecidos nessas paragens. Assim, o indivíduo, não importa quão básico seja em sua compleição física ou limitado em sua capacidade mental, não se cria ou nutre numa atmosfera de criminalidade. O prisioneiro aqui pode ter nascido numa vida que faria um homem civilizado estancar, mas não nasceu no crime."

Houve uma pausa nos procedimentos enquanto o sr. Sinclair consultava seu assistente. O sr. Gifford, assim foi relatado, "recostou-se em seu assento, e, não fosse inadequado agir assim, provavelmente poria as pernas em cima da mesa a sua frente". As pessoas na galeria, talvez ainda não tendo percebido a importância daquele diálogo, cochichavam entre si. O juiz pareceu conceder de bom grado aquele momento de intervalo, antes de perguntar ao sr. Sinclair se ele havia concluído o interrogatório da testemunha.

O advogado sinalizou que não e apressadamente fez nova pergunta à testemunha: "Ouvimos o testemunho do dr. Hector Munro, um clínico geral, que declarou que o prisioneiro não demonstrava nenhum dos sinais exteriores que normalmente marcam a insanidade ou a imbecilidade. O senhor concordaria com essa avaliação?"

"Concordaria."

"Mas o senhor também concordaria que é possível que uma pessoa que não demonstra esses sinais seja considerada insana?"

"Sim, concordaria."

"E como isso seria possível?"

"Nestas últimas décadas, nossa compreensão do funcionamento — ou disfuncionamento — da mente tem sido muito aumentada pelos labores de meus colegas continentais e ingleses, de modo que agora existe uma aceitação geral, no campo da Antropologia Criminal, da condição de insanidade moral, ou 'mania sem delírio', como é às vezes denominada."

"O senhor poderia descrever o que esta condição significa?"

"Explicando brevemente, consiste numa perversão mórbida das afeições, sem qualquer concomitante deficiência das faculdades intelectuais. Assim, um indivíduo pode parecer estar totalmente ciente da realidade e inteiramente racional em seu discurso, e ainda assim ser totalmente destituído de senso moral. Isso se manifesta na natureza habitual de um pequeno criminoso que não consegue evitar a prática do roubo, e, no grande criminoso — culpado de assassinato, estupro ou infanticídio —, numa completa ausência de remorso. O moralmente insano é totalmente incapaz de resistir a seus impulsos violentos ou criminosos. Esses infelizes distinguem-se pela prevalência de sentimentos maldosos, que frequentemente surgem à mais trivial provocação. Eles veem inimizade onde ela não existe e se entregam a grandes fantasias de vingança e perversidade; fantasias que fazem com que sejam impotentes para resistir ao impulso de agir de acordo com elas."

"Então, o senhor afirma que esses indivíduos não são responsáveis pelos atos que cometem?"

"Não posso falar do ponto de vista legal, mas, a partir da perspectiva do estudante de Psicologia Criminal, eles não podem ser considerados responsáveis pelos critérios normais, pois esses indivíduos nasceram — seja qual for a razão — sem um senso moral. Não têm em sua configuração interna as checagens e ponderações de homens e mulheres civilizados. Sendo assim, não podem ser considerados totalmente responsáveis por suas ações. Moralmente, são imbecis, e não mais culpados por sua situação do que um cretino é da sua."

Nesse momento o juiz interveio para solicitar ao sr. Sinclair que fizesse avançar seu interrogatório da testemunha, deixando aquelas "sem dúvida fascinantes generalidades" e entrando no caso em questão. O sr. Sinclair aquiesceu, embora não sem antes ressaltar a necessidade de que os membros do júri estivessem informados da atual linha de pensamento no campo da Psicologia Criminal.

"Agora", continuou, "foi lido na corte um depoimento no qual o prisioneiro espontaneamente se declara estar em pleno juízo. Em sua longa experiência de lidar com a população de criminosos, é possível que uma pessoa que faz tal declaração possa ainda assim ser considerada insana?"

"Sim, é bem possível", respondeu o sr. Thomson.

"Como isso pode ser?"

"Se um prisioneiro está agindo sob alguma ilusão, essa ilusão é para ele tão real quanto esta sala de tribunal é para nós. Se uma pessoa é insana, ela é, por definição, incapaz de se reconhecer como tal."

"Compreendo", disse o sr. Sinclair, fazendo uma pausa para permitir ao júri assimilar essa declaração. "Com isso em mente, que valor o senhor atribuiria à declaração do próprio prisioneiro de que ele está em pleno juízo?"

"Absolutamente nenhum."

"'Absolutamente nenhum'", repetiu o sr. Sinclair, com um olhar significativo na direção do júri.

O juiz interveio aqui: "Em prol da clareza, sr. Thomson, para o senhor é evidente que o prisioneiro é insano?".

"A evidência que apresento é meramente a de que se o prisioneiro *fosse* insano, ele não estaria ciente do fato. Na verdade, se ele expressasse a ideia de que era insano, isso implicaria o oposto, já que essa ideia implicaria um grau de autoconhecimento totalmente ausente de quem não está de posse de seu juízo."

O juiz conferenciou por um momento com lorde Jerviswoode, em seguida indicou ao sr. Sinclair que continuasse com seu interrogatório. Este, agradecido, continuou. "Agora, sr. Thomson, o senhor examinou o prisioneiro com a ideia de se certificar quanto a seu estado mental, não foi?"

"Sim, foi."

"E de que forma se fez esse exame?"

"Conversei com ele longamente sobre os seus crimes."

"E o que o senhor descobriu?"

"O prisioneiro certamente tem uma razoável inteligência e demonstrou um domínio da linguagem que excedeu o que se poderia esperar de alguém com tão pouca escolaridade. Em grande medida, ele conversou livremente comigo e sem nenhum desconforto aparente. Em comum com os criminosos de alto grau que descrevi, ele não demonstrou remorso por seus atos; de fato, eu me aventuraria a dizer que exibiu um orgulho perverso ao admiti-los."

"E o senhor diria que esta é uma característica de indivíduos que padecem da condição de insanidade moral?"

"Este comportamento é de fato comum no imbecil moral, mas em si mesmo não significa insanidade moral."

"Em sua resposta à minha pergunta anterior, o senhor descreveu a insanidade moral como...", aqui o sr. Sinclair leu uma anotação que lhe foi entregue por seus assistentes, "... abrigar 'sentimentos maldosos, que frequentemente surgem à mais trivial provocação'."

"Sim."

"Agora, ouvimos aqui testemunhos evidenciais que descrevem as provocações feitas ao prisioneiro e a sua família pelo falecido sr. Mackenzie."

"De fato."

"Quer alguém considere essas provocações triviais ou não, o senhor consideraria o desejo do prisioneiro de se vingar do sr. Mackenzie como indicativo de sua condição de insanidade moral?"

"Se alguém aceitasse a versão do próprio prisioneiro para os eventos que ocorreram, então poderia razoavelmente concluir que ele estava agindo sob esta condição, sim."

Por ser isso "uma questão da maior significância", o juiz pediu à testemunha que esclarecesse melhor sua resposta.

Dirigindo-se diretamente ao juiz, o sr. Thomson continuou. "Já é lugar-comum em muitas disciplinas, inclusive a minha, que ideias sejam aceitas como fatos meramente em virtude de terem sido frequentemente repetidas. No presente caso, temo que uma certa narrativa — a saber, a de que o prisioneiro cometeu esses atos para livrar o pai do que ele considerava serem ações opressivas por parte do sr. Mackenzie —, por força de repetição, sem mais reflexão, tenha sido aceita pela corte e por várias testemunhas. E no entanto essa história depende totalmente da declaração de uma única testemunha: o próprio prisioneiro. Eu, por mim, não vejo razão para aceitar essa versão dos fatos, ou ao menos para não submetê-la a rigoroso escrutínio."

O juiz: "E o senhor a submeteu a um tal escrutínio?".

"Sim, submeti."

"E qual é sua opinião?"

"Minha opinião é que não há por que acreditar nas palavras de um indivíduo que, como ele mesmo admite, cometeu atos dos mais sanguinários. E, além disso, creio que uma explicação alternativa fornece um relato mais plausível de suas ações."

O sr. Sinclair a essa altura não conseguia esconder sua ansiedade. Ele tentou interromper a linha de questionamento apresentada pelo juiz, mas foi imediatamente silenciado.

O juiz: "E o senhor tem essa explicação?".

"Tenho", disse o sr. Thomson.

"Eu lhe pediria então que a compartilhasse com o tribunal."

"Minha opinião baseia-se na inconsistência e nas omissões no relato do prisioneiro, repetido para o sr. Sinclair e para mim. Especificamente, essas inconsistências dizem respeito às lesões infligidas a Flora Mackenzie, as quais, para mim, indicam um motivo totalmente diferente para os crimes cometidos. Eu diria que, quando o prisioneiro embarcou em seu projeto sangrento, seu verdadeiro propósito não era se vingar do sr. Mackenzie, mas da filha desse cavalheiro, que, como ouvimos, tinha rejeitado os avanços lascivos dirigidos a ela. Segundo este relato, Roderick Macrae teria sido movido não por um quase nobre desejo de proteger seu pai, mas por seus impulsos sexuais em relação à srta. Mackenzie. Eu diria então que o prisioneiro partiu com pleno conhecimento de que o sr. Mackenzie não estaria em casa e tentou violentar sua filha do modo mais depravado possível. Depois, surpreendido nessa tentativa, seguiu-se uma luta que resultou na morte do sr. Mackenzie."

Houve alguns momentos de silêncio, seguidos pela irrupção de comentários sussurrados na galeria. O juiz bateu várias vezes seu martelo para restaurar a ordem. O sr. Sinclair parecia estar perdido.

O juiz: "E por que se deveria acreditar nesta versão dos acontecimentos e não na que foi apresentada anteriormente?".

"Evidentemente eu não estava presente quando essas ações foram cometidas", continuou o sr. Thomson, "mas as lesões infligidas à srta. Mackenzie são totalmente inconsistentes com o motivo descrito pelo prisioneiro. Além disso, quando interroguei o prisioneiro em sua cela, somente quando essas lesões foram mencionadas é que ele demonstrou algum sinal de ansiedade. Uma fissura apareceu na persona que ele apresentava ao mundo."

O juiz olhou então para o abatido sr. Sinclair, sinalizando que continuasse com seu interrogatório. Sem dúvida consciente da gravidade da declaração da testemunha, ele concedeu ao advogado alguns momentos para organizar seus pensamentos. Após consultas com seu associado, o sr. Sinclair continuou.

"Se aceitarmos tal versão dos acontecimentos, isso não falaria ainda mais profundamente de uma perda da razão do que a versão que foi apresentada anteriormente?"

O sr. Thomson deu ao advogado um leve sorriso, sabendo que ele se empenhava para salvar seu caso das implicações de seu testemunho. "É possível que se possa, ou não, num caso claro de ataque por motivação sexual, considerar o agressor, em sua incapacidade de controlar seus impulsos básicos, como não totalmente responsável por suas ações. Este caso, no entanto, se distingue não pela natureza do crime em si mesma, mas pela natureza dissimuladora das declarações do perpetrador após o fato. Se ele tivesse admitido claramente os motivos de seu ataque, poderia, como o senhor diz, ser considerado moralmente insano, por não saber que os atos que cometera eram errados. No entanto, ao fabricar uma explicação alternativa — uma explicação que busca encobrir suas ações com o disfarce de uma suposta honradez —, o perpetrador revela estar ciente da natureza vergonhosa de seu real objetivo. É a ocultação de seus verdadeiros motivos para esses assassinatos que demonstra estar ele ciente de que o que fez estava errado. Essas infelizes pessoas que agem na condição de insanidade moral são totalmente incapazes de distinguir o certo do errado. Elas acreditam sinceramente que o que fazem está justificado, por pior que seja. No caso atual, no entanto, o motivo alegado pelo acusado diz não somente de uma vontade de ocultar o verdadeiro propósito de seu ataque, mas também de uma habilidade para iludir e dissimular que não está presente naqueles que poderiam ser considerados insanos."

"E se, no entanto", disse o sr. Sinclair numa corajosa tentativa de resgatar sua estratégia de defesa, "a versão dos eventos apresentada pelo acusado imediatamente após o ataque fosse acurada, o senhor o teria considerado um insano?"

"Sim, teria."

"E como nem o senhor nem nenhuma outra testemunha esteve presente no ataque, o senhor não pode afirmar com toda a certeza que o relato do prisioneiro é menos verdadeiro do que este que o senhor apresentou."

"O senhor tem razão ao apontar que eu não estava presente. No entanto, a versão que apresentei encaixa com mais exatidão na evidência física do caso. Se os motivos do réu fossem aqueles que ele alega, não haveria razão para infligir lesões tão terríveis na infeliz srta. Mackenzie. Mesmo que ele tivesse sentido que precisava subjugá-la enquanto esperava seu pai voltar, bastaria um golpe na cabeça para deixá-la inconsciente. Em vez disso, ele optou por profaná-la perversamente. Não vejo nenhuma relação entre esta ação e o desejo, por ele alegado, de livrar o pai das atribulações que supostamente tinha sofrido nas mãos do sr. Mackenzie."

"Mas o senhor deve admitir que é possível haver outra interpretação para os atos do prisioneiro?"

"Outras interpretações são possíveis, mas não seriam um relato adequado dos fatos deste caso."

Nesse momento o sr. Sinclair retomou seu assento e foi necessário o juiz lhe perguntar se tinha concluído seu interrogatório. A Coroa declinou da oportunidade de contrainterrogar a testemunha e o sr. Thomson foi dispensado. A sessão foi interrompida e marcada para recomeçar à tarde, quando as declarações finais seriam apresentadas ao júri.

A declaração de encerramento da Coroa não durou mais de uma hora, apresentada pelo sr. Gifford "com um ar de complacência, que alguns membros do júri podem ter achado ser bastante antipático". O procurador-geral pediu ao júri que se ativesse somente aos fatos do caso. Roderick Macrae havia praticado seus atos de modo premeditado — como ficava evidente pelo fato de ter ido armado à casa dos Mackenzie — e matara três indivíduos inocentes num "ato frenético da maior brutalidade".

"O sr. Sinclair vai tentar pôr uma venda em seus olhos", disse. "Tentará retratar seu cliente como um imbecil, dado a falar sozinho e ouvir vozes dentro de sua cabeça." Lembrou-lhes que "conquanto o prisioneiro pode ocasionalmente ter se comportado excentricamente, nem uma só testemunha — exceto Aeneas Mackenzie — dispôs-se a testemunhar que ele é insano, e a opinião do sr. Mackenzie, no que concerne ao valor que se lhe possa atribuir, parece ter sido baseada em nada mais que uma compreensível antipatia pelo prisioneiro e no fato de que ele, às vezes, ria inapropriadamente. Eu diria aos senhores, cavalheiros, que se isso fosse tudo que é necessário para um diagnóstico de loucura, estaríamos todos no asilo. Em vez disso, eu sugeriria que se desse um peso maior à evidência apresentada pela sra. Carmina Murchison, que atestou que, ao conversar com Roderick Macrae minutos antes de ele cometer seu crime, ele estava, em suas palavras, 'perfeitamente racional'".

"Ouvimos", ele continuou, "um interessante diálogo entre o sr. Thomson e o sr. Sinclair sobre os motivos para esses crimes e suas implicações quanto ao estado mental do acusado. No entanto, por mais fascinante que tenha sido sua conversa, eles estão discutindo o sexo dos anjos."

Ele então relembrou os vários incidentes que tinham ocorrido entre o sr. Mackenzie e o pai do prisioneiro, culminando no despejo da família Macrae de sua casa. "Foi isso que proveu o motivo para as ações do réu; o motivo, mas não uma justificativa. Ouvimos também que o réu abrigava sentimentos românticos em relação a Flora Mackenzie, sentimentos que expressou do modo mais grosseiro possível, e talvez a rejeição dela tenha contribuído para a animosidade que sentia em relação à família Mackenzie. Pode ser verdade que não sabemos — não podemos saber — os verdadeiros motivos de seu ataque, porém, cavalheiros, isso não tem importância."

O sr. Gifford fez aqui uma pausa antes de apresentar suas observações finais. "Eu lembraria aos senhores os fatos: Roderick Macrae foi, já armado, à casa do sr. Mackenzie, com a intenção de matar, e ele matou. O próprio prisioneiro, como ouvimos de várias testemunhas, não fez nenhuma tentativa para isentar-se de culpa, e os senhores tampouco deveriam fazer. E se têm qualquer dúvida quanto à sua sanidade, ouvimos de nada menos que dois experimentados especialistas, ambos muito mais qualificados que os senhores ou eu, a emitir julgamento quanto a esta matéria. Ouvimos primeiro do dr. Hector Munro, homem de grande experiência em lidar com a população criminal e com demonstrável conhecimento dos sinais de insanidade. Seu veredicto: Roderick Macrae não só está em seu juízo perfeito, ele está 'entre os prisioneiros mais articulados e inteligentes' que o doutor examinou.

"Também tivemos o privilégio de ouvir o sr. James Bruce Thomson, que, lembrem-se bem, foi testemunha da defesa; um homem cuja especialização nesse campo é inquestionável. E sua conclusão? Que Roderick Macrae está em plena posse de sua razão e não é mais que um indivíduo perverso e dissimulador.

"Finalmente, temos a declaração do próprio prisioneiro, apresentada sem coação: 'estou em meu pleno juízo'. Cavalheiros, a única pessoa neste tribunal que acredita — ou professa acreditar — na insanidade do prisioneiro é meu colega, o sr. Sinclair. Mas esta crença não se sustenta ante a evidência apresentada à corte."

O júri, concluiu o sr. Gifford, estaria negligenciando seus deveres se chegasse a um veredicto que não fosse o de culpado em cada uma das três acusações que tinha diante de si.

Quando o sr. Sinclair se levantou para fazer suas observações finais ao júri, não foi com a aparência de um homem vencido. Ele tinha, escreveu o sr. Philby, "se recuperado com louvor da humilhação imposta por sua própria testemunha, e se houvesse um prêmio para os que defendem zelosamente causas perdidas, deveria ser concedido ao bravo advogado".

"Cavalheiros, como declarou meu ilustre colega, os fatos deste caso trágico não estão em questão", começou, a mão pousada no corrimão do balaústre que separa o recinto do júri. "A defesa não contesta que as infelizes vítimas morreram pela mão do prisioneiro. O que está em questão aqui não são os fatos em si, mas o conteúdo da mente de um homem. Eu aventaria que neste caso não existem três vítimas, mas quatro; sendo a quarta este desventurado indivíduo que ficou sentado durante três dias diante dos senhores. E quem é este indivíduo? Um jovem com apenas dezessete anos; um arrendatário, trabalhador rural com uma ligação e uma profunda lealdade à sua família. Ouvimos como ficou profundamente mudado após a trágica morte de sua querida mãe e como, desde então, sua família viveu sob um manto de tristeza. Ouvimos falar do pai do prisioneiro, a quem ele é tão devotado, que lhe bate regularmente com os punhos. Ouvimos de seus vizinhos, Carmina e Kenneth Murchison, que ele tinha o hábito de manter animadas conversas consigo mesmo, conversas que cessavam quando uma terceira pessoa se aproximava, fato que talvez fale por si da natureza perturbada dos pensamentos aos quais ele estava dando voz. O sr. Murchison afirmou que o prisioneiro parecia 'estar num mundo só dele'. O sr. Aeneas Mackenzie foi mais direto. Roderick Macrae, ele afirmou, era considerado o idiota da aldeia; um imbecil; um indivíduo cujo comportamento era frequentemente incoerente com seu entorno. Suspeito que se outras testemunhas relutaram mais em qualificar o prisioneiro como insano, isso deveu-se apenas à tolerância e boa índole dos habitantes de Culduie. O sr. Mackenzie, em seus modos grosseiros, estava apenas dando voz ao que todos pensam. Ouvimos também como Roderick Macrae era dado a violentas oscilações de humor e a comportamentos excêntricos. Não tem, por qualquer critério, uma mente sadia. E quando Lachlan Mackenzie, em seu recém-adquirido papel de policial da aldeia, começou a abusar de seu poder para perseguir — porque não há outra palavra que possa descrever suas ações — *perseguir* a família de Roderick, este perturbado jovem foi empurrado para além da margem da razão. No fim de suas forças, Roderick dispôs-se a matar Lachlan Mackenzie, e ao realizar esse projeto terrível, acabou com a vida de dois inocentes circunstantes.

“Foram atos terríveis, isso não está em questão. Mas foi o que aconteceu depois desses atos que diz do estado mental de Roderick Macrae. Ele se comportou como eu ou os senhores se comportaria? Como qualquer pessoa sã se comportaria? Tentou fugir ou negar a responsabilidade pelos atos que cometeu? Não tentou. Ele, com toda a calma, se entregou e admitiu abertamente o que tinha feito. Não expressou remorso. E em nenhum momento desde então deixou de se comportar assim.

“Cavalheiros, os senhores devem se perguntar por que ele agiu desse modo. A resposta só pode ser que, em sua mente, ele não acreditava — ele *não acredita* — que tivesse feito algo errado. Na mente de Roderick Macrae, os atos que cometeu foram uma justa e inevitável reação ao achacamento de sua família. É claro que nisso ele está errado. Todo homem e toda mulher neste tribunal”, aqui ele fez um gesto amplo que abrangia a sala, “é capaz de ver que o que ele fez foi errado. Mas Roderick Macrae não é capaz. E aí jaz o aspecto crucial da questão. Roderick Macrae não distinguia mais o certo do errado. Para se cometer um crime tem de haver um ato físico — isso tampouco está em discussão —, mas também tem de haver um ato mental. O perpetrador do ato tem de saber que o que estava fazendo era errado. E Roderick Macrae não sabia.

“Agora, os senhores devem ter ouvido atentamente, como era seu dever, a evidência apresentada pelo ilustre sr. Thomson. Ele especulou — e eu não vou me esquivar disso — que o verdadeiro objetivo do ataque de Roderick Macrae não era Lachlan Mackenzie, mas sua filha, Flora. Mas vou dizer aos senhores, e dizer com veemência, que a opinião do sr. Thomson quanto a este detalhe do caso não é mais do que especulação. O que implicaria acreditar que ele tem razão? Exigiria que acreditássemos que imediatamente após o ataque — nos primeiros momentos após cometer três sangrentos assassinatos — Roderick fosse capaz de inventar uma explicação falsa para o que tinha feito. É inconcebível que qualquer pessoa sã pudesse ter a presença de espírito para fazer tal coisa."

O sr. Sinclair fez uma pausa, pôs um dedo nos lábios e cravou os olhos no texto, como se estivesse ele mesmo num processo de pensar naquela questão, antes de continuar.

"Poder-se-ia argumentar que o acusado inventou essa história antes de suas ações, e então foi à casa dos Mackenzie para matar Flora, pretendendo alegar depois que tinha ido com o propósito de matar seu pai. Mas há uma falha fatal nessa narrativa. Roderick não sabia, e não poderia saber, que Lachlan Mackenzie voltaria para casa e o surpreenderia em suas ações. A fim de dar crédito à versão do sr. Thomson para os eventos, seria preciso recorrer a uma forma de pensar das mais complicadas e, eu aventaria, a uma completa desconsideração com a lógica. Em vez disso, toda a evidência apresentada aqui no tribunal aponta para o fato de que o prisioneiro tencionava matar Lachlan Mackenzie, um ato que, em sua própria e perturbada mente, era justo e honrado. O fato de que ao cometer essa ação ele também matou Flora Mackenzie e Donald Mackenzie, uma criança pequena, é uma eloquente demonstração de quão alienado da razão estava. O sr. Thomson, muito corretamente, chamou sua atenção para as horríveis lesões infligidas na pessoa de Flora Mackenzie, mas eu lhes perguntaria, esses são atos de um indivíduo em seu pleno juízo? Muito claramente, cavalheiros, não são. E se alguém aceitar a ideia — ideia para a qual apontam todas as evidências — de que Roderick Macrae matou Lachlan Mackenzie movido por um impulso irresistível de se vingar pelos males que ele causara a sua família, então os senhores devem concordar com o sr. Thomson que Roderick Macrae não estava no domínio de sua razão, e que estava sofrendo de 'mania sem delírio', ou 'insanidade moral' e por isso não pode ser considerado responsável legal por suas ações.

"É por esta razão que lhes peço dar um veredicto de não culpado neste caso. Há uma pesada responsabilidade em seus ombros. Mas os senhores devem agir de acordo com a lei e não serem levados por quaisquer sentimentos de repulsa, que seriam razoáveis e humanos, em relação a esses atos terríveis. No momento em que cometeu tais crimes, Roderick Macrae sofria de uma absoluta privação da razão, e, por isso, deve ser absolvido."

Foi, escreveu o sr. Philby, "um desempenho cheio de bravura, apresentado com grande aprumo. Nenhuma das pessoas presentes poderia duvidar de que o prisioneiro tinha tido a mais apta e rigorosa defesa, e que o mais alto espírito de justiça prosperava além das fronteiras dos centros urbanos da Escócia". Quando voltou a seu assento, o sr. Sinclair enxugou o suor da testa e recebeu um tapinha no ombro de seu assistente. No outro lado do corredor, o sr. Gifford inclinou a cabeça num cumprimento, para transmitir sua apreciação profissional.

O juiz permitiu alguns momentos de burburinho, antes de pôr ordem na corte. Começou a dar instruções ao júri às três horas e falou durante duas horas. "Seu encerramento", escreveu o sr. Philby, "foi um modelo de imparcialidade e um crédito para o sistema legal da Escócia". Após as costumeiras observações introdutórias e elogios aos advogados pelo modo com que tinham conduzido o caso, explicou ao júri que, "para se chegar a um veredicto de culpado em relação a qualquer das três acusações contidas no processo, há quatro pontos que os senhores devem admitir a partir da evidência. Em primeiro lugar, que o falecido morreu devido aos golpes e lesões aqui descritos; em segundo lugar, que esses golpes foram intencionalmente desferidos com o intento de destruir vidas; terceiro, que fora o prisioneiro no banco dos réus quem havia administrado esses golpes; e, se admitirem esses pontos, em quarto lugar, que o prisioneiro estava em seu pleno juízo no momento em que cometeu esses atos. Se a evidência for falha em qualquer desses itens, o prisioneiro tem direito a absolvição; mas se, por outro lado, os senhores admitirem os quatro pontos, nada restará aos senhores senão o grave e doloroso dever da condenação".

Havia, é claro, pouca controvérsia em relação aos três primeiros pontos, mas como era seu dever legal, o juiz repassou durante mais ou menos uma hora os depoimentos, primeiro dos testemunhos dos médicos, depois os dos aldeões que tinham visto o acusado ou falado com ele após os crimes.

Depois ele passou ao tópico da Defesa Especial por Insanidade. "O teste que os senhores devem aplicar", disse, "é para concluir se uma pessoa pode ser considerada insana quando, no momento do ato, ou dos atos, ela agia num tal estado de privação da razão, ou de doença mental, que não tinha noção da natureza e da qualidade dos atos que estava cometendo, ou não sabia que o que estava fazendo era errado. Não cabe aos senhores, ou a mim, cavalheiros, questionar a validade ou não dessa linha de orientação. Estas são as regras da lei, e esta é a avaliação que os senhores têm de fazer neste caso.*

"Nós ouvimos, no decurso deste julgamento, os depoimentos de várias testemunhas que conheceram o prisioneiro durante toda a vida dele, e esses relatos sobre seu caráter são válidos como parte de sua consideração. Em particular, ouvimos os depoimentos da sra. Carmina Murchison e de seu marido, Kenneth Murchison. Essas duas testemunhas devem ser elogiadas por seus relatos claros e sóbrios sobre os aspectos mais perturbadores deste caso. E essas duas testemunhas

* Este é um resumo das *Regras de M'Naghten*, que constituem o teste de insanidade aceito em casos criminais nos tribunais ingleses e nos tribunais escoceses desde 1843.

confirmaram o hábito do prisioneiro de falar consigo mesmo de maneira incomum. No entanto, não sabemos o conteúdo dessas conversas, e embora esse comportamento possa com justiça ser considerado excêntrico, ele em si mesmo não basta para que se considere o acusado privado da razão. Por outro lado, os senhores podem considerar esse comportamento um fragmento — embora não mais do que isso — de um quadro mais amplo que poderia, em sua totalidade, somar um quadro de insanidade. Ouvimos também o testemunho do parente das vítimas, o sr. Aeneas Mackenzie, que foi incisivo em sua opinião de que o prisioneiro não está em seu juízo perfeito. No entanto, os senhores têm o direito de se perguntar se esta evidência não poderia estar contaminada pelos compreensíveis sentimentos de raiva que ele, claramente, nutre em relação ao prisioneiro. Os senhores devem considerar também a maneira destemperada com que foi apresentado esse depoimento, e prestar atenção ao fato de que o sr. Mackenzie não é de forma alguma qualificado para avaliar a sanidade ou não do prisioneiro. Sendo assim, as declarações do sr. Mackenzie devem ser tratadas com cuidado. Contudo, assim como nos depoimentos dos outros residentes em Culduie, cabe aos senhores decidir que importância, se é que alguma importância em geral, deve ser atribuída a esse testemunho."

O juiz passou então a considerar a evidência de o prisioneiro ter se comportado de maneira imprevisível ou excêntrica. Ele resumiu os incidentes ocorridos durante a caça ao veado e com Flora Mackenzie no dia do Encontro de Verão. Ele descartou os dois. O primeiro, disse, "não pode ser considerado mais do que uma tolice por parte de um jovem imaturo, então com apenas quinze anos de idade". No segundo, continuou, "não se pode desconsiderar o duplo papel de uma atração juvenil e dos efeitos do álcool — com o qual o prisioneiro não estava acostumado". Cabia ao júri avaliar a importância desses incidentes, mas o juiz alertou contra a possibilidade de lhes atribuir um peso indevido em suas considerações.

Tratou então do depoimento das duas testemunhas especializadas. "Os dois lados neste caso", começou, "apresentaram testemunhas que são especializadas em seus campos, seja por estudo, seja por experiência, e ambas emitiram opinião sobre a questão crítica da sanidade ou não do prisioneiro. Os senhores são obrigados a levar em conta o peso total das opiniões de ambas as testemunhas, mas não são obrigados a concordar com elas. Se optarem por descartar o depoimento de uma ou outra dessas testemunhas, só devem fazê-lo após a maior consideração e por boas razões.

"O dr. Hector Munro, convocado pela Coroa, é um médico de longa experiência tanto na prática geral quanto na prisão de Inverness, onde, segundo sua própria avaliação, examinou muitas centenas de prisioneiros. O dr. Munro conversou longamente com o prisioneiro e acha que ele é 'um dos mais inteligentes e articulados prisioneiros' que já examinou. Enumerou vários indicadores de insanidade e declarou que não encontrou nenhum deles presente no prisioneiro. Tendo em vista sua experiência no trato com populações de criminosos e seu demonstrável conhecimento de doenças mentais, a opinião do dr. Munro merece ser tratada com a devida consideração."

O juiz passou então ao depoimento do sr. Thomson, "homem da mais alta estatura no campo da Psicologia Criminal. Também era opinião do sr. Thomson que o prisioneiro não era insano e tinha consciência da natureza errônea das ações que havia cometido. Porém, conquanto deva ser atribuído à sua opinião, como à de seu colega dr. Munro, peso total nas deliberações dos senhores, é meu dever avaliar os motivos que teve para chegar a essa conclusão. Isso é de particular importância, pois a opinião do sr. Thomson baseia-se numa interpretação distinta dos fatos deste caso, interpretação distinta da que foi apresentada pela Coroa. O sr. Thomson alega que o prisioneiro foi à casa dos Mackenzie não com o objetivo de assassinar Lachlan Mackenzie, mas com a intenção de atingir sua filha, Flora, pela qual, ouvimos, o prisioneiro tinha um grande apego. O sr. Thomson deu suporte a essa ideia referindo-se às obscenas lesões infligidas à pessoa da srta. Mackenzie, lesões que, em sua opinião, não teriam sido infligidas se a srta. Mackenzie tivesse sido meramente uma vítima incidental neste crime. Além disso, o que convenceu o sr. Thomson de que o prisioneiro não estava agindo sob o que ouvimos ser chamado de 'insanidade moral', foi evidenciado pelo fato de que, em várias declarações, o prisioneiro afirmou ter sido sua intenção matar Lachlan Mackenzie. Essa atitude insincera, insistiu o sr. Thomson, ilustra que o prisioneiro sabia que o que tinha feito era errado e, portanto, ele não poderia ser considerado um insano moral.

"Cavalheiros, essas são questões complexas a partir das quais os senhores têm de chegar a suas próprias conclusões. Mas devo acrescentar uma nota de cautela. A opinião do sr. Thomson baseia-se numa única peça de evidência — a natureza das lesões sofridas pela srta. Mackenzie — e sua interpretação dos motivos para a inflicção dessas lesões. Mas essa interpretação não é mais do que isso, uma interpretação. Não é um fato. O sr. Thomson não testemunhou os crimes e os senhores têm o direito de considerar outras interpretações dos depoimentos que ouviram; em particular, as partes do conjunto probatório segundo as quais as ações do sr. Mackenzie forneceram ao prisioneiro o motivo para a agressão. Se optarem por discordar da interpretação do sr. Thomson, os senhores terão o direito de considerar a opinião dele de que, se o verdadeiro objetivo do ataque do prisioneiro foi realmente o sr. Mackenzie, ele poderá, tendo em vista seu comportamento subsequente, ser considerado alguém que estava alienado de seu juízo perfeito."

O juiz fez aqui uma pausa para permitir que o júri digerisse esse trecho complexo de seu resumo.

"Contudo", ele continuou, "mesmo se discordarem da opinião do sr. Thomson, isso deve levar em conta a totalidade das evidências que lhes foram apresentadas. Não é bastante achar que ninguém que cometa atos tão hediondos possa ser considerado mentalmente são. Pessoas mentalmente sãs podem cometer crimes assim, e o mero fato de cometer tais atos não põe, por si mesmo, um indivíduo além das fronteiras da razão. Independentemente de seus sentimentos quanto a isso, esse não é um critério para a aplicação da lei. Seu veredicto deve ser alcançado apenas mediante uma avaliação desapaixonada das evidências que lhes foram apresentadas neste tribunal."

O juiz concluiu lembrando o júri da solenidade de sua missão. "As acusações apresentadas nesta corte são da mais grave natureza, e um veredicto de culpado resultará na pena capital." Depois ele agradeceu aos jurados por sua concentrada atenção durante o julgamento e os encarregou de só entregar um veredicto após uma solene consideração das evidências.

O veredicto

Como já passava das quatro horas, o juiz instruiu o júri, se não chegassem a um veredicto até as sete horas, a voltar ao albergue para o pernoite e retomar as deliberações pela manhã. Ele os advertiu a não deixarem que essa limitação de tempo influísse em suas considerações, e os lembrou mais uma vez da natureza solene da missão da qual tinham sido encarregados.

Roddy foi levado para baixo e os membros do tribunal saíram do recinto. Não querendo se arriscar a perder o momento do clímax, o público da galeria permaneceu em seus lugares, discutindo entre si, com base na recém-adquirida expertise legal, as particularidades do caso. Os repórteres, mais experientes, retiraram-se *en masse* para a taberna com o nome apropriado de Gallows Inn,* no Gordon Terrace, tendo antes posto alguns shillings nas mãos de garotos encarregados de irem buscá-los se a campainha do tribunal soasse. Grandes quantidades de vinho e de cerveja foram pedidas e bebidas com animação, e se supunha que o júri não ia demorar a voltar com o veredicto. O consenso era que, apesar dos valentes esforços de seu advogado, o depoimento do sr. Thomson tinha condenado o desafortunado prisioneiro à forca. Apenas John Murdoch discordou da noção de que o veredicto estava previamente selado. Seus colegas do sul, ele explicou, tinham ignorado a empatia que os jurados poderiam sentir em relação a um arrendatário maltratado. Havia um profundo ressentimento causado por séculos de maus-tratos às Terras Altas, e eles poderiam ver em Roderick Macrae um indivíduo que se revoltara contra o espírito vingativo das autoridades. O sr. Philby ouviu com interesse as opiniões dos cidadãos de Nairnshire, mas alegou que o júri não poderia se permitir que esses sentimentos, não importava quão válidos, influenciassem seu modo de pensar. Outros meramente escarneceram de Murdoch, alegando que suas opiniões radicais o tinham ofuscado quanto aos fatos do caso.

Contudo, quando o relógio na parede da taberna passou das seis e meia, o humor se alterou. Estava claro que os membros do júri tinham achado algo para discutir. Então, às dez para as sete, apareceram os garotos-mensageiros: a campainha havia soado. Os repórteres precipitaram-se para a porta, jogando moedas nas mesas ao irem embora. Receberam um olhar de admoestação do juiz enquanto eram admitidos no espaço reservado à imprensa.

* *Gallows* significa "forca", "cadafalso". [N. T.]

Um tumulto de antecipação, em todo caso, já tomava a sala do tribunal. Após silenciar o público, o juiz advertiu nos mais severos termos contra quaisquer interrupções nos procedimentos. Então Roddy foi trazido, seu comportamento, escreveu o sr. Philby, "quase inalterado em relação a suas aparições anteriores, embora a cabeça talvez pesasse mais em seus ombros". O júri foi introduzido, e seu porta-voz, um profissional do ramo dos curtumes chamado Malcolm Chisholm, levantou-se.

O oficial de justiça perguntou se haviam chegado a um veredicto.

"Não chegamos", respondeu o sr. Chisholm.

Essa declaração foi recebida com grande tumulto, como se fosse uma absolvição, e foi preciso os meirinhos expulsarem duas pessoas da galeria para a ordem ser restaurada.

O juiz elogiou o júri pela seriedade com que estavam conduzindo sua tarefa e os instruiu a se reunirem na sala do júri às dez horas da manhã seguinte, acrescentando que deveriam evitar qualquer conversa sobre o caso até aquela hora.

Os jornalistas mais uma vez levantaram acampamento e se instalaram no Gallows Inn, onde o vinho fluiu "como o rio Ness na cheia". O sr. Philby ponderou mais tarde que "o veredicto, que pouco tempo antes pareceria representar a mais espantosa reviravolta, agora parecia ser bem mais provável". Se o júri tinha a dúvida semeada em suas mentes, continuava o jornalista em sua lógica, ela poderia germinar durante a noite. Ele passou grande parte da noite discutindo com John Murdoch, o qual, apesar de suas declarações anteriores, não esperava que o veredicto fosse em favor do réu. "Nós aqui no norte estamos mais acostumados a encolher ante as autoridades do que a ir contra a Coroa", ele disse ao sr. Philby. De qualquer maneira, mesmo se o prisioneiro "driblar a forca", ficar confinado na Prisão Central pelo resto da vida sob a supervisão do sr. Thomson seria uma duvidosa recompensa.

A noite degenerou em farra, e o sr. Philby confessou que tinha se "aproveitado tanto da hospitalidade das Terras Altas que, quando foi despertado por sua senhoria na manhã seguinte, nem precisou amarrar as botas".

A galeria abriu para o público às dez horas. O fato de que não havia mais depoimentos a se ouvir não diminuiu o número de pessoas lá reunidas. Os que não conseguiram entrar ficaram no lado de fora do tribunal, querendo estar entre os primeiros a ouvir as notícias sobre o veredicto. O sr. Philby e seus colegas perambulavam pelos corredores do tribunal, nutrindo suas ressacas com o conteúdo de frascos de bolso. Dessa vez, não tiveram de esperar muito. Às onze e quinze, a campainha soou pela segunda vez. Antes da chegada do júri, o juiz advertiu que não hesitaria em esvaziar a sala do tribunal se fosse necessário, e, como que em deferência pela solenidade do momento, a chegada de Roddy foi recebida com um silêncio agourento. Estava muito pálido, os olhos cercados por círculos escuros. O sr. Sinclair, cuja aparência também estava pálida, apertou sua mão. Então chegaram os membros do júri. Roddy os observou, como se finalmente algum interesse pelos procedimentos o tivesse agitado. Os homens ostentavam um ar triste, como se estivessem tomando seus assentos numa cerimônia fúnebre. Nenhum deles olhou para o prisioneiro. O oficial de justiça levantou-se e perguntou se haviam chegado a um veredicto. O sr. Chisholm respondeu que sim.

O juiz fez a pergunta:

"O que dizem os senhores, cavalheiros, acham que o prisioneiro é culpado ou não culpado?"

O sr. Sinclair curvou a cabeça.

O porta-voz respondeu, "Meus senhores, quanto à primeira acusação, o júri considera o réu culpado. Quanto à segunda acusação, consideramos o réu culpado; e quanto à terceira acusação consideramos o réu culpado".

A sala do tribunal ficou em silêncio por alguns momentos. Então o juiz perguntou, "Seus veredictos foram unânimes?".

"Foram adotados por uma maioria", respondeu o porta-voz, "de treze a dois."

O sr. Sinclair pôs a cabeça entre as mãos, depois virou-se e olhou para seu cliente. Roddy permaneceu imóvel no banco dos réus. Nada aconteceu durante alguns segundos. Não houve reação da galeria, como se somente agora os espectadores tivessem percebido que o espetáculo a que vinham assistindo não era uma simples pantomima.

O juiz agradeceu aos jurados por sua diligente atenção durante os procedimentos. "Os senhores não devem", disse, "ficar compungidos com o veredicto que apresentaram, de acordo com os depoimentos que ouviram. Toda a responsabilidade recai sobre o prisioneiro, cujos atos o trouxeram a este lugar, e as consequências de seu julgamento dizem respeito à Lei e somente à Lei."

Os veredictos foram assinados pelos juízes. Roddy foi instruído a se levantar e o juiz vestiu o barrete negro.*

"Roderick John Macrae, o senhor foi considerado culpado, no veredicto do júri, pelos assassinatos dos quais é acusado, veredicto que se baseia em evidências que não têm como deixar qualquer dúvida a um observador imparcial. O senhor matou três pessoas, uma delas um menino, outra uma moça inocente na flor da juventude, e o senhor infligiu em suas pessoas lesões da mais chocante natureza. Ouvimos, como deveríamos, muitos debates sobre os motivos para esses crimes perversos, mas tendo sido pronunciado culpado, esses motivos deixam de ter importância, e não há senão uma única sentença a ser pronunciada. O senhor é condenado à pena máxima prevista

* Pela lei inglesa e escocesa, o juiz vestia o *black cap*, um barrete negro, para pronunciar uma sentença de morte. [N. T.]

na lei. Espero que use o pouco tempo que lhe resta para se arrepender de suas ações e se valer dos ministros religiosos de que dispõe, mas temo, pelo que ouvi nesses procedimentos, que não fará isso."

Ele então determinou formalmente que o prisioneiro seria executado no Castelo de Inverness entre oito e dez horas da manhã do dia 24 de setembro. Tirando o barrete, acrescentou. "Que Deus se apiede de sua alma."

Epílogo

O julgamento de Roderick Macrae terminou na quinta-feira, 9 de setembro. Na manhã seguinte, o sr. Sinclair procurou John Murdoch e lhe deu de presente o manuscrito de Roddy. Naquela época não existia o mecanismo do recurso na lei escocesa, e o advogado esperava conseguir a ajuda de Murdoch para montar uma campanha pela comutação da sentença de Roddy. Parece que sua lógica se baseava em que a publicação das memórias de Roddy levariam a uma onda de apoio popular ao condenado.*

O sr. Murdoch estava cético, mas não era antipático ao plano do advogado, e concordou em ler o manuscrito e apresentar ao editor do *Inverness Courier* a ideia de imprimir uma série de extratos do texto no jornal, ou numa "Edição Especial". O sr. Sinclair deixou a questão em suas mãos e passou o fim de semana redigindo uma petição ao Lord Advocate,** lorde Moncrieff, a mais alta autoridade legal no país.

Em sua carta, o sr. Sinclair não tentou alegar que a condenação de seu cliente não se baseava em evidências suficientes ou que houvera algo impróprio na condução do julgamento. Em vez disso, seu apelo por clemência fundamentava-se abertamente na compaixão. Após um resumo perfunctório do caso, ele apresentou seu pleito:

* Quarenta anos mais tarde, embora em circunstâncias muito diferentes, uma petição assinada por 20 mil pessoas foi instrumental para a reversão da pena de morte de Oscar Slater. ** Responsável por todas as questões legais, civis e criminais, para o governo da Escócia e a Coroa. [N. T.]

Como atestam tanto a evidência apresentada no julgamento quanto o relato do prisioneiro, Roderick Macrae foi levado aos atos pelos quais foi considerado culpado pela intencional e determinada perseguição do indivíduo que se tornaria sua principal vítima. No julgamento ouviram-se evidências sobre o comportamento excêntrico e as deficiências mentais do acusado, e elas foram suficientes para levar o júri a continuar deliberando um segundo dia; e o veredicto foi obtido por maioria, o que por si mesmo evidencia que está nos limites da racionalidade, possibilitando que um homem razoável considere o acusado privado de seu juízo perfeito. E isso ante os repetidos e autoincriminadores pronunciamentos feitos pelo próprio prisioneiro; pronunciamentos, devo acrescentar, que não dizem de uma mente racional. Pois que homem mentalmente são faria espontâneas declarações que, se aceitas em seu valor de face, o levariam à forca? O fato de existirem nas mentes dos jurados essas razoáveis dúvidas quanto à sanidade de meu cliente certamente milita contra a imposição da mais severa pena prevista em Lei.

Durante seu encarceramento, meu cliente dedicou-se diligentemente à produção de um relato dos fatos que levaram aos crimes (uma cópia do qual submeto à sua consideração). Ao fazê-lo, ele demonstrou aptidões e capacidade intelectual muito além do que se poderia esperar de um indivíduo com sua educação e seu contexto. O sr. J. Bruce Thomson, cirurgião residente na Penitenciária Central em Perth, declarou no processo que, em seus muitos anos de experiência no trato com condenados e loucos, nunca deparou com um só prisioneiro capaz de produzir qualquer obra de mérito literário, um julgamento que salienta a natureza excepcional das memórias do sr. Macrae. Sentenciar à morte um indivíduo com sensibilidade e inteligência para produzir uma extensa obra literária seria, declaro com veemência, um ato cruel e incivilizado.

Em acréscimo, a idade do prisioneiro — apenas dezessete anos — e seu, afora isso, imaculado caráter podem servir também como atenuantes. Os atos pelos quais o sr. Macrae foi considerado culpado são muito incaracterísticos e há todo motivo para supor que, dados seus excepcionais talentos, após um período na prisão ele poderia viver uma vida produtiva e frutífera.

Se avaliamos nossa sociedade pelo critério da compaixão que estendemos a todos os seus membros, então deve-se admitir que, ao estender essa compaixão ao mais desgraçado dentre nós, estaremos demonstrando nossa fidelidade aos mais civilizados valores cristãos. É neste espírito que peço à Sua Senhoria que conceda clemência à pessoa de Roderick John Macrae.

Que agrade ao Lord Advocate dar a estas memórias sua mais séria consideração, e depois aconselhar à Sua Mais Graciosa Majestade que exerça sua prerrogativa real de comutar a sentença aplicada ao prisioneiro.

[Assinado] Sr. Andrew Sinclair esq.
Advogado do prisioneiro

A petição foi apresentada na segunda-feira, 13 de setembro, e no mesmo dia o *Inverness Courier* publicou o artigo de John Murdoch, "O que aprendemos deste caso". Murdoch começava com uma reflexão sobre sua experiência no tribunal, descrevendo Roddy como um "indivíduo desamparado, o qual, para quem o visse, pareceria não estar conectado com os procedimentos a sua volta. Se isso era devido a uma insensível indiferença ou a uma alienação mental; ou se a atitude era afetada ou real, não sou qualificado para afirmar. Tampouco estou convencido de que confiar a tarefa de decidir sobre esta questão a quinze jurados honestos, mas também não qualificados, seja o meio mais prudente de servir à justiça num caso desta natureza". Murdoch continuou comentando as memórias de Roddy. Seu relato era, escreveu, "alternadamente chocante e comovente, e certamente não parece ter sido escrito para obter a libertação do prisioneiro. Não obstante, a eloquência e o intelecto que demonstra estão em forte contraste com os atos sangrentos que no final ele descreve; e, se é que não outra coisa, parece haver algo de loucura nisso". Murdoch não chegou a apelar diretamente pela comutação da sentença de Roddy, expressando, em vez disso, de modo geral, que a lei, como estava, era "inadequada para tratar de procedimentos daquela natureza. Nossos mais elevados intelectos legais deveriam, urgentemente, reconsiderar nossos procedimentos em relação a casos que dependem da sanidade ou não do acusado, e até que se faça essa revisão", ele escreveu, "não seria admissível enviar alguém para a forca".

O sr. Murdoch também escreveu no mesmo dia para lorde Moncrieff e, embora essa carta tenha se perdido, é razoável supor que expressava sentimentos semelhantes.

Ao receber o apelo do sr. Sinclair, o Lord Advocate seria obrigado a se comunicar com os juízes daquele julgamento e com o Escrivão-Geral para a Escócia, William Pitt Dundas, mas qualquer que tenha sido o conteúdo de sua correspondência, os fatos rapidamente se precipitaram.

John Murdoch tinha apresentado o manuscrito de Roddy a um impressor local, Alexander Clarke. O que apareceu, no entanto, não foi uma impressão completa do documento com cinquenta mil palavras, mas um livrinho com vinte e quatro páginas, contendo as passagens mais horríveis e sensacionais. Em dias, muitas outras versões degradadas foram impressas por todo o país. A mais notória delas era intitulada *SEU*

PROJETO SANGRENTO: OS DESVARIOS DE UM ASSASSINO, publicada por William Grieve, de Glasgow. *Seu projeto sangrento* tinha apenas dezesseis páginas e consistia em pouco mais do que a descrição feita por Roddy dos assassinatos; como matara o carneiro de Lachlan Mackenzie (seguido da frase, "Foi nesse momento que descobri que gostava de esmagar crânios, e resolvi que não deixaria passar muito tempo para fazer aquilo novamente"); juntamente com uma passagem totalmente ficcional na qual Roddy "perversamente profanava" uma Flora Broad que tinha doze anos de idade. O panfleto vendeu dezenas de milhares de exemplares numa questão de dias. Seguiram-se vários horríveis cartuns, desenhos e baladas (mais notavelmente, "Nessa bela manhã, eu matei três", de Thomas Porter), e em vez de se tornar uma *cause célèbre*, Roddy tornou-se um bicho-papão nacional. A ironia de que todas essas produções retratavam Roddy como alguém completamente fora de seu juízo deve ter sido totalmente perdida pelas pessoas que as devoravam.

Muito provavelmente, o esquema do sr. Sinclair jamais teve nenhuma chance de sucesso. Não havia falhas legais que ele pudesse apontar, nem ele poderia alegar razoavelmente que a condenação carecia de evidências. Sua esperança de que a publicação das memórias de Roddy pudesse levar a uma onda de apoio popular para sua petição foi, deve ser dito, irremediavelmente ingênua. Não obstante, não havia outra forma de agir cabível para ele, e é bem característico de sua pessoa ter imaginado que o público abraçaria a causa de Roddy como ele abraçara.

Seja como for, na semana seguinte o sr. Sinclair recebeu uma cortês porém perfunctória resposta de lorde Moncrieff, declarando que, "não havendo nada errado seja na evidência seja na condução do julgamento", ele não tinha obrigação de considerar um apelo por clemência. "Esses talentos que o senhor arroga para o acusado, reais ou não, não são fatores na consideração da Lei." E, assim, a pena capital foi confirmada.

O sr. Sinclair continuou a visitar Roddy diariamente. Encontrava-o num estado geral de torpor, "sem apetite para se alimentar ou conversar". Em nenhum momento Roddy reclamou de sua situação ou expressou medo quanto a sua sina, cada vez mais próxima. Tampouco aceitou as pregações do capelão da prisão para que usasse o tempo que lhe restava para se reconciliar com seu criador. Apesar de lhe estarem disponíveis os materiais necessários, Roddy não escreveu nada mais, exceto a seguinte breve carta para seu pai:

> Querido pai,
>
> Escrevo na esperança de que esta carta o encontre em melhor situação. A mim mesmo resta pouco tempo, e não desejo deste mundo mais do que me foi destinado. As paredes da minha cela formam uma triste paisagem, e embora eu queira muito ver Culduie mais uma vez, se pudesse apressar minha execução eu o faria alegremente. Por enquanto, contudo, estou confortável e o senhor não deve se preocupar com meu bem-estar, nem lamentar meu passamento.
>
> Quero lhe dizer que sinto muito pelos problemas que lhe causei, e gostaria sinceramente que o senhor tivesse sido abençoado com um filho mais valoroso.
>
> [Assinado]
> Roderick John Macrae

A carta foi entregue em Culduie na tarde de 22 de setembro, mas John Macrae nunca a leu, tendo, naquela manhã, sido encontrado por Carmina Smoke morto em sua cadeira. Foi enterrado junto à sua mulher no cemitério em Camusterrach. A casa e seus anexos tinham chegado a um estado de verdadeira ruína, e a terra foi distribuída entre os outros habitantes da aldeia. O cargo de policial fora assumido por Peter Mackenzie.

No dia 24 de setembro, na manhã de sua execução, o único pedido de Roddy foi dar uma volta no pátio da prisão. Isso lhe foi concedido, e, segundo o sr. Sinclair, ele completava suas voltas "como se estivesse em outro lugar". Foi então levado de sua cela, acompanhado por seu advogado, um ministro da Igreja da Escócia e dois carcereiros. Quando o grupo aproximou-se do recinto onde seria realizada a execução, as pernas de Roddy fraquejaram e ele teve de ser arrastado pelos guardas nos metros restantes. Já tinham sido feitos todos os preparativos necessários; além do carrasco também estavam presentes o dr. Hector Munro e o diretor da prisão. Quando puseram o capuz em sua cabeça, lágrimas escorriam dos olhos de Roddy. O sr. Sinclair cobriu o rosto com as mãos. Roderick Macrae foi declarado morto às oito horas e vinte e quatro minutos. "O enforcamento", afirmava o relatório do médico, "foi realizado de modo exemplar, e nenhum sofrimento indevido foi causado ao prisioneiro."

Notas históricas e agradecimentos

Em termos de pesquisa e inspiração, minha maior dívida é com cincos livros: de *Highland Folk Ways* (Routledge, 1961), de I. F. Grant, um guia absolutamente indispensável para o modo de vida e as tradições das Terras Altas escocesas; *The Making of the Crofting Community* (John Donald, 1976), de James Hunter, que é o melhor livro que já encontrei sobre o desenvolvimento histórico das Terras Altas; *Children of the Black House* (Birlinn, 2003), de Calum Ferguson, que oferece uma história mais anedótica; *The Origins of Criminology: A Reader* (Routledge, 2009), de Nicola Rafter, que me apresentou aos escritos de J. Bruce Thomson e outros pioneiros nesse campo; e, finalmente, *I, Pierre Rivière, Having Slaughtered My Mother, My Sister and My Brother* (Bison Books, 1982), editado por Michel Foucault.

Sou grato também ao historiador de Applecross Iain MacLennan, pela riqueza de informação contida em seu livro *Applecross and Its Hinterland: A Historical Miscelanny* (Applecross Historical Society, 2010), e por suas generosas respostas a meus e-mails. Gordon Cameron, curador do Applecross Heritage Center, também foi generoso ao me conceder seu tempo e me forneceu o texto da canção “Coille Mhùiridh”, composta na década de 1820 por Donald MacRae. A tradução para o inglês é, creio, de Roy Wentworth. A tradução de “Càrn nan Uaighean” me foi sugerida por Francis e Kevin MacNeil.

Devo registrar também minha dívida com *Sermons*, do reverendo Angus Galbraith (1837-1909), que inspiraram a oração fúnebre de seu homônimo neste livro. A "declaração à polícia" também parafraseia as palavras do reverendo John Mackenzie da paróquia de Lochcarron, que escreveu em seu "Relatório Estatístico" de 1840: "Não muito antes da metade do século passado, os habitantes deste distrito estiveram envolvidos na mais dissoluta barbárie. Os registros do presbitério, que começam em 1724, estão manchados com um relato de crimes sombrios e sangrentos, exibindo um quadro de loucura, ferocidade e grande indulgência, consistente apenas com um estado de selvageria".

James Bruce Thomson (1810-1873) realmente existiu, e os artigos mencionados no texto podem ser encontrados on-line. As teorias propostas pelo sr. Thomson no livro estão estreitamente baseadas nesses artigos, mas sua personalidade e seu caráter são produtos de minha imaginação, assim como sua descrição. O personagem de John Murdoch, da mesma forma, é baseado no reformador radical (1818-1903) com esse nome.

Em 2013 fui agraciado com o prêmio do Scottish Book Trust New Writers Award e estou em grande dívida com o fantástico apoio e incentivo que me deram durante a escrita deste livro. Quero também agradecer à sempre eficiente equipe da Biblioteca Mitchell em Glasgow e ao Arquivo Nacional da Escócia em Edimburgo.

Apesar de toda a ajuda e todos os conselhos que recebi, não reivindico ser um especialista quer no período em que se passa a história contada neste livro, quer no modo de vida nas Terras Altas em geral. Este livro é um romance, e como tal tomei algumas liberdades com os fatos históricos e, em alguns trechos, como fazem os romancistas, simplesmente inventei. Desnecessário dizer, todas as imprecisões, seja por projeto, seja por erro, são de minha total responsabilidade.

Estou profundamente agradecido a minha editora, Sara Hunt, por seu maravilhoso entusiasmo, sua generosidade e seu apoio durante a escrita deste livro. Também a Craig Hillsley por sua meticulosa e sensível edição.

No aspecto pessoal, este livro não existiria não fossem as visitas frequentes que fiz a Wester Ross, tanto em minha infância quanto como adulto, e por essa dádiva sou imensamente grato a meus pais, Gilmour e Primrose Burnet. Tenho de agradecer também a minha grande amiga e eficiente ouvidora-mor Victoria Evans, sempre generosa com seu tempo e cujas observações são sempre pertinentes e astutas.

Finalmente, a Jen: obrigado por sua paciência, incentivo e por aturar meus momentos de desânimo. Assim como Una Macrae, você é a luz do sol que nutre as colheitas.

Publishing
Scotland
Foillseachadh Alba

A tradução deste livro foi possível mediante a ajuda do Publishing Scotland Translation Fund.

His Bloody Project: Documents Relating to the Case of Roderick Macrae
© Graeme Macrae Burnet, 2015. Publicado originalmente no
Reino Unido por Contraband, uma marca de Saraband, 2015.

Todos os direitos desta edição reservados à Todavia.

Grafia atualizada segundo o Acordo Ortográfico da Língua
Portuguesa de 1990, que entrou em vigor no Brasil em 2009.

capa
Tereza Bettinardi
imagens de capa
Channarong Pherngjanda/ Shutterstock.com;
e NYgraphic/ Shutterstock.com
mapa
© Saraband, 2015
composição
Jussara Fino
preparação
Rodrigo Lacerda
revisão
Huendel Viana
Ana Alvares

Dados Internacionais de Catalogação na Publicação (CIP)

— —

Burnet, Graeme Macrae (1967-)
Seu projeto sangrento: Documentos relativos ao caso
de Roderick Macrae: Graeme Macrae Burnet
Título original: *His Bloody Project: Documents
Relating to the Case of Roderick Macrae*
Tradução: Paulo Geiger
São Paulo: Todavia, 1a ed., 2019
336 páginas

ISBN 978-65-80309-54-2

1. Literatura escocesa 2. Romance 3. Ficção contemporânea
I. Geiger, Paulo II. Título

CDD 828.9911

— —

Índice para catálogo sistemático:
1. Literatura escocesa: Romance 828.9911

todavia
Rua Luís Anhaia, 44
05433.020 São Paulo SP
T. 55 11. 3094 0500
www.todavialivros.com.br

fonte
Register*
papel
Munken print cream
80 g/m²
impressão
Geográfica